Gewoonweg onweerstaanbaar

Abonneer u nu op de Karakter Nieuwsbrief.
Ga naar www.karakteruitgevers.nl en:
* ontvang maandelijks informatie over de nieuwste titels;
* blijf op de hoogte van speciale aanbiedingen en kortingsacties;
* én maak kans op fantastische prijzen!
www.karakteruitgevers.nl biedt informatie over al onze boeken,
Nova Zembla-luisterboeken en softwareproducten.

Rachel Gibson

Gewoonweg onweerstaanbaar

Karakter Uitgevers B.V.

Oorspronkelijke titel: *Simply Irresistible*
© 1998 by Rachel Gibson
Published by arrangement with Sterling Lord Literistic, Inc.
Vertaling: Frances van Gool
© 2012 Karakter Uitgevers B.V., Uithoorn
Opmaak binnenwerk: ZetSpiegel, Best
Omslagontwerp en artwork: blauwblauw-design | bno

ISBN 978 90 452 0294 5
NUR 340

Voor Jessica, Carrie en Jamie, die heel wat diepvriespizza's
moesten eten omdat mama zat te schrijven

Proloog

McKinney, Texas
1985

Van rekenen kreeg Georgeanne Howard hoofdpijn, en van lezen tranende ogen. Als ze al een boek las. Maar dan kon ze tenminste met haar vingers de regels volgen en af en toe net doen alsof. Bij wiskunde kon dat niet.

Georgeanne legde haar hoofd op het vel papier dat voor haar lag en luisterde naar de geluiden om haar heen. Haar klasgenootjes waren al buiten aan het spelen, onder de warme Texaanse zon. Ze haatte rekenen, maar ze had vooral een hekel aan de verzamelingen die ze steeds moest optellen. Soms staarde ze zo lang naar de tekeningetjes met hoeveelheden stokjes of appels dat ze er hoofdpijn van kreeg én tranende ogen. En elke keer als ze de verzamelingen telde, dan kreeg ze hetzelfde antwoord – het verkeerde.

Om de sommen even te vergeten dacht Georgeanne aan het roze theepartijtje dat zij en haar grootmoeder na school zouden vieren. Haar oma had vast de roze petitfours al gemaakt. Straks zouden ze allebei een roze jurk aantrekken en met het roze tafellinnen en de bijbehorende servetten en theekopjes de tafel dekken. Georgeanne was dol op roze theepartijtjes en ze kon al goed inschenken.

'Georgeanne!'

Ze schrok op. 'Ja, juffrouw?'

'Heeft je grootmoeder je nog naar de dokter meegenomen, zoals we besproken hadden?' vroeg juffrouw Nobel.

'Ja, juffrouw.'

'En heeft je grootmoeder je laten testen?'

Ze knikte. De week ervoor had ze drie dagen lang moeten

voorlezen aan een dokter met grote flaporen. Ze had zijn vragen beantwoord en verhalen geschreven. Ze had rekensommen gemaakt en tekeningen. Ze hield van tekenen, maar de rest vond ze stom.

'Ben je klaar?'

Georgeanne keek naar het volgeschreven blaadje voor haar. Ze had haar gum zo vaak gebruikt dat het papier er grauw van zag en er zaten gaten waar haar potloodpunt was blijven haken. 'Nee,' zei ze, en vlug legde ze haar hand op het papier.

'Laat me eens zien hoe ver je bent.'

Met lood in haar schoenen stond ze op. Ze schoof haar stoel onder de tafel en zette hem zorgvuldig recht. De zolen van haar lakschoenen maakten amper geluid toen ze schoorvoetend naar het bureau van haar juf liep. Ze was een beetje misselijk.

Juf Nobel pakte het vod uit Georgeannes hand en bekeek haar sommen. 'Het is je weer gelukt,' zei ze op geïrriteerde toon. Boven de jufs bruine ogen verscheen een frons, waardoor haar neus nog langer leek. 'Hoe vaak ga je deze sommen nog fout maken?'

Georgeanne tuurde over de schouder van juf Nobel naar de knutseltafels, waar twintig kleine iglootjes stonden, gemaakt van suikerklontjes. Het hadden er eenentwintig moeten zijn, maar omdat ze zo slordig schreef mocht Georgeanne haar iglo nog niet maken. Morgen misschien. 'Ik weet het niet,' fluisterde ze.

'Ik heb je minstens vier keer gezegd dat het antwoord op de eerste som niet zeventien is, dus waarom schrijf je dat dan op?'

'Ik weet het niet.' Steeds opnieuw had ze de appels geteld. Er waren twee verzamelingen met elk zeven appels en dan waren er nog drie losse. Dat was zeventien.

'Ik heb het je al zo vaak uitgelegd. Kijk naar je papier.'

Toen Georgeanne dat deed, wees juf Nobel naar de eerste verzameling. 'Deze is tien,' blafte ze en ze verplaatste haar vinger. 'En deze ook. En dan hebben we nog drie losse. Hoeveel is tien plus tien?'

Georgeanne telde beide cijfers in haar hoofd op. 'Twintig.'

'Plus drie?'

Stil telde ze er drie bij op. 'Drieëntwintig.'

'Precies! Het antwoord is drieëntwintig.' Juffrouw Nobel schoof het vel papier weer terug. 'Nou weer gaan zitten en de rest afmaken.'

Zodra ze weer op haar plek zat tuurde Georgeanne naar de tweede som op haar papier. Ze bestudeerde de drie verzamelingen, telde de appels zorgvuldig bij elkaar op en schreef het cijfer eenentwintig op.

Toen de bel ging pakte Georgeanne de paarse poncho die haar grootmoeder voor haar gebreid had, en ze rende bijna de hele weg naar huis. Toen ze de achterdeur binnenkwam, zag ze de roze taartjes al op het aanrecht klaarstaan. Het was een kleine keuken, waarin het rood met gele behang hier en daar loskwam, maar het was Georgeannes favoriete ruimte in het huis. Het rook er naar gezellige, fijne dingen, zoals taartjes en brood, boenwas en Sun-zeep.

De zilveren theepot stond al klaar op de serveerboy en ze wilde net haar grootmoeder roepen, toen ze een mannenstem hoorde in de zitkamer. Aangezien die kamer verboden terrein was, behalve voor hoog bezoek, liep Georgeanne zachtjes door de gang naar de deur van de salon.

'Uw kleindochter lijkt niets te snappen van abstracte zaken. Ze draait woorden om of kan niet op het woord komen dat ze wil gebruiken. Toen ik haar bijvoorbeeld een plaatje van een deurknop liet zien, noemde ze het "zo'n ding dat je gebruikt om de deur open te doen". Maar tegelijkertijd kent ze wel de begrippen harnas en houweel en kent ze alle staten van Amerika.' De man die deze woorden sprak was, zo zag Georgeanne, de dokter met de flaporen die haar vorige week de tests had laten doen. Ze bleef voor de deur staan luisteren. 'Het goede nieuws is dat ze heel hoog scoorde op begrijpend lezen,' ging hij verder. 'Dat betekent dat ze alles wat ze leest goed kan begrijpen.'

'Hoe kan dat nou?' vroeg haar grootmoeder. 'Ze gebruikt de deurknop elke dag, maar ze heeft, voor zover ik weet, nog nooit een houweel gezien. En hoe kan ze nou woorden door elkaar halen als ze begrijpt wat ze leest?'

'We weten niet waarom sommige kinderen hersenafwijkingen hebben, mevrouw Howard. Ook weten we niet hoe ze eraan komen en we hebben er geen remedie tegen.'

Georgeanne liet zich in de gang tegen de muur vallen. Ze voelde haar wangen branden en ze kreeg een brok in de keel. Hersenafwijking? Ze was niet zo dom dat ze niet begreep wat de man had gezegd. Hij had gezegd dat ze achterlijk was.

'Wat kan ik voor mijn Georgeanne doen?'

'Misschien kunnen we nog wat testen doen om te bepalen waar haar probleem precies zit. Sommige kinderen hebben baat bij medicatie.'

'Ik ga Georgeanne geen pillen laten slikken.'

'Laat haar dan naar een speciale school gaan,' adviseerde de dokter. 'Ze is een mooie meid en ze wordt vast een mooie vrouw. Dan zal ze geen enkel probleem hebben om een echtgenoot te vinden die voor haar kan zorgen.'

'Een echtgenoot? Mijn Georgie is pas negen, dokter Allen.'

'Ik wil niet onbeleefd klinken, mevrouw Howard, maar u bent de grootmoeder van het meisje. Hoeveel jaren denkt u nog voor haar te kunnen zorgen? Mijn zorg is dat Georgeanne nooit echt slim zal worden.'

Georgeanne voelde de brok in haar keel groeien. Ze liep zacht de gang weer uit en verliet het huis door de achterdeur. Ze schopte een van de blikken met planten van de trap en gaf de droogmolen met wasgoed een zwieper terwijl ze zelf in vliegende vaart de tuin overstak.

Daar stond, achteraan op de oprit, een Chevrolet El Camino die volgens Georgeanne precies de kleur van cola had. De auto stond daar, sinds het overlijden van haar opa, al twee jaar op zijn vier lekke banden stil. Haar grootmoeder reed in de Lincoln en dus had Georgeanne besloten dat de El Camino van haar was. Ze gebruikte het voertuig om haar te transporteren naar exotische oorden als Londen, Parijs en Texarkana.

Maar vandaag wilde ze nergens naartoe. Ze ging op de bank zitten, sloeg haar handen om het stuur en staarde naar het logo van Chevrolet op de plek waar de claxon zat.

De tranen schoten haar in de ogen en ze omklemde het stuur nog steviger. Misschien had haar moeder, Billy Jean, dat wel geweten. Misschien had ze gezien dat Georgeanne nooit 'echt heel slim' zou zijn. Misschien had ze haar daarom achtergelaten bij haar grootouders. Om nooit meer terug te keren. Haar grootmoeder zei altijd dat Billy Jean er niet aan toe was geweest om moeder te worden. Georgeanne had zich altijd afgevraagd wat zij verkeerd had gedaan dat haar moeder voor altijd wegbleef. Misschien was dit het antwoord.

Terwijl ze zo het verleden overpeinsde, verdwenen haar dromen over de toekomst. De tranen biggelden over haar wangen. Een aantal andere dingen zag ze wel heel duidelijk. Zo zou ze nooit meer in de pauze buiten mogen spelen of een iglo bouwen, net als haar klasgenootjes. Haar hoop om een verpleegster of astronaut te worden was vervlogen. Haar moeder zou haar nooit meer komen halen. De kinderen op school zouden het binnenkort ook weten en haar uitlachen.

Georgeanne vond het vreselijk om uitgelachen te worden.

Of ze zouden haar voor gek zetten, zoals ze met Gilbert Whitley hadden gedaan. Gilbert had in zijn broek gepiest in de derde klas en daar bleven ze hem voortdurend aan herinneren. Nu noemden ze hem Gilbert Wetley. Georgeanne wilde er niet aan denken hoe ze haar zouden noemen.

Maar al zou ze eraan onderdoor gaan, nooit zou iemand van haar te weten komen dat ze anders was. Ze was vastbesloten dat niemand ooit zou ontdekken dat Georgeanne Howard een hersenafwijking had.

Hoofdstuk 1

1998

De avond voor het huwelijk van Virgil Duffy raasde er een zomerstorm door de Puget Sound. De volgende ochtend waren de donkere wolken verdwenen en had men weer een prachtig uitzicht op de baai en de spectaculaire skyline van Seattle. Veel van de bruiloftsgasten keken naar de blauwe lucht met de vraag of Virgil net zoveel controle had over Moeder Natuur als over zijn rederij. Ze vroegen zich af of hij ook zijn jonge bruidje zo onder controle had, en of ze een speeltje voor hem was, net als zijn ijshockeyteam.

Terwijl de gasten wachtten op het begin van de plechtigheid, nipten zij uit champagneflûtes en vroegen zich hardop af hoe lang dit ongelijke huwelijk zou standhouden. De algemeen heersende opinie was: niet heel lang.

John Kowalsky negeerde het geroddel om hem heen. Hij had dringender zaken aan zijn hoofd. Hij zette het kristallen whiskyglas aan zijn mond en goot het honderd jaar oude Schotse vocht in één teug naar binnen, alsof het water was. Het dreunde in zijn hoofd. Hij voelde de bonkende hoofdpijn van zijn kruin tot aan zijn oogbollen en kaakholtes. Hij had het gisteravond vast héél gezellig gehad. Alleen jammer dat hij zich er niets meer van kon herinneren.

Vanaf zijn zitplaats op het terras keek hij uit over een smetteloos groen gazon, keurige borders en zacht klaterende fonteinen. Gasten gekleed in Armani en Donna Karan en Prada schuifelden naar de rijen witte stoeltjes die stonden opgesteld rondom een prieel, versierd met bloemen en linten en een of andere gaasachtige stof.

John verplaatste zijn blik naar een groepje teamgenoten. Ze zagen er ongemakkelijk uit in hun identieke blauwe blazers en nette schoenen. Ze zagen eruit alsof ze net zo weinig zin hadden in dit societyhuwelijk als hij.

Links van hem nam een vrouw in een paarse jurk en dito schoenen plaats achter een harp, liet deze tegen haar schouder steunen en begon er zo zacht op te spelen dat de muziek amper boven het geluid van de branding uit kwam. Ze keek naar hem op met een warme glimlach die hij meteen herkende. Hij was niet verbaasd dat de vrouw belangstelling voor hem toonde en liet zijn blik keurend over haar lichaam gaan. Op zijn achtentwintigste had John heel wat vrouwen gehad, in allerlei soorten en maten, van verschillende achtergronden en intelligenties. Het stond hem niet tegen om weer een of andere groupie op te pikken, maar het magere lichaam van deze vrouw had niet zijn voorkeur. Hoewel sommigen van zijn teamgenoten op slanke vrouwen vielen, gaf John de voorkeur aan zachte vormen. Als hij een vrouw vastpakte, had hij liever zacht vlees in zijn handen dan knokige botten.

De harpiste begon steeds flirteriger naar hem te kijken en John draaide zijn hoofd om. De vrouw was niet alleen te dun, maar ook had hij een hekel aan harpmuziek, net zoals hij een hekel aan trouwerijen had. Hij had er zelf al twee achter de rug en geen van beide had hem gelukkig gemaakt. Sterker nog, de laatste keer dat hij zo'n kater had als vandaag was toen hij zes maanden geleden in Vegas wakker was geworden in een roze huwelijkssuite, naast een stripper met de naam DeeDee Delight. Dat huwelijk had niet veel langer geduurd dan de huwelijksnacht. En het ergste was nog dat hij zich niet kon herinneren of DeeDee echt een *delight* was geweest.

'Dank voor je komst, jongen.' Virgil Duffy, eigenaar van de Seattle Chinooks, verscheen ineens naast hem en klopte hem op de schouder.

'Ik had begrepen dat het een verplicht nummer was,' zei hij met lichte spot in de ogen.

Duffy lachte en liep verder het pad af. Zo op de rug gezien, in het licht van de namiddagzon, leek hij precies wat hij moest zijn: een tycoon uit de Fortune 500, eigenaar van een ijshockeyteam. Een man met geld genoeg om een mooi vrouwtje voor zichzelf te regelen.

'Heb jij hem gisteravond gezien met die vrouw met wie hij gaat trouwen?'

John keek over zijn rechterschouder in het gezicht van de jongste aanwinst van het team, Hugh Miner. Sportjournalisten hadden Hugh al vergeleken met James Dean, niet alleen vanwege zijn trekken, maar ook vanwege het roekeloze gedrag dat hij zowel op het ijs vertoonde als erbuiten. John zag dat graag. 'Nee,' antwoordde hij naar waarheid. Hij zocht in de borstzak van zijn overhemd naar zijn zonnebril. 'Ik ging nogal vroeg weg.'

'Nou, ze is behoorlijk jong. Tweeëntwintig of zoiets.'

'Dat heb ik ook gehoord.' Hij schoof zijn lange benen opzij om wat dames op leeftijd te laten passeren, die op weg waren naar hun stoeltjes. Aangezien hij zelf ook dol was op vrouwen, liet hij zich er nooit op voorstaan een moralist te zijn, maar het had iets pathetisch en ziekelijks als een man van Virgils leeftijd ging trouwen met een vrouw die ruim veertig jaar jonger was.

Hugh gaf John een por in zijn ribbenkast. 'En een paar uiers die je als man het water in de mond doen lopen.'

John schoof zijn zonnebril omhoog en glimlachte naar de dames die boze blikken wierpen naar Hugh. Hij had zijn mededeling over Virgils verloofde niet bepaald zachtjes uitgesproken. 'Jij bent toch opgegroeid op een melkveebedrijf?'

'Klopt, iets voorbij Madison.' De jonge goalie glom van trots.

'Nou, ik zou dat wat je net zei over uiers niet al te vaak gebruiken, als ik jou was. Over het algemeen trekken vrouwen het niet wanneer je ze vergelijkt met vee.'

'O ja.' Hugh lachte onbevangen. 'En wat denk je dat ze ziet in een man die oud genoeg is om haar opa te zijn? Ik bedoel, ze is niet lelijk of dik, of zo. Sterker nog, ze is hartstikke knap om te zien.'

Met zijn vierentwintig jaar was Hugh niet alleen jonger dan John, maar ook beduidend naïever. Hij zou een van de beste goalies van de hele National Hockey League kunnen worden, als hij niet de akelige gewoonte had de puck met zijn hoofd te stoppen. En gezien zijn laatste vraag was het duidelijk dat ze op zoek moesten naar een steviger masker. 'Kijk eens goed naar de man,' gebaarde John. 'De laatste cijfers zeggen dat Virgil meer dan zeshonderd miljoen dollar waard is.'

'Ja, nou, geld is niet alles,' mompelde de goalie. Hij zette koers naar de trap. 'Kom je bij ons zitten, Kowalsky?'

'Nee.' John viste een ijsklont uit het whiskyglas en zette het vervolgens in een plantenbak, met dezelfde achteloosheid voor het kristallen voorwerp als voor de vloeistof die erin had gezeten. Hij had zijn gezicht gisteren al op het feest laten zien, en hier had hij ook zijn best gedaan, maar hij was niet van plan te blijven. 'Ik heb een verschrikkelijke kater,' zei hij terwijl hij de trap af liep.

'Wat ga je dan doen?'

'Naar mijn huis in Copalis.'

'Dat zal meneer Duffy niet leuk vinden.'

'Jammer dan.' Met dat onbezorgde antwoord liep hij om het grote huis heen, in de richting van de parkeerplaats aan de voorkant, waar hij zijn Corvette uit 1966 had neergezet. Hij had zichzelf de auto cadeau gedaan toen hij was verkocht aan de Chinooks met een miljoenencontract voor het ijshockeyteam van Seattle. Hij was dol op zijn klassieke sportwagen, met de brullende motor. Hij verheugde zich er nu al op om de Corvette straks op de snelweg eens voluit te laten gaan.

Terwijl hij zijn blazer uittrok, bespeurde hij vanuit een ooghoek een zachtroze gedaante boven aan het brede bordes. Hij gooide het jasje achter in de knalrode auto en zag een jonge vrouw in een lichtroze jurk tussen de dubbele deuren door glippen. Ze duwde met haar beige tas tegen de hardhouten deur. De wind kreeg grip op de stijve, donkere krullen die om haar schouders vielen. Ze zag eruit alsof ze van haar oksels tot haar boven-

benen in roze satijn was gewikkeld. De grote witte strik op haar
bovenlijf kon haar volle boezem amper verhullen. Ze had lange
bruine benen en aan haar voeten droeg ze ragfijne sandaaltjes
met heel hoge hakken.

'Meneer, wacht even,' riep ze naar hem, met een ietwat hese
stem, die duidelijk haar zuidelijke afkomst verried. De hakken
van haar idioot hoge schoentjes klikklakten de trap af. Omdat
haar jurk zo ontzettend strak zat, moest ze zijwaarts de trap af
en bij elke stap spande haar boezem strak tegen het lijfje van de
jurk.

John wilde haar eigenlijk toeroepen dat ze voorzichtig moest
doen. Maar in plaats daarvan vouwde hij zijn armen over elkaar
en wachtte tot ze aan de andere kant van zijn auto tot stilstand
kwam. 'Het lijkt me niet zo verstandig zo hard te hollen.'

Van onder haar donkere wenkbrauwen keken twee lichtgroene
ogen hem vragend aan. 'Ben jij een van de hockeyers van Virgil?'
vroeg ze. Ze maakte haar schoenen los en bukte zich om ze op
te rapen. Haar donkere krullen vielen naar voren en streken langs
haar gebruinde schouders en decolleté met de witte strik ervoor.

'John Kowalsky,' stelde hij zichzelf voor. Haar volle lippen, die
erom vroegen gekust te worden, deden hem denken aan de favoriete pin-up van zijn opa, Rita Hayworth.

'Ik moet hier weg. Kun jij me helpen?'

'Tuurlijk. Waar wil je naartoe?'

'Maakt me niet uit,' antwoordde ze, en ze wierp haar tas en
schoenen op zijn achterbank.

Er verscheen een glimlach om zijn mond en hij stapte in zijn
sportauto. Hij had niet gerekend op gezelschap, maar nu deze
pin-up meereed vond hij dat toch aangenaam. Ze had de deur
nog niet dichtgetrokken of hij reed de oprit al af. Hij vroeg zich
af wie ze was en waarom ze zo'n haast had.

'O god,' kreunde ze en ze draaide zich met een ruk om naar
Virgil Duffy's huis, dat snel uit het zicht verdween. 'Ik heb Sissy
in de steek gelaten. Ze ging op zoek naar haar boeketje en toen
ben ik snel gevlucht!'

'Wie is Sissy?'

'Mijn vriendin.'

'Was je bezig met die bruiloft?' vroeg hij. Toen ze knikte veronderstelde hij dat ze een bruidsmeisje was of zoiets. Ze raceten langs sparren en dennen, glooiende akkers en roze bloeiende rododendrons. Hij bestudeerde haar vanuit zijn ooghoeken. Ze had een gladde huid die licht getint was. John besefte dat ze veel knapper was dan hij aanvankelijk dacht en jonger ook.

Ze draaide zich weer om, waarna de wind haar krullen weer te pakken kreeg en ze liet ronddansen om haar hoofd en schouders. 'O, god. Nu heb ik het echt verbruid,' kreunde ze, weer met dat grappige zuidelijke accent.

'We kunnen nog omdraaien,' stelde hij voor. Hij vroeg zich nu echt af wat er was gebeurd dat deze jonge vrouw zelfs haar vriendin in de steek liet.

Ze schudde haar hoofd en de parels die in haar oren hingen schudden mee. 'Nee, nu is het te laat. Nu is het al gebeurd. Ik bedoel, ik heb het al eerder gedaan... maar dit... dit is echt het allerergste.'

John richtte zijn aandacht weer op de weg. Hij raakte niet snel van de wijs van vrouwentranen, maar had wel een hekel aan hysterisch gedrag, en hij vermoedde dat ze op het punt stond hysterisch te gaan doen. 'Eh... hoe heet je eigenlijk?' vroeg hij om haar af te leiden.

Ze haalde diep adem en probeerde deze langzaam uit te blazen, met haar hand tegen haar buik gedrukt. 'Georgeanne, maar iedereen zegt Georgie.'

'Oké, Georgie, en je achternaam?'

Ze legde haar andere hand op haar voorhoofd. Ze had blank gelakte, gemanicuurde nagels, zag hij. 'Howard.'

'En waar woon je, Georgie Howard?'

'McKinney.'

'Ligt dat nog verder zuidwaarts dan Tacoma?'

'Grote grutten,' kreunde ze, en haar ademhaling versnelde. 'Ik kan het gewoonweg niet geloven. Ik kan het niet geloven.'

'Ben je misselijk?'

'Ik geloof het niet.' Ze schudde haar hoofd en haalde diep adem. 'Maar ik krijg geen adem meer.'

'Ben je soms aan het hyperventileren?'

'Ja... nee... ik weet het niet!' Haar ogen blikten hem nerveus aan. Ze klauwde met haar vingers in het roze satijn dat haar bovenlijf zo nauw omsloot, waardoor haar jurkje nog verder omhoog kroop. 'Ik kan het gewoon niet geloven. Ik geloof het niet,' jammerde ze tussen twee diepe ademhalingen door.

'Doe je hoofd omlaag,' adviseerde hij haar, met een vluchtige blik op de weg.

Ze boog voorzichtig voorover, maar liet zich direct weer naar achteren vallen. 'Dat kan ik niet.'

'Hoezo niet?'

'Mijn korset zit te strak... O, godsammekrake.' Het leek wel of haar accent met de minuut krachtiger werd. 'Ik heb het dit keer echt verpest. Ik kan het niet geloven...' ging ze verder met haar jammerklacht.

John begon te geloven dat het niet zo'n best plan was geweest om Georgeanne een helpende hand te bieden. Hij drukte het gaspedaal nog dieper in. De Corvette spoot over een brug over een nauw stuk van de Puget Sound, waardoor ze Bainbridge-eiland al snel achter zich lieten. Alle tinten groen kwamen voorbij toen de auto de snelweg op reed.

'Sissy zal het me nooit vergeven.'

'Ik zou me geen zorgen maken om je vriendin,' zei hij, al was hij ietwat teleurgesteld dat de vrouw die plotsklaps in zijn auto was gestapt zo'n mafketel bleek. 'Virgil koopt wel iets moois voor d'r, dan is ze het zo vergeten.'

Er verscheen een denkrimpel tussen haar wenkbrauwen. 'Dat denk ik niet,' zei ze.

'Tuurlijk wel,' sprak John haar tegen. 'En hij neemt haar vast ook wel mee uit eten naar een chic restaurant.'

'Maar Sissy mag Virgil helemaal niet. Ze vindt hem een vieze ouwe seksdwerg.'

Nu begon John iets te dagen. 'Is Sissy dan niet de bruid?'
Ze staarde hem met wijd open ogen aan. 'Nee, dat ben ik.'
'Dit is niet geestig, Georgeanne.'
'Ik weet het!' jammerde ze. 'Ik kan maar niet geloven dat ik Virgil voor het altaar in de steek heb gelaten!'

Johns hoofdpijn begon ineens te hameren door zijn hele hersenpan; hij was even vergeten dat hij een kater had. Hij trapte hard op de rem, stuurde de Corvette naar rechts en bleef op de vluchtstrook stilstaan. Georgeanne viel tegen de deur aan en pakte met beide handen de deurgreep vast.

'Jezus Christus te paard!' John zette de auto in zijn vrij en schoof zijn zonnebril omhoog. 'Zeg alsjeblieft dat je een grap maakt!' zei hij dreigend. Hij wierp zijn bril op het dashboard. Hij durfde er niet over na te denken wat het zou betekenen als hij zou worden gesnapt met het gevluchte bruidje van Virgil in zijn auto. Tegelijkertijd hoefde hij daar niet lang over na te denken; hij wist het antwoord wel. Hij wist dat hij binnen de kortste keren zou worden verkocht aan een slechter team, nog voordat hij de kans zou krijgen zijn locker in de kleedkamer leeg te ruimen. Maar hij had het naar zijn zin bij de Chinooks. Hij had het naar zijn zin in Seattle. Hij wilde helemaal niet verkocht worden.

Georgeanne ging rechtop zitten en schudde haar hoofd.
'Maar je draagt geen trouwjurk.' Hij voelde zich verneukt en zocht een zondebok. 'Waarom draag jij als bruid geen gewone trouwjurk?'
'Maar dit is een trouwjurk.' Ze pakte de zoom beet en probeerde hem nog lager over haar dijen te trekken. Hoe meer ze hem naar beneden trok, des te verder zakte hij omlaag over haar borsten. 'Het is alleen geen klassieke trouwjurk,' legde ze uit, terwijl ze de grote witte strik beetpakte en de jurk weer omhoog sjorde. 'Want Virgil is al vijf keer getrouwd geweest en hij vond het overdreven om mij in het wit te laten trouwen.'

John sloot zijn ogen en haalde een paar keer diep adem. Hij wreef over zijn gezicht. Hij moest haar zien te dumpen; en snel ook. 'Je woont toch ten zuiden van Tacoma?'

'Nee, ik kom uit McKinney, in Texas. Nog geen drie dagen geleden was ik nog nooit verder noordelijk gekomen dan Oklahoma City.'

'Het hele verhaal wordt hoe langer hoe mooier.' Hij lachte toonloos, toen draaide hij zich naar haar om. Ze zag eruit alsof ze speciaal voor hem was ingepakt. 'Jouw familie is toch ook hier voor de bruiloft?'

Weer schudde ze haar hoofd.

'Ach, natuurlijk wel,' zei John verbaasd.

'Ik geloof dat ik niet goed word.'

John sprong uit de auto en rende eromheen. Als ze ging overgeven, dan liever niet op het gloednieuwe interieur van zijn klassieker. Hij deed de deur open en pakte haar beet, maar hoewel John behoorlijk groot en sterk was en er geen moeite mee had een tegenspeler tegen het ijs te werken, viel het hem niet mee Georgeanne Howard uit zijn auto te krijgen. Ze was een stuk zwaarder dan ze eruitzag en door de gladde stof van haar jurk glipte ze voortdurend uit zijn handen. 'Moet je kotsen?' vroeg hij, met zijn gezicht in haar donkere haar.

'Ik geloof het niet,' antwoordde ze. Ze keek met grote, vragende ogen naar hem op. Hij wist genoeg van vrouwen om te weten dat dit het veeleisende type was; altijd maar vragen om aandacht. Smeken en paaien en strelen, net zo lang totdat een man toegaf. Verder was dit type nergens goed voor. Hij zou haar op weg helpen, dat had hij beloofd, maar het laatste waar hij zin in had was de vrouw die Virgil Duffy had laten zitten onder zijn hoede te nemen. 'Waar kan ik je afzetten?'

Georgeanne voelde zich alsof ze honderden vlinders had ingeslikt, die door haar bovenlijf fladderden en haar de adem benamen. Ze had zichzelf in een jurk gehesen die twee maten te klein was, waardoor ze alleen ondiep kon ademhalen. Toen ze opkeek in die twee donkerblauwe ogen, omrand met zulke volle wimpers, wist ze dat ze liever zelfmoord zou plegen met een bot botermesje dan overgeven in de nabijheid van zo'n knappe man. Met zijn volle wimpers en gulle mond had hij een stuk vrouwelijker kunnen overkomen, maar dat was niet het geval. Deze man straalde zoveel aantrekkingskracht naar vrouwen uit, dat hij nooit voor iets anders kon worden aangezien dan een honderd procent heteroseksuele man. Georgeanne, die ongeveer een meter vijfenzeventig lang was en zo'n beetje vijfenzeventig kilo woog – als ze een goede dag had en niet te veel water vasthield – voelde zich bijna klein naast hem.

'Waar kan ik je afzetten, Georgie?' vroeg hij opnieuw. Er viel een lok donkerbruin haar over zijn voorhoofd, die haar aandacht leidde naar een dun litteken dat zijn linker wenkbrauw doorsneed.

'Ik heb geen idee,' fluisterde ze. Maandenlang had ze geleefd met een verschrikkelijke zwaarte in haar hart. Een zwaarte die alleen een man met het kaliber van Virgil kon wegnemen, zo dacht ze. Met Virgil aan haar zijde hoefde ze nooit meer bang te zijn voor deurwaarders of huisjesmelkers. Ze was tweeëntwintig en had geprobeerd voor zichzelf te zorgen, maar het was mislukt – en niet zomaar een beetje – net zoals alles altijd mislukte in haar leven. School was mislukt, net als alle baantjes die ze daarna had gehad. En natuurlijk net als haar poging om op Virgil verliefd te worden. Die middag had het zware gevoel haar bijna verstikt toen ze voor de grote staande spiegel stond, in de trouwjurk die hij voor haar had uitgekozen. Toen had ze beseft dat ze niet met Virgil kon trouwen. Al het geld in de wereld kon haar er niet toe brengen naar bed te gaan met een man die haar aan George Bush senior deed denken.

'Waar is je familie dan?'

Ze dacht aan haar grootmoeder. 'Ik heb een oudtante en oudoom in Duncanville, maar Lolly kon niet komen omdat ze een hernia heeft, en oom Clyde moet haar verzorgen.'

Hij trok zijn mondhoeken omlaag. 'Waar zijn je ouders dan?'

'Ik ben opgevoed door mijn grootmoeder, maar die is jaren geleden al gaan hemelen,' antwoordde Georgeanne, in de hoop dat hij haar niet zou vragen naar haar vader, die ze nooit gekend had, of haar moeder, die ze maar één keer had gezien – bij de begrafenis van haar grootmoeder.

'En je vrienden?'

'Sissy is nog bij Virgil.' Alleen van de gedachte aan Sissy kreeg ze al hartkloppingen. Ze had zo haar best gedaan om alles te laten kleuren bij haar trouwjurk. Maar op dit moment leek het matchen van kleding en schoenen vooral ontzettend triviaal en kinderachtig.

Hij keek bedenkelijk. 'Uiteraard.' Hij haalde zijn grote handen van haar middel en streek met zijn handen door zijn haar. 'Het klinkt niet alsof je een vastomlijnd plan hebt.'

Nee, ze had geen plan, vastomlijnd of anderszins. Ze had haar tas gepakt en was gevlucht uit Virgils huis, zonder erover na te denken waar ze naartoe zou gaan of hoe ze daar zou moeten komen.

'Nou, dat is mooi klote.' Hij liet zijn handen zakken en staarde in de verte. 'Dan wordt het tijd dat je een plan maakt.'

Georgeanne kreeg het vervelende gevoel dat als ze niet binnen een paar minuten een plan zou bedenken, John snel zijn auto weer in zou springen en haar aan de kant van de weg zou laten staan. Maar ze had hem nodig, tenminste, tot ze had bedacht wat ze moest doen. Daarom deed ze wat ze wel vaker deed. Ze legde een hand op zijn arm en ging dichter tegen hem aan staan, net genoeg om hem te laten denken dat ze openstond voor al zijn suggesties. 'Misschien kun jij me helpen?' zei ze met haar zwoelste stem, met de zachte zuidelijke klanken. Tot slot gaf ze hem nog een o-wat-ben-je-toch-een-lekker-ding-en-ik-een-dom-blondje-glimlach. Georgeanne mocht in veel zaken mislukt zijn, flirten kon ze als de allerbeste. Als het aankwam op het manipuleren van mannen, dan had ze altijd succes. Ze knipperde met haar wimpers en keek hem hoopvol aan. Een van haar mondhoeken krulde omhoog in een toespeling op een onvervuld genoegen dat ze hem kon schenken, maar natuurlijk niet van plan was hem te bieden. Ze liet haar beide handen omhoog strijken langs zijn gespierde onderarmen. Een aanraking die vriendelijk leek, maar eigenlijk een verdedigende manoeuvre was tegen al te vlugge vingers. Georgeanne had er een hekel aan als mannen aan haar borsten zaten.

'Je bent heel verleidelijk,' zei hij, met een vinger onder haar kin om hem wat op te tillen. 'Maar je bent me te duur.'

'Te duur?' Een briesje tilde een van haar pijpenkrullen op en liet die dansen om haar gezicht. 'Hoe bedoel je?'

'Ik bedoel,' begon hij, terwijl hij steels naar haar stevige borsten keek, die in zijn bovenlijf priemden, 'dat je iets van mij verlangt en je lichaam zelfs wilt aanbieden om dat voor elkaar te krijgen. Nou ben ik dol op seks, net als iedere man, schatje, maar mijn carrière is me te kostbaar.'

Georgeanne maakte zich van hem los en veegde haar krullen achter haar oren. Ze had verschillende relaties gehad in haar leven, maar wat haar betrof stelde seks niks voor. Mannen leken het altijd heerlijk te vinden, maar voor haar was vrijen ronduit beschamend. Het enige goede wat ze erover kon zeggen was dat het vaak maar drie minuten duurde. Ze tilde haar kin op en keek hem aan alsof hij haar diep had beledigd. 'Je vergist je. Zo'n meisje ben ik niet.'

'Aha.' Hij keek naar haar alsof hij precies wist wat voor meisje ze was. 'Je bent een *cockteaser*.'

O, dat was zo'n rotwoord. Ze vond zichzelf altijd meer een actrice.

'Waarom hou je niet op met die onzin en vertel je me gewoon wat je wilt.'

'Oké.' Ze gooide het over een andere boeg. 'Ik heb je hulp nodig en een plekje waar ik een paar dagen kan bivakkeren.'

'Luister eens,' zuchtte hij. 'Ik ben niet jouw type man. Ik kan je niet helpen.'

'Waarom zei je dan dat je me kon helpen?'

Hij kneep zijn ogen tot spleetjes maar zei niets.

'Een paar dagen maar,' smeekte ze wanhopig. Ze had tijd nodig om te bedenken wat ze zou doen – nu haar leven écht een grote puinhoop was. 'Ik zal je geen last bezorgen.'

'Dat betwijfel ik,' mompelde hij.

'Ik moet mijn tante spreken.'

'Waar woont je tante?'

'Helemaal in McKinney, Texas,' antwoordde ze naar waarheid, hoewel ze bepaald niet uitkeek naar een gesprek met Lolly. Haar tante was in haar nopjes geweest met het voorgenomen huwelijk. Ook al was ze nooit zo tactloos geweest om dat ronduit te zeggen. Maar Georgeanne vermoedde dat ze haar hoop had gevestigd op een paar dure cadeaus, zoals een nieuwe televisie en een goed bed.

John staarde haar een paar lange tellen vorsend aan. 'Verdomme, stap in,' zei hij ten slotte, terwijl hij zich omdraaide en terugliep naar het stuur. 'Maar zodra je je tante hebt gesproken, zet ik je af bij een bushalte, of vliegveld, of waar dan ook.'

Ondanks het feit dat zijn aanbod verre van genereus was, aarzelde Georgeanne geen moment. Ze sprong direct weer in de auto en sloeg de deur achter zich dicht.

John startte meteen, zette de Corvette in de eerste versnelling en de raceauto spoot ervandoor. Het geluid van de zoemende banden op het asfalt vulde een langdurige stilte. Een stilte die Georgeanne wat ongemakkelijk vond. John leek daar geen last van te hebben.

Jarenlang had ze les gehad bij de balletschool van miss Virdie Marshall, die haar meisjes ook de zuidelijke etiquette bijbracht. En hoewel ze niet de meest beweeglijke leerlinge was, overtrof ze de anderen door haar charme, waarmee ze iedereen om haar pink kon winden. Vandaag had ze kennelijk een slechte dag. John leek haar niet eens aardig te vinden. Dit verbaasde Georgeanne nogal, want mannen vonden haar altíjd aardig. Hij leek haar geen echte gentleman; hij gebruikte lelijke woorden en nog vaak ook. En zijn verontschuldigingen had hij ook niet aangeboden. De mannen in het zuiden van het land vloekten ook, natuurlijk, maar meestal boden ze daarna hun excuses aan. John leek haar niet het type man dat snel zijn excuses aanbood.

Ze keek van opzij naar zijn profiel en begon John Kowalsky met haar charmes te bestoken. 'Ben je in Seattle geboren?' vroeg ze, vastbesloten ervoor te zorgen dat hij haar mocht voordat ze hun bestemming hadden bereikt. Dat zou het allemaal een stuk makkelijker maken. Want al was hij er zelf nog niet van op de hoogte, John zou haar een paar dagen uit de brand moeten helpen.

'Nee.'

'Waar kom je dan vandaan?'

'Saskatoon.'

'Waar?'

'Canada.'

Haar krullen wapperden om haar hoofd. Ze veegde haar haren bijeen en hield ze vast met één hand. 'Ik ben nog nooit in Canada geweest.'

Hij zei niets.

'Hoe lang speel je al ijshockey?' vroeg ze, in de hoop dat dit wel een prettig gesprekje zou opleveren.

'Mijn hele leven.'

'En hoe lang speel je al voor de Chinooks?'

Hij pakte zijn zonnebril van het dashboard en zette deze op zijn neus. 'Een jaar.'

'Ik heb wel eens een wedstrijd van de Stars gezien,' zei ze, doelend op het ijshockeyteam van Dallas.

'Stelletje nichten zijn dat,' mompelde hij, terwijl hij met zijn linkerhand de manchet van zijn rechtermouw omhoog rolde.

Niet écht een prettig gesprek, besloot ze. 'En heb je gestudeerd?'

'Niet echt.'

Georgeanne had geen idee wat hij daarmee bedoelde. 'Ik ben naar de Universiteit van Texas geweest,' loog ze, in een poging indruk te maken.

Hij gaapte.

'Ik was ook lid van een studentenvereniging,' loog ze verder.

'O, ja? Zo.'

Zonder acht te slaan op zijn onenthousiaste antwoorden, ging ze verder: 'Ben je getrouwd?'

Hij keek haar aan door de donkere glazen van zijn zonnebril, wat haar deed vermoeden dat ze hier een pijnlijk onderwerp had aangesneden. 'Ben je soms roddeljournaliste of zo?'

'Nee, gewoon nieuwsgierig. Ik bedoel, we zullen samen heel wat tijd doorbrengen, dus ik dacht dat het leuk zou zijn wat te babbelen en elkaar te leren kennen.'

John richtte zijn aandacht weer op de weg en begon zijn andere mouw op te rollen. 'Ik babbel niet graag.'

Georgeanne trok haar jurkje weer eens omlaag. 'Mag ik dan vragen waar we naartoe gaan?'

'Ik heb een strandhuis bij Copalis. Daar kun je je tante bellen.'

'Is dat in de buurt van Seattle?' Ze verplaatste haar gewicht naar één kant in een poging de jurk nog verder omlaag te krijgen.

'Nee. Voor het geval het je niet is opgevallen, we rijden naar het westen.'

De paniek sloeg toe bij de gedachte dat ze steeds verder weg reed van alles wat haar ook maar een beetje bekend was. 'Hoe moet ik dat in godsnaam weten?'

'Misschien omdat de zon ons in de rug schijnt.'

Dat was Georgeanne niet opgevallen, en zelfs als dat wel het geval was geweest, dan nog was het niet in haar opgekomen om zich te oriënteren aan de hand van de zon. Ze was nooit goed geweest in dat hele noord-zuid-oost-westgebeuren. 'Dan heb je dus een telefoon in je strandhuis?'

'Natuurlijk.'

Ze moest bellen met haar tante Lolly in Dallas. Met de ouders van Sissy, die ze moest uitleggen wat er was gebeurd en hoe ze hun dochter konden bereiken. Daarna moest ze naar Seattle bellen om te achterhalen hoe ze Virgils verlovingsring kon terugsturen. Ze keek naar de vijfkaraats diamanten ring aan haar linkerhand en ze kon wel janken. Ze was dol op die ring, maar wist ook dat ze hem niet kon houden. Ze was dan een flirt, en misschien ook wel een cockteaser, maar ze had wel fatsoen. Die diamant moest ze teruggeven, alleen niet direct. Eerst moest ze weer tot zichzelf komen. 'Ik heb de Stille Oceaan nog nooit gezien,' zei ze. Ze voelde de angst een beetje wegglijden.

Hij gaf geen commentaar.

Georgeanne vond zichzelf altijd de perfecte blind date, want ze kon nog een gesprek voeren met een doofstom paard, vooral als ze nerveus was. 'Maar ik ben wel vaak aan de Golfkust geweest,' begon ze. 'Een keer, toen ik twaalf was, nam mijn grootmoeder mij en Sissy mee in haar grote Lincoln. Godsammekrake, wat een slagschip was die wagen. Sissy en ik hadden net heel gave bikini's gekocht. Die van haar zag eruit als de Amerikaanse vlag en de mijne was gemaakt van een soort zijden stofje. Ik zal het nooit vergeten. We waren helemaal naar Dallas gereden om die bikini te kopen. Ik had hem gezien in een catalogus en wilde hem dolgraag hebben. Nou ja, omdat Sissy's moeder dus een Miller is en de Miller-vrouwen in heel Collin County bekendstaan om hun brede heupen en smalle enkels – wat niet zo'n aantrekkelijke combinatie is als je het mij vraagt, al zijn het echt schatten. Op een keer...'

'Gaat dit nog ergens naartoe?' onderbrak John haar.

'Ja, heus wel, hoor,' antwoordde ze hem zo vriendelijk mogelijk.

'Binnen afzienbare tijd?'

'Ik wilde alleen weten of het water langs de kust van Washington erg koud was.'

John glimlachte en keek haar kant op. Voor het eerst zag ze dat hij een kuiltje had in zijn rechterwang. 'Zo koud dat jouw zuidelijke billen zich een rotje zullen schrikken.' Hij richtte zijn blik op het dashboard, waar hij een cd vond om in de cd-speler te stoppen, waarna keiharde rockmuziek elk verder gesprek onmogelijk maakte.

Georgeanne richtte haar aandacht op het heuvelachtige landschap waar ze doorheen reden. Hier en daar stond een den of een els. Alles vloog voorbij, vegen blauw, rood, geel en, natuurlijk, groen. Tot dan toe was het haar aardig gelukt haar eigen angstige gedachten te ontlopen, omdat ze bang was dat deze haar zouden verlammen. Maar nu er geen enkele afleiding meer was, overspoelden ze haar als een Texaanse hittegolf. Gedachten over haar leven en over wat ze vandaag had gedaan. Ze had haar aanstaande bruidegom in de steek gelaten, en, al was dat huwelijk gedoemd te mislukken, zo'n rotstreek had hij niet verdiend.

Bovendien zaten al haar spullen in vier koffers ingepakt in Virgils Rolls-Royce, behalve dan wat er in de tas aan haar voeten zat. Die had ze volgepakt met alle dingen die ze nodig zou hebben voor haar huwelijksreis met Virgil.

Om die reden had ze alleen maar een portemonnee bij zich, met zeven dollar erin en drie creditcards die ze niet meer kon gebruiken. Plus behoorlijk wat cosmetica, een tandenborstel en een haarborstel, een kam, een bus haarlak, zes mooie kanten lingeriesetjes, haar pil en een Mars.

Dit was, zelfs voor Georgeanne, een absoluut dieptepunt.

Hoofdstuk 2

Flitsen blauw en helder zonlicht, wuivend helmgras en een zilt briesje verwelkomden Georgeanne aan de kust van de Stille Oceaan. Ze kreeg meteen kippenvel toen ze een glimp van de blauwe zee zag, bedekt met witte schuimkoppen.

Onder het gekrijs van zeemeeuwen stuurde John de Corvette een inrit op naast een heel gewoon verweerd houten huis met witte luiken. Er stond een man op de veranda, gekleed in een grijs T-shirt zonder mouwen, een grijze korte broek en een paar versleten slippers aan zijn voeten.

Zodra de auto stilstond, stapte Georgeanne uit. Ze wilde niet wachten tot John haar zou helpen – als hij dat al zou doen. Na anderhalf uur zitten in de auto deed haar korset zo'n pijn dat ze een paar keer had gedacht dat ze toch zou gaan overgeven.

Ze trok de zoom van haar jurk voor de zoveelste keer omlaag en pakte haar tas en schoenen uit de auto. De baleinen in het korset prikten in haar ribben toen ze zich vooroverboog om haar voeten in de roze sandaaltjes te schuiven.

'Mijn hemel, jongen,' gromde de man op de veranda met een schorre stem. 'Weer zo'n danseresje?'

Er verscheen een frons op Johns voorhoofd toen hij Georgeanne naar de voordeur begeleidde. 'Ernie, dit is miss Georgeanne Howard. Georgie, dit is mijn opa, Ernest Maxwell.'

'Aangenaam kennis met u te maken, meneer.' Georgeanne stak een hand uit en keek de oudere man aan. Hij deed haar denken aan Clint Eastwood.

'Een zuidelijke schone... hmm.' Ernest Maxwell draaide zich om en liep het huis weer in.

John hield de hordeur open voor Georgeanne en ze stapte een huis binnen dat was ingericht met zachte blauwe, groene en beige tinten, waardoor het leek of het uitzicht van buiten zich naar binnen uitstrekte. Alles leek te zijn uitgekozen in een kleur die zich mengde met ofwel de zee, ofwel het duinlandschap – alles, behalve de oude zwartlederen leunstoel die diverse keren was gerepareerd met duct tape en twee oude ijshockeysticks die in de vorm van een kruis hingen boven een servieskast bomvol met trofeeën.

John zette zijn zonnebril af en wierp hem op een koffietafel. 'Verderop is een logeerkamer, de laatste deur links. Rechts zit de badkamer.' Hij liep achter Georgeanne langs de keuken in. Daar pakte hij een flesje bier uit de koelkast. Met het flesje aan zijn lippen leunde hij tegen de gesloten ijskastdeur. Dit keer had hij er een soepzootje van gemaakt. Hij had nooit moeten toezeggen dat hij Georgeanne zou helpen en hij had haar al helemaal niet moeten meenemen. Dat was hij ook niet van plan geweest, maar toen had ze hem aangekeken met die kwetsbare, angstige blik in haar ogen en had hij haar toch niet langs de kant van de weg kunnen laten staan. Hij hoopte alleen niet dat Virgil er ooit achter zou komen.

Hij kwam weer overeind en liep terug naar de woonkamer. Daar zat Ernie al in zijn oude stoel, met zijn blik gericht op Georgeanne. Deze stond naast de open haard in haar gekreukte roze jurk en met haar haren door de war. Ze zag er moe uit, maar ondanks dat was ze, in Ernies ogen, net zo aantrekkelijk als zijn favoriete pin-up.

'Is er iets, Georgie?' vroeg John. Hij nam nog een slok. 'Waarom kleed je je niet om?'

'Ik heb een probleempje,' zei ze met zuidelijk understatement. 'Ik heb geen kleren bij me.'

Hij wees met zijn fles naar haar tas. 'Wat zit daar dan in?'

'Mijn make-up.'

'Is dat alles?'

Ze keek even naar Ernie. 'Ook wat ondergoed en mijn portemonnee.'

'Waar zijn je kleren dan?'

'Die zitten in vier koffers achter in Virgils Rolls-Royce.'

Dat ontbrak er nog aan: niet alleen moest hij haar onderdak bieden en te eten en te drinken geven, nu bleek ze ook niks bij zich te hebben. 'Kom maar mee,' zei hij en hij zette het flesje op de koffietafel. Hij leidde haar de gang door naar zijn slaapkamer. Daar haalde hij een oud zwart T-shirt en een korte broek met trekkoord tevoorschijn. 'Hier.' Hij wierp de kleren op het blauwe dekbed en keerde zich weer om naar de deur.

'John?'

Hij bleef staan omdat ze zijn naam noemde, maar draaide zich niet om. Hij wilde die bange blik in haar groene ogen niet zien. 'Wat is er?'

'Ik krijg deze jurk in mijn eentje niet uit. Je moet me even helpen.'

Hij draaide zich om. De zon scheen door het raam en zette haar vol in het licht.

'Bovenaan zitten wat kleine knoopjes.' Ze gebaarde druk met haar handen.

En nu moest hij haar ook nog uitkleden.

'Ze zijn nogal glad,' legde ze uit.

'Draai je om,' commandeerde hij haar met een iets te harde stem.

Zonder iets te zeggen draaide ze hem haar rug toe en bleef zo voor de spiegel staan. Tussen haar zachte schouderbladen maakten vier piepkleine knoopjes de jurk tot bovenaan dicht. Ze schoof haar haren opzij. Hij zag wat kleine krulletjes in haar nek. Haar huid, haar krullen, haar zuidelijke accent; alles aan haar straalde zachte vrouwelijkheid uit.

'Hoe heb je dit ding in godsnaam aangekregen?'

'Met behulp van Sissy.' Ze keek hem aan via de spiegel. John kon zich niet herinneren dat hij ooit een vrouw had uitgekleed zonder haar daarna mee het bed in te nemen. Maar hij had niet de intentie het gevluchte bruidje van Virgil langer aan te raken dan strikt noodzakelijk was. Hij frunnikte aan een van de knoopjes tot het lusje eromheen losschoot.

'Ik moet er niet aan denken wat ze nu wel niet zullen denken van me. Sissy waarschuwde me nog dat ik niet met Virgil moest trouwen. Ik dacht, het zal me wel lukken, maar niet dus.'

'Denk je niet dat je die conclusie beter een dag eerder had kunnen trekken?' Zijn vingers zochten het volgende knoopje.

'Dat had ik ook en dat probeerde ik Virgil ook uit te leggen, maar hij wilde niet naar me luisteren. En toen zag ik het tafelzilver.' Ze schudde haar hoofd en er viel een krul op haar schouders. 'Ik had een prachtig zilverpatroon uitgekozen en zijn vrienden hadden ons al zoveel geschonken,' zei ze dromerig. Hij had geen idee waar ze het over had. 'O, dat prachtige motief, ik was er weg van. Sissy vond een klassiek motiefje veel toepasselijker, maar ik ben wat barokker. Al toen ik een klein meisje was...'

John kon dat truttige gekakel niet langer aanhoren. Hij wilde dat hij muziek kon aanzetten, maar aangezien dat nu niet zou gaan probeerde hij haar woorden uit zijn gedachten te bannen. Hij had wel eens te horen gekregen dat hij een echte klootzak kon zijn. Op die reputatie was hij zelfs trots. Dan hoefde hij tenminste niet bang te zijn dat vrouwen zich voor altijd aan hem wilden binden.

'Kun je ook de rits losmaken, nu je toch bezig bent? In elk geval,' ging ze verder, 'ik kon wel huilen van blijdschap toen ik al die vleesvorkjes en fruitmesjes zag en...'

John keek haar via de spiegel chagrijnig aan, maar ze had het niet in de gaten. Haar blik rustte op de grote witte strik. John trok aan het metalen lipje en toen de rits omlaagging ontdekte hij waarom Georgeanne zo'n moeite had met haar ademhaling. Onder haar roze trouwjurk zag hij de haakjes en ogen van een onderkledingstuk dat hij herkende als een ouderwets korset, gemaakt van satijn en kant, maar met metalen baleinen, die in haar zachte vel prikten.

Met één hand hield ze aan de voorkant haar jurk tegen haar forse boezem gedrukt. 'Toen ik mijn favoriete zilverpatroon zo uitgebreid zag liggen, duizelde het me en ik denk dat ik me toen heb laten overhalen door Virgil. Dat ik alleen maar last had van de zenuwen die horen bij een huwelijk. En ik wilde hem ook echt graag geloven...'

John had de rits volledig geopend. 'Klaar.'

'O.' Ze keek naar hem op in de spiegel, maar liet haar ogen direct weer zakken. 'Kun je dan ook mijn, eh, ding tot halverwege openmaken?'

'Je korset?'

'Ja, alsjeblieft.'

'Ik ben toch geen kamermeisje, verdomme.' Ondanks zijn gemopper ging hij weer aan de slag, ditmaal met de haken en ogen. Toen hij er een paar had losgemaakt, streek hij met zijn knokkels langs de rode striemen in haar huid. Er ging een siddering door haar heen, vergezeld van een zucht die diep uit haar keel kwam.

John keek op en hield zijn handen stil. De keren dat hij zulke extase zag op het gezicht van een vrouw, was als hij haar diep penetreerde. Ineens voelde hij een hete lust opkomen in zijn onderbuik. Die fysieke reactie op haar genotvolle blik ergerde hem.

'Heerlijk,' zuchtte ze diep. 'Ik kan je niet zeggen hoe goed dat voelt. Ik had er niet op gerekend dat ik deze jurk langer dan één uur zou moeten dragen. Dat is nu ruim drie uur geleden.'

Zijn lichaam mocht dan wel reageren op een mooie vrouw – het zou hem trouwens zorgen baren als dat niet het geval was – hij zou niets met die lustgevoelens doen. 'Virgil is een oude man,' zei hij, zonder zijn irritatie te verbergen. 'Hoe denk je dat hij deze los had kunnen krijgen?'

'Dat is heel onaardig,' fluisterde ze.

'Van mij hoef je geen vriendelijkheid te verwachten, Georgeanne,' waarschuwde hij haar en hij trok de overige haakjes ruw los. 'Ik zeg het je maar, dan raak je ook niet teleurgesteld.'

Ze keek hem aan en liet haar haren weer op haar schouders vallen. 'Ik denk dat je best aardig kunt zijn als je dat wilt.'

'Klopt,' gaf hij toe. Hij tilde zijn hand op om haar rode striemen aan te raken, wat van haar pijn weg te masseren. Maar hij bedacht zich, liet zijn handen vallen en draaide zich om. 'Alleen als ik dat wil.' Hij verliet de kamer en sloot de deur achter zich.

Toen hij de woonkamer weer binnenkwam, voelde hij direct Ernies onderzoekende blik op zich gevestigd. John griste zijn biertje van de lage tafel en ging tegenover de oude leunstoel van zijn opa zitten. Nu zou Ernie beginnen met zijn kruisverhoor.

'Waar heb je deze nou weer opgeduikeld?'

'Lang verhaal,' antwoordde hij, waarna hij de situatie uitlegde zonder het mooier te maken dan het was.

'Mijn god, ben je gek geworden?' Ernie viel van schrik bijna uit zijn stoel. 'Wat denk je dat Virgil zal doen? Uit jouw verhalen over hem lijkt het me niet bepaald een vergevingsgezinde man en jij hebt zijn bruid geschaakt.'

'Ik heb haar niet geschaakt.' John tilde zijn voeten op en legde ze op de koffietafel. 'Ze wilde zelf bij hem weg.'

'Nou, dat komt op hetzelfde neer.' Ernie sloeg zijn armen over zijn magere borstkas en keek John boos aan. 'Iemands vrouw geschaakt. Geen enkele man zou je zoiets vergeven.'

John zakte nog dieper weg in de bank en greep zijn bierfles steviger vast. 'Hij komt er toch nooit achter.' Hij nam een slok.

'Dat mag je hopen. We hebben er verdomme te hard voor gewerkt om het nu te laten stranden,' beet hij zijn kleinzoon toe.

'Weet ik toch,' zei deze, die daar niet aan hoefde te worden herinnerd. Hij had veel te danken aan zijn opa. Nadat Johns vader was overleden, waren hij en zijn moeder verhuisd naar het huis naast dat van Ernie. Elke winter liet deze zijn tuin vollopen met water, zodat John daar kon schaatsen. Het was Ernie geweest die met John buiten was blijven oefenen tot ze allebei tot op het bot verkleumd waren. Het was Ernie die hem had geleerd te ijshockeyen, hem had gebracht naar wedstrijden en was gebleven om hem aan te moedigen. Het was Ernie die de boel bij elkaar had gehouden toen alles echt zwaar werd.

'Ga je haar némen?'

John keek verbaasd naar zijn opa. 'Wat?'

'Dat noemen jullie tegenwoordig toch zo?'

'Jezus, Ernie,' zei hij, hoewel hij niet echt geschrokken was. 'Nee, ik ga haar niet némen.'

'Dat mag ik hopen.' Zijn opa sloeg een van zijn oude, verweerde voeten over de andere. 'Maar als Virgil ontdekt dat ze hier is, denkt ie toch dat je haar geschaakt hebt.'

'Het is mijn type niet.'

'En of ze jouw type is,' vond Ernie. 'Ze doet me denken aan die stripper die je een tijdje geleden had. Gogo Ladoe, of zoiets.'

John tuurde de gang af, en was opgelucht toen deze leeg bleek te zijn. 'Ze heette trouwens Coco LaDuke en ik hád haar niet.' Hij keek naar zijn opa met een frons boven zijn neus. Ook al zei hij het nooit hardop, John had toch het gevoel dat zijn opa zijn levensstijl niet echt kon waarderen. 'Ik wist trouwens niet dat jij hier zou zijn,' zei hij, om het eens over een andere boeg te gooien.

'Waar zou ik anders moeten zijn?'

'Thuis.'

'Het is de zesde, morgen.'

John wendde zijn blik naar het grote raam met zicht op de oceaan. Daar zag hij een paar hoge golven met schuimende koppen naar de branding krullen. 'Je hoeft me niet in de gaten te houden, hoor.'

'Weet ik, maar ik dacht dat je misschien een drinkmaatje nodig had.'

John sloot zijn ogen. 'Ik wil het niet over Linda hebben.'

'Hoeft ook niet. Je moeder maakt zich zorgen om je. Bel haar toch wat vaker.'

John pulkte met zijn duim aan het etiket van zijn bierflesje. 'Oké,' zei hij om ervanaf te zijn, hoewel hij wist dat hij haar echt niet vaker zou bellen. Zijn moeder zou hem alleen maar stevig ondervragen en hem vertellen dat ze het niet eens was met zijn manier van leven, waarmee hij zichzelf te gronde richtte. En hoewel hij wist dat ze wel een beetje gelijk had, had hij er geen behoefte aan dat te horen. 'Toen ik door het dorp kwam, zag ik Dickie Marks je stamkroeg uit komen,' zei hij, waarmee hij weer het onderwerp veranderde.

'Ik heb hem al gezien.' Ernie schoof naar voren en hees zichzelf uit zijn stoel, wat John er weer aan deed denken dat zijn opa al eenenzeventig was. 'We gaan morgenochtend vissen. Als je op tijd opstaat, kun je mee.'

Jaren geleden zou John de eerste zijn die bij de boot was, maar tegenwoordig had hij 's ochtends vroeg meestal hoofdpijn. Zo vroeg opstaan in de kou stond hem niet zo aan. 'Ik zal erover nadenken,' loog hij.

Georgeanne maakte haar beha vast, pakte het T-shirt en trok het over haar hoofd. Op het dressoir voor haar lagen een baseballpet, een stopwatch, een puck en een heleboel stof. Ze verplaatste haar aandacht naar de grote spiegel boven het kastje en kromp ineen. De zachte zwarte stof spande strak om haar borsten, maar zat elders veel te los. Als ze zo de straat op ging, zou ze op de bon worden geslingerd door de modepolitie! Snel deed ze het T-shirt in de losse broek, maar daarmee werden haar volle boezem en billen alleen maar geaccentueerd – iets wat ze liever niet had. Ze rukte het shirt weer los, gooide haar schoenen in de tas en pakte de Mars.

Op de rand van het bed gezeten trok ze de zwarte wikkel los en zette haar tanden in de zoete melkchocola. Ze kauwde zacht kreunend op de eerste hap en ging gelukzalig op haar rug op de blauwe sprei liggen. Ze staarde naar de plafondlamp boven haar hoofd. Er lagen twee dode motten in de melkglazen kap. Terwijl ze zo lag te genieten van haar Mars, hoorde ze achter de kamerdeur de gedempte conversatie van John en Ernie. Gezien het feit dat John haar overduidelijk niet mocht, vond ze het vreemd te merken dat zijn stemgeluid haar leek te kalmeren. Maar misschien kwam dat omdat hij de enige bekende was die ze had in de wijde, wijde omtrek. Of misschien kwam het omdat ze voelde dat hij toch niet zo'n eikel was als hij deed voorkomen. Bovendien, met zo'n grote, sterke man in de buurt zou elke vrouw zich veilig voelen.

Ze werkte zich op het bed naar boven, tot haar hoofd op

Johns kussen rustte en haar voeten op haar trouwjurk, die ze aan het voeteneind van het bed had neergekwakt. Nu ze de Mars ophad, overwoog ze Lolly te bellen. Nee, toch maar even wachten. Ze had niet zo'n haast om haar tantes reactie te horen. Ze kon zelf maar amper geloven dat het pas een maand geleden was dat ze op de parfumafdeling werkte van Neiman Marcus in Dallas. Daar moest ze alle klanten voorzien van een lekker luchtje, en zo was ze Virgil letterlijk tegen het lijf gelopen. Hij was haar waarschijnlijk niet opgevallen als hij niet op haar was afgestapt. En ze had er vast niet mee ingestemd die avond al met hem uit eten te gaan als hij haar na de lange werkdag niet had staan opwachten naast zijn limousine met een boeket rozen in zijn hand. Ze kon zo instappen en aan de vochtige hitte van de stad ontsnappen. Als ze zich toen niet zo alleen had gevoeld, en onzeker over haar toekomst, dan had ze waarschijnlijk geen ja gezegd toen hij haar gevraagd had met hem te trouwen.

Dat had ze Virgil gisteravond proberen uit te leggen. Ze had geprobeerd het overhaaste huwelijk af te blazen, maar hij wilde niet naar haar luisteren. Ze voelde zich verschrikkelijk om wat ze had gedaan, maar ze wist ook niet hoe ze het kon goedmaken.

Nu pas kwamen de tranen die al sinds die ochtend achter haar ogen brandden en ze snikte zachtjes in Johns hoofdkussen. Ze huilde om de puinhoop die ze ervan had gemaakt, om de leegte die ze vanbinnen voelde. Opnieuw lag er een hoop onzekerheid in het verschiet. Haar enige familielid was een oudtante die van de sociale dienst leefde en de hele dag naar herhalingen van oude tv-series keek.

Ze kende hier heg noch steg; alleen een man die haar had meegedeeld dat ze van hem geen vriendelijkheid hoefde te verwachten. Ze voelde zich net als Blanche Dubois uit *A Streetcar Named Desire*. Die had ze vaak gezien, net als alle andere films met Vivien Leigh, en ze vond het een van de mooiste films die ze kende.

Ze was bang en voelde zich alleen, maar tegelijkertijd was ze ook een beetje opgelucht dat ze zich niet meer anders hoefde voor te doen dan ze was. Virgil had een vreselijke smaak en hij kocht de meest ordinaire jurkjes voor haar.

Uitgeput viel ze in slaap. Pas toen ze met een schok wakker werd, realiseerde ze zich dat ze een tijdje had geslapen. Ze schoot rechtop.

'Georgie?'

Met haar haren voor haar gezicht keek ze naar de deuropening en zag een gezicht in de deuropening dat ze zich herinnerde uit een droom. De lange gestalte die erbij hoorde had zijn handen om de deurpost geklemd. Ze zag zijn horloge glimmen aan zijn pols en de zachte haartjes onder zijn oksel. Een paar tellen wist ze niet wie of wat hij was.

'Heb je honger?' vroeg hij.

Ze knipperde even en toen kwam het allemaal weer terug. John had andere kleren aangetrokken in de tussentijd. Hij droeg een oude spijkerbroek met een gat in de knie en een wit trainingshemd van de Chinooks zonder mouwen. Aan zijn voeten droeg hij dezelfde versleten slippers als zijn grootvader. Ze vroeg zich af of hij zich had uitgekleed terwijl zij op zijn bed lag te slapen.

'Als je honger hebt, dan is de vissoep van Ernie zo meteen klaar.'

'Ik heb ontzettende trek,' zei ze en ze zwaaide haar benen over de rand. 'Hoe laat is het?'

John liet zijn rechterhand zakken. 'Bijna zes uur.'

Ze had wel tweeënhalf uur geslapen, maar toch voelde ze zich nog vermoeider dan eerst. Ze herinnerde zich dat ze eerder die dag langs een badkamer was gekomen en pakte haar tas op. 'Paar minuutjes,' zei ze, zonder naar zichzelf te kijken in de spiegel op het dressoir. 'Ik ben zo klaar,' voegde ze eraan toe op weg naar de deur.

'Mooi, we gaan bijna aan tafel.' John leek geen aanstalten te maken voor haar opzij te gaan. En aangezien hij met zijn grote lijf de hele deuropening vulde, bleef ze voor hem staan.

'Sorry.' Als hij soms dacht dat ze zich langs hem naar buiten zou wurmen, had hij vroeger op moeten staan. Dat foefje kende

Georgeanne al haar hele volwassen leven. Ze was een beetje teleurgesteld dat iemand als John het lekker vond zo dicht tegen vrouwen aan te staan, zodat hij in hun bloesjes kon turen. Maar toen ze naar hem opkeek, bleek ze zich te vergissen. Hij keek fronsend naar haar mond, niet naar haar borsten. Met zijn duim veegde hij langs haar onderlip. Nu hij zo dichtbij was, rook ze zijn aftershave. En na een jaar lang parfummeisje te zijn geweest, herkende ze het direct: Obsession.

'Wat is dit?' vroeg hij, en hij liet haar de bruine veeg op zijn duim zien.

'Mijn lunch.' Ze was verbaasd door het vreemde gevoel dat ze ineens in haar buik kreeg. Toen hij haar in de ogen keek, zag ze dat de frons verdwenen was. Ze likte haar lippen schoon met haar tong en vroeg: 'Zo beter?'

Hij liet zijn arm langzaam zakken en vroeg: 'Beter dan wat?' Net toen ze dacht dat hij een glimlach zou laten zien, draaide hij zijn hoofd om en liep de gang in. 'Ernie wil graag weten of je bier of water drinkt bij het eten,' vroeg hij over zijn schouder. Ze zag dat de broek zo afgedragen was, dat zijn zitvlak wit was uitgesleten. Zijn portemonnee was zichtbaar door een gat in zijn rechterkontzak.

'Water,' antwoordde ze, al had ze liever ijsthee gehad. Daarna liep Georgeanne naar de badkamer en werkte haar make-up bij. Met een glimlach stiftte ze haar lippen. Ze had het toch goed gezien. John was geen eikel.

Tegen de tijd dat ze haar krullen gefatsoeneerd had en zich naar de eettafel begaf, zaten John en Ernie al lang en breed te eten. 'Sorry dat het zo lang duurde,' mompelde ze, al was ze verrast door hun slechte tafelmanieren. Ze zat tegenover John en ze pakte een servetje uit de houder, legde dit op haar schoot en reikte naar haar lepel. Tot haar verbazing bevond deze zich aan de verkeerde kant van haar soepkom.

'Hier is de peper.' Ernie wees met zijn lepel naar een busje op tafel.

'Dank u.' Georgeanne hield niet zo van peper, maar na een

eerste hap werd haar duidelijk dat Ernie daar wel van hield. Hij had een romige, gevulde vissoep gemaakt, die ondanks de ruime hoeveelheid peper heerlijk smaakte. Naast haar kom stond een glas water. Terwijl ze een slok nam keek ze eens goed om zich heen. Het viel haar op dat de kamer nogal leeg was. Behalve de tafel stond er slechts de grote servieskast met de trofeeën. 'Woont u hier het hele jaar, meneer Maxwell?' vroeg ze, uit beleefdheid.

Hij schudde zijn hoofd. 'Dit is een van Johns huizen. Ik woon nog steeds in Saskatoon, over de grens.'

'Is dat hier vlakbij?'

'Dichtbij genoeg om wel eens een wedstrijd te kunnen zien.'

Georgeanne zette haar glas weer op tafel nam een volgende hap. 'IJshockeywedstrijden, bedoelt u?'

'Tuurlijk. Ik probeer ze allemaal te zien.' Hij knikte naar John. 'Maar ik baal er nog steeds van dat ik zijn hattrick van afgelopen mei heb misgelopen.'

'Maak je daar toch niet druk over,' suste John.

Georgeanne wist eigenlijk niets over ijshockey. 'Wat is een hattrick?'

'Zo heet het als een speler drie goals in één wedstrijd maakt,' legde Ernie uit. 'En ik heb laatst die pot tegen de Kings ook gemist.' Hij zweeg hoofdschuddend, maar zijn ogen stonden vol trots op zijn kleinzoon. 'Die kleinzielige Gretzky heeft een kwartier zitten kermen toen jij hem de boarding in kwakte,' sprak hij glunderend.

Georgeanne had geen flauw idee waar Ernie het over had, maar de boarding in gekwakt worden leek haar nogal pijnlijk. Zij kwam uit een staat die warmliep voor American football, al had ze er zelf een hekel aan. Ze vroeg zich wel eens af of zij de enige in Texas was die zo van wrede sporten walgde. 'Is dat niet vreselijk?' vroeg ze.

'Welnee!' riep de oude man enthousiast. 'Hij wilde door de verdediging heen breken en dan krijg je dat.'

Eventjes krulde John een van zijn beide mondhoeken omhoog.

Hij verkruimelde een soepstengel in zijn soep. 'Ik denk inderdaad niet dat ik snel de trofee voor hoffelijk spel mee naar huis krijg.'

Ernie wendde zich tot Georgeanne. 'Onbegrijpelijk, maar die bestaat. En ik zou er potdomme niet trots op zijn als hij die mee naar huis neemt!' Hij sloeg met één vuist op tafel en doopte met de andere zijn lepel weer in de soep.

Georgeanne wist zeker dat geen van beiden ooit in aanmerking zou komen voor de trofee voor hoffelijk gedrag. 'Dit is een heerlijke vissoep,' zei ze om het gesprek op iets anders te brengen. 'Heeft u hem zelf gemaakt?'

Ernie reikte naar zijn flesje bier. 'En of,' antwoordde hij alvorens het flesje aan zijn mond te zetten.

'Hij is zalig.' Georgeanne had het altijd heel belangrijk gevonden dat mensen haar aardig vonden – en nu al helemaal. Ze zag in dat complimenten geen zin hadden bij John, dus projecteerde ze al haar charmes op zijn grootvader. 'Bent u begonnen met een roux?' Ze keek Ernie geïnteresseerd aan.

'Uiteraard, maar het belangrijkste ingrediënt voor deze soep is het nat van de schelpdieren,' zei hij stellig. Tussen het eten door deed hij haar vervolgens zijn geheime recept uit de doeken. Ze deed net of ze aan zijn lippen hing, of ze elk woord opslokte, en binnen een paar seconden was hij helemaal op haar hand. Maar al die tijd was ze zich zeer bewust van Johns blik, die op haar gericht was. Ze wist precies wanneer hij een hap nam of zijn mond afveegde. Ze wist ook wanneer hij zijn blik verplaatste van Ernie naar haar, en weer terug. Daarstraks, toen hij haar had gewekt, had hij bijna vriendelijk tegen haar gedaan. Nu leek hij in zichzelf gekeerd.

'Heeft u John ook geleerd deze soep te maken?' vroeg ze, in een poging hem bij het gesprek te betrekken.

John was klaar met eten en leunde achterover met zijn armen over elkaar. 'Nee,' was het enige wat hij uitbracht.

'Als ik er niet ben, gaat John uit eten. Maar als ik hier ben, zorg ik ervoor dat er goed wordt gekookt. Ik vind koken leuk,' vulde Ernie aan. 'Hij niet.'

Georgeanne glimlachte hem toe. 'Ik denk dat mensen houden van kokerellen óf er een hekel aan hebben. Ik kan u wel zeggen' – en hierbij raakte ze zijn arm aan – 'dat u er veel talent voor heeft. Niet iedereen maakt zo'n mooie roux.'

'Ik kan het je wel leren,' bood hij glimlachend aan.

Zijn arm voelde warm en droog, als een rimpelig papiertje, en het gaf haar een aangenaam, vertrouwd gevoel. 'Dank u, meneer Maxwell, dat is heel vriendelijk van u. Maar ik kom uit Texas en daar maken we sauzen op basis van een roux die we serveren bij zo ongeveer alles wat we eten, dus ik weet gelukkig hoe ik dat moet maken.' Ze keek even naar John, zag dat hij weer fronste en besloot zijn misprijzen te negeren. 'Ik maak zelf een bruine saus waar je u tegen zegt. En mijn grootmoeder was beroemd vanwege haar sauzen. Als een van onze kennissen ging hemelen, was het een uitgemaakte zaak dat mijn grootmoeder voor het begrafenismaal haar legendarische ham met rode saus bereidde. Mijn grootmoeder was namelijk zelf opgegroeid op een varkens-fokkerij in de buurt van Mobile, dus als het om het maken van een gemarineerde ham ging, dan was zij de onbetwiste kampioen.' Georgeanne had haar hele leven doorgebracht met oudere mensen en ze voelde zich zeer op haar gemak met Ernie. Ze boog zich nog verder naar hem toe, pakte zijn arm steviger vast en vertelde met een echte lach op haar gezicht: 'Maar mijn tante Lolly is ook legendarisch, al is het niet op een goede manier. Zij is meer berucht, om haar gelatinepudding met citroensmaak. Daar gooit ze echt de meest verschrikkelijke dingen in. En het ergste was toen meneer Fischer overleed. Daar hebben ze het nog steeds over bij de Baptistenkerk van de Eerste Missionaris, die je trouwens niet moet verwarren met de Baptistenkerk van de Eerste Vrije Wil, want die deden aan voetwassen, en ik geloof niet dat ze...'

'Jezus christus!' onderbrak John haar verhaal. 'Gaat dit nog ergens heen, of hoe zit dat?'

De glimlach op Georgeannes gezicht verdween, maar ze deed haar uiterste best om vriendelijk te blijven. 'Zo direct.'

'Nou, dan zou ik er maar snel aan beginnen, want Ernie wordt er niet jonger op.'

'Nu ga je te ver,' waarschuwde zijn opa hem.

Georgeanne klopte op Ernies arm en keek naar John, die met strakke blik terugkeek. 'Dat was heel onbeleefd.'

'Ik kan nog veel onbeleefder worden.' John schoof zijn lege soepkom van zich af en leunde met zijn ellebogen op tafel. 'De andere jongens van het team en ik zouden graag weten of Virgil hem nog omhoog kon krijgen, of ging het je alleen om zijn geld?'

Geschrokken keek Georgeanne hem aan, ze voelde haar wangen kleuren. De gedachte dat haar relatie met Virgil zo openlijk werd besproken door het hele team, vond ze diep beschamend.

'Zo is het wel welletjes, John,' vond Ernie. 'Georgeanne is een keurig meisje.'

'O ja? Nou, keurige meisjes duiken niet het bed in met oude mannen voor hun geld.'

Georgeanne hapte naar adem. Ze wilde iets terugzeggen, maar was met stomheid geslagen. Ze kon niets bedenken wat even hatelijk was als deze opmerking. Ze wist zeker dat ze straks een geweldig geestig en vooral sarcastisch antwoord hierop zou kunnen vinden, maar dan was de noodzaak wel voorbij. Ze haalde diep adem en maande zichzelf tot kalmte. Ze wist maar al te goed dat als ze gestrest was, alle woorden haar ontschoten. Ook eenvoudige woorden als 'deur' of 'prullenbak' of – zoals ze eerder vandaag al had gemerkt toen ze had gevraagd of John haar ermee kon helpen – 'korset'. 'Ik weet niet wat ik je heb misdaan dat je zulke onaardige dingen over me zegt,' zei ze terwijl ze haar servetje keurig op tafel legde, 'en ik weet ook niet of het aan mij ligt, of dat je alle vrouwen haat, of gewoon altijd een rothumeur hebt, maar mijn relatie met Virgil gaat jou geen klap aan.'

'Ik haat vrouwen niet,' verzekerde John haar, waarna hij heel bewust zijn blik liet afdwalen naar haar voorgevel.

'Je hebt gelijk,' vond Ernie. 'Jouw relatie met de heer Duffy gaat ons niets aan.' Hij pakte haar hand. 'Het is bijna eb. Waarom loop je niet even naar het strand beneden om bij de rotspoeltjes te gaan kijken. Misschien vind je een mooie schelp of steen, die je naar Texas kunt meenemen, ter herinnering aan je verblijf aan de kust van Washington.'

Georgeanne was opgevoed met respect voor oudere mensen, dus ze wilde graag gehoor geven aan Ernies suggestie. 'Het spijt me echt, meneer Maxwell. Het was niet mijn bedoeling u tot last te zijn.'

Met een strenge blik op zijn kleinzoon antwoordde Ernie: 'Het ligt niet aan jou. Het heeft niets met jou te maken.'

Maar het voelde wel alsof het haar fout was. Ze stond op en schoof haar stoel aan. Pas toen ze door de kleine keuken naar de achterdeur liep, bedacht Georgeanne dat ze zich van de wijs had laten brengen door Johns knappe uiterlijk. Hij gedroeg zich niet alleen alsof hij een eikel was – hij was er een!

Ernie wachtte tot hij de achterdeur hoorde dichtgaan. 'Heel naar om je eigen rothumeur te botvieren op dat meisje.'

Zijn kleinzoon trok een wenkbrauw op. 'Meisje?' John sloeg zijn armen over elkaar. 'Je kunt veel zeggen over Georgeanne, maar niet dat ze een "meisje" is.'

'Nou, erg oud kan ze niet zijn,' ging Ernie verder. 'En jij was erg onbeleefd tegen haar. Als je moeder erbij was geweest had ze je een oorvijg gegeven.'

Er verscheen een glimlach om Johns lippen. 'Vast.'

Ernie keek met pijn in zijn hart naar het gezicht van zijn kleinzoon. Tegenwoordig lachten de ogen van John niet meer mee als zijn mond zich in een glimlach vertrok. 'Zo gaat het niet langer, John-john.' Hij legde zijn oude hand op de schouders van zijn kleinzoon tegenover hem. Hij voelde de harde spieren van een sportman. Hij herkende hem niet meer als het blije jongetje van vroeger. Het jongetje dat met hem ging vissen, dat hij had leren ijshockeyen en autorijden; dat hij alles had geleerd wat nodig was om een man te worden. 'Je moet het eruit gooien. Je kunt het niet eeuwig opkroppen en blijven rondlopen met schuldgevoelens.'

'Ik krop helemaal niets op,' zei John, en de glimlach verdween. 'Ik heb al gezegd dat ik er niet over wil praten.'

Ernie bestudeerde Johns stuurse gezicht. Hij zag de twee blauwe ogen die altijd zo op de zijne hadden geleken, totdat deze kilte erin was geslopen. Hij had John nooit lastiggevallen met vragen over zijn eerste vrouw. Hij had gedacht dat John zelf het verdriet zou verwerken dat zij hem had aangedaan. Toen John zes maanden geleden zo stom was geweest om die stripper te trouwen, had hij gedacht dat hij alles eindelijk aan het verwerken was. Maar vanochtend, precies een jaar na haar zelfmoord, leek John nog net zo boos als de dag waarop hij haar begraven had. 'Nou, ik denk dat je er eens met iemand over moet praten,' besloot Ernie, die vond dat het tijd werd er eens wat steviger op aan te dringen. 'Zo kun je niet doorgaan, John, met net doen alsof er niets gebeurd is, terwijl je het op een zuipen zet om het te vergeten.' Hij zweeg even om na te denken over wat hij laatst op de televisie had gezien. 'Je mag alcohol niet gebruiken als zelfmedicatie. Alcoholmisbruik is een teken dat er meer aan de hand is,' zei hij, blij dat hij nog wist hoe hij het moest zeggen.

'Heb je weer naar Oprah gekeken?'

Ernies blik verstrakte. 'Daar gaat het niet om. Wat er gebeurd is, vreet je vanbinnen op en nu reageer je het nog af op een onschuldig meisje ook.'

John deed zijn armen weer over elkaar. 'Ik reageer het niet op Georgeanne af.'

'Waarom doe je dan zo bot tegen haar?'

'Ik erger me gewoon aan haar.' John haalde zijn schouders op. 'Ze blijft maar doorzaniken en het gaat nergens over.'

'Dat komt omdat ze uit de zuidelijke staten komt,' legde Ernie uit. Hij liet de pijn over Linda's dood even voor wat hij was. 'Bij zo'n zuidelijke schone moet je een beetje geduld hebben.'

'Zoals jij, zeker? Ze wond je om haar pink, met al die sauzen.'

'Je bent gewoon jaloers,' lachte Ernie. 'Jaloers op zo'n ouwe kerel als ik.' Hij zette zijn handen op tafel en stond langzaam op. 'Dat ik dat nog mag meemaken.'

'Je spoort niet,' mompelde John. Hij stond ook op en griste zijn flesje van tafel.

'Ik denk dat je haar stiekem leuk vindt,' zei Ernie, voordat hij zich naar de woonkamer omdraaide. 'Ik heb wel gezien hoe je naar haar keek. Je hebt er misschien geen zin in, maar je vindt haar wel aantrekkelijk en daarom maakt ze je kwaad.' Hij liep naar zijn slaapkamer en stopte wat spullen in een grote tas.

'Waar ga je naartoe?' vroeg John vanuit de deuropening.

'Ik ga een paar daagjes bij Dickie logeren. Ik loop hier maar in de weg.'

'Dat doe je helemaal niet.'

Ernie wierp een blik op zijn kleinzoon. 'Ik zei toch dat ik heb gezien hoe je naar haar keek.'

John stak zijn linkerhand in zijn broekzak en liet zich met een schouder tegen de deurpost zakken. Met zijn andere hand tikte hij ongeduldig met het bierflesje tegen zijn been. 'En ik zei al dat ik de verloofde van Virgil niet zou "nemen".'

'Dan hoop ik dat jij gelijk hebt, en ik niet.' Ernie ritste de tas dicht en pakte beide hengsels vast. Hij wist niet of hij er verstandig aan deed weg te gaan. Zijn eerste gedachte was hier te blijven en ervoor te zorgen dat zijn kleinzoon geen spijt kreeg van bepaalde dingen. Maar Ernies taak zat erop. Hij was klaar met Johns opvoeding. Dit klusje kon hij niet opknappen voor de jongen. 'Anders kwets je dat meisje nog en maak je je carrière kapot.'

'Dat was ik allebei niet van plan.'

Ernie stond op. Op zijn gezicht stond een verdrietige glimlach. 'Ik hoop het,' zei hij, niet overtuigd. Daarna liep hij naar de voordeur. 'Ik hoop het van ganser harte.'

John bleef nog een tijd naar de voordeur staren toen zijn opa deze achter zich had gesloten. Na een tijdje liep hij terug naar de woonkamer, zijn blote voeten zonken in het dikke beige tapijt. Hij liep naar het grote raam. Hij had drie huizen, twee daarvan stonden aan deze kust. Hij hield zielsveel van de zee, het geluid en de geur ervan; hij kon helemaal opgaan in het monotone geluid van de branding. Dit huis was een plek waar hij zich kon terugtrekken. Hier hoefde hij zich geen zorgen te maken over contracten of blessures of andere zaken die te maken hadden met de NHL, de ijshockeycompetitie. Hier vond hij de rust die hij nergens anders vond.

Tot vandaag.

Hij staarde uit het raam naar de vrouw die in de branding stond. Haar donkere lokken waaiden alle kanten op. Georgeanne verstoorde zijn rust, zoveel was zeker. Hij bracht het bierflesje weer naar zijn mond en nam een fikse teug.

Ongemerkt verscheen er een glimlach op zijn gezicht, toen hij haar voorzichtig door het koude water zag lopen. Georgeanne Howard was een droomvrouw, dat was zeker. Als ze niet zo irritant zou ratelen, en als ze niet verloofd was geweest met Virgil Duffy, dan had John niet zo'n haast gehad om haar kwijt te raken.

Maar aangezien Georgeanne een relatie had met de eigenaar van de Chinooks, zijn baas, moest hij haar zo snel mogelijk weg zien te krijgen. Hij besloot haar de volgende morgen naar het vliegveld of busstation te brengen. Dan hadden ze nog een lange nacht voor de boeg.

Hij stak een hand in de zak van zijn oude broek. Er waren kinderen met een vlieger bezig, even verderop. Hij maakte zich geen zorgen of hij met Georgeanne in bed zou belanden. Maar anders dan Ernie dacht, zou hij er als het mocht gebeuren geen spijt van krijgen. Weer bracht hij het flesje naar zijn lippen. Toch kreeg hij last van zijn geweten; het deed hem denken aan zijn kortstondige huwelijk met DeeDee.

Hij liet zijn biertje zakken en keek weer naar Georgeanne. Hij zou nooit zo stom zijn geweest om met een vrouw te trouwen die hij maar een paar uurtjes kende als hij niet zo dronken was geweest als toen. Al was haar lichaam nog zo geweldig. Want DeeDee had een geweldig lichaam.

John trok zijn mondhoeken naar beneden. Met zijn ogen volgde hij de bewegingen van Georgeanne in de branding. Plotseling stond hij op en liep luid vloekend naar de keuken. Daar goot hij het bierflesje leeg in de gootsteen.

Het laatste waar hij trek in had was de volgende ochtend opstaan met een kater omdat hij was getrouwd met de verloofde van Virgil.

Hoofdstuk 3

Georgeanne rilde elke keer als een koude golf zeewater boven haar knieën kwam, maar ondanks de kou duwde ze haar voeten verder in het zand en pakte een rots beet die eruitzag als een groot, rond brood. Ze boog zich voorover en keek gefascineerd naar de poel onder haar, waarin zich ontelbare paarse en oranje zeesterren bevonden. Daarna streek ze met haar hand zacht over een geribbelde rots. De vijfkaraats diamant verlovingsring aan haar linkerhand ving de laatste zonnestralen op en fonkelde blauwe en rode lichtjes op de rots.

Met het geluid van de branding in haar oren en het weidse uitzicht voor haar, maakte ze haar hoofd leeg – van alles wat er speelde – ze had alleen nog aandacht voor de Stille Oceaan, die ze voor het eerst zag.

Toen ze daarnet het strand op wandelde dreigden sombere gedachten haar te overspoelen. Dat ze berooid was, de ongelukkige afloop van haar voorgenomen huwelijk, haar afhankelijkheid van een eikel als John, die geen greintje medelijden leek te kunnen opbrengen; het werd haar allemaal te veel. Maar nog erger dan haar lege portemonnee of de beide mannen die door haar hoofd spookten, was het gevoel dat ze moederziel alleen was in een grote wereld waarin niets haar bekend voorkwam. Hier in het noordwesten was alles zo groen en er waren zoveel bergen. Alles zag er anders uit, voelde anders aan; het zand was grover, het water kouder en de wind harder.

Zo stond ze naar de zee te kijken, alsof ze de enige mens op aarde was, vechtend tegen de paniek die ze weer voelde opkomen. Dit keer verloor ze de strijd. Net als in een kantoorkolos, waar 's avonds een voor een de lichten worden gedoofd, stopte bij Georgeanne langzaam maar zeker haar brein met werken. Al zo lang als ze zich kon herinneren hadden haar hersenen niet thuis gegeven als het haar te veel werd. Ze haatte het als dat gebeurde, maar tegelijkertijd was ze niet bij machte er iets aan te doen. De gebeurtenissen van de afgelopen vierentwintig uur waren eindelijk tot haar doorgedrongen en hadden haar hele systeem doen kortsluiten. Het zou langer duren dan anders voordat de boel weer opgestart was. Als dat het geval was, zou ze haar ogen kunnen sluiten en de diepe ademhalingsoefeningen doen die ze had geleerd om de nare gedachten van de afgelopen dag uit haar hoofd te bannen.

Georgeanne was erg goed in haar hoofd leegmaken en focussen op één ding. Ze had er jaren op kunnen oefenen. Ze had jaren de tijd gehad om te leren omgaan met een wereld die naar een heel ander ritme danste dan zijzelf – een ritme dat ze niet altijd kende of begreep. Maar wel een ritme dat ze inmiddels feilloos kon imiteren. Op haar negende had ze geleerd precies op de juiste maat te dansen.

Sinds die middag, inmiddels twaalf jaar geleden, toen haar grootmoeder haar had verteld dat ze een hersenafwijking had, had ze haar uiterste best gedaan dit voor iedereen te verbergen. Ze had alle etiquettelessen en kookcursussen gevolgd die er maar te volgen waren, maar bijlessen in taal had ze nooit gekregen. Ze kon een prachtig bloemstuk maken, met haar ogen dicht, maar met lezen kwam ze niet verder dan groep vier. Ze had dit probleem aardig weten te verbergen met haar charmes en flirterig gedrag; met haar mooie gezicht en weelderige lichaam. Maar zelfs nu ze wist dat ze alleen maar dyslectisch was, en niet achterlijk, verborg ze het nog. Al was ze enorm opgelucht geweest toen het was ontdekt, ze schaamde zich er nog steeds zo erg voor, dat ze geen hulp had gezocht.

Een grote golf sloeg tegen haar bovenbenen aan en maakte haar korte broek kletsnat. Ze duwde haar voeten nog steviger in het zand. Boven aan het lijstje met Georgeannes stelregels, vlak onder de regel 'zorg ervoor dat mensen je aardig vinden' en vlak boven 'altijd een goede gastvrouw zijn' stond 'wees net zoals ieder ander'. Daarom zorgde ze ervoor dat ze elke week twee nieuwe woorden leerde én onthield. Ze huurde films gemaakt naar de klassiekers uit de wereldliteratuur en bezat enkele goede dvd's, zoals *Gejaagd door de wind*, de mooiste film die ze kende.

Ze stak haar hand uit naar een zachtgroene zeeanemoon en raakte deze zachtjes aan. De plakkerige tentakels sloten zich om haar vingers. Geschrokken deinsde ze achteruit. Weer sloeg er een hoge golf tegen haar benen en ditmaal verloor ze haar evenwicht. Ze viel achterover in het water. Een volgende golf nam haar mee bij de rotsen vandaan. Ze ging kopje-onder. Het ijskoude water benam haar de adem en haar mond stroomde vol zout water en zand. Ze vocht krampachtig om haar hoofd boven water te krijgen. Er wikkelde zich net een slijmerig stuk zeewier om haar hals toen een nog grotere golf over haar heen spoelde en haar met een vaartje naar het strand bracht. Toen ze daar veilig was beland, liet ze zich op haar handen en knieën vallen om eens goed uit te hijgen. Ze proefde nog zand in haar mond en spuugde het uit, daarna trok ze het zeewier om haar nek los. Met klapperende tanden bedacht ze dat ze zojuist heel veel plankton had ingeslikt. Dat idee deed haar maag golfbewegingen maken zoals de zee achter haar. Ook voelde ze zand zitten op de meest ongemakkelijke plekjes. Ze keek op naar Johns huis, in de hoop dat haar ongelukje onbemerkt was gebleven.

Helaas. Met een zonnebril op en slippers aan zijn voeten kwam John daar aangeslenterd. Hij zag er heerlijk uit; om op te vreten. Maar Georgeanne wilde liever terug kruipen de branding in, om op zee te sterven.

Boven het geluid van de zeemeeuwen uit hoorde ze zijn diepe lach. Heel even vergat ze de kou, het zand en het zeewier. Vergat hoe ze er nu uitzag en dat ze wilde sterven. Ze voelde de woede kolken door haar aderen. Haar hele leven had ze haar best gedaan om niet te worden uitgelachen. Als er iets was waar ze echt een bloedhekel aan had, dan was het te worden uitgelachen.

'Ik heb nog nooit zoiets grappigs gezien,' zei hij met een brede grijns.

Georgeanne voelde de boosheid gonzen in haar oren; het overstemde zelfs het geluid van de branding. Haar vuisten groeven zich in het natte zand.

'Jezus, je had jezelf moeten zien,' ging hij hoofdschuddend verder. De wind speelde met zijn korte haren. Hij schaterde.

Terwijl ze langzaam opstond, greep Georgeanne twee handen vol nat zand vast en gooide er een tegen zijn borst, raak! Ze mocht dan geen elegante, slanke den zijn, mikken kon ze als de beste.

Hij hield meteen op met lachen. 'Wat krijgen we nou, verdomme?' Hij keek naar zijn shirt. Toen hij haar verbluft aanstaarde, gooide Georgeanne nog een kluit zand, ditmaal tegen zijn voorhoofd. Zijn Ray-Ban zat ineens scheef op zijn neus. Over de rand keken zijn twee blauwe ogen haar wraakzuchtig aan.

Georgeanne glimlachte hem poeslief toe en bukte zich om nog een hand zand op te rapen. Het kon haar niets schelen wat John nu zou doen. 'Kun je ineens niet meer lachen, stomme ijshockeyer?'

Hij zette zijn zonnebril af en keek dreigend. 'Dat zou ik maar niet gooien als ik jou was.'

Ze ging weer staan en wierp met een korte hoofdbeweging haar haren uit haar gezicht. 'Bang voor een beetje zand?'

Een van zijn wenkbrauwen ging de hoogte in, maar hij zei niets.

'Tja, wat doe je nu, hè?' daagde ze hem uit. Het was of hij ineens de personificatie was van alle mensen die haar ooit belachelijk hadden gemaakt of dwars hadden gezeten. 'Vast iets heel erg sportiefs...'

John glimlachte minzaam en voordat Georgeanne iets kon uitbrengen, had hij haar tegen de grond gewerkt. De kluit zand was uit haar hand gevallen en ze knipperde met haar ogen om zijn gezicht te kunnen onderscheiden tegen het zonlicht achter zijn hoofd.

'Wat is er in godsnaam met jou aan de hand?' vroeg hij. Hij klonk eerder ongelovig dan kwaad. Er viel een donkere krul over zijn voorhoofd. Het bedekte een wit litteken dat door zijn wenkbrauw liep.

'Ga van me af,' zei Georgeanne, en ze sloeg hem tegen zijn bovenarm. Zijn warme huid en stevige spieren voelden heerlijk aan onder haar koude hand. Ze stompte hem opnieuw en ook dat voelde goed; haar woede leek te bekoelen. Ze sloeg hem omdat hij haar uitlachte, omdat hij had gezegd dat ze met Virgil wilde trouwen vanwege zijn geld, omdat hij gelijk had. Ze sloeg hiermee ook haar grootmoeder, omdat die dood was gegaan en haar in de steek had gelaten, waardoor ze helemaal alleen was, en alles verkeerd deed.

'Jezus, Georgie,' riep John uit. Hij pakte haar polsen beet en duwde ze naast haar hoofd tegen de grond. 'Hou eens op.'

Ze keek hem aan, zag zijn knappe gezicht en haatte hem uit de grond van haar hart. Ze haatte ook zichzelf en de tranen die nu in haar ogen sprongen. Ze haalde diep adem om niet te gaan huilen, maar er bleef een snik in haar keel steken. 'Ik háát je,' zei ze zacht. Ze streek met haar tong over haar zoute lippen. Ze snikte diep.

'Ik kan melden,' zei John, met zijn gezicht zo dicht bij het hare dat ze zijn warme adem op haar huid voelde, 'dat ik jou ook niet zo heel leuk vind op dit moment.'

Ze werd zich bewust van zijn lichaam en ineens vielen haar een aantal dingen op. Zijn rechterbeen bevond zich tussen haar benen en ze voelde zijn kruis dicht tegen haar rechterdij drukken. Ook zijn borstkas lag boven op haar. Toch was dit alles niet onprettig. Hij voelde stevig aan, maar ook zacht, en hij verspreidde een heerlijke warmte.

'Maar je brengt me ineens op heel andere ideeën,' zei hij, met een glimlach om zijn lippen. 'Verkeerde ideeën.' Hij schudde zijn hoofd, alsof hij zichzelf tot de orde moest roepen. 'Echt heel ver-keerde ideeën.' Hij streelde met zijn duim over de binnenkant van haar pols en liet zijn blik over haar gezicht gaan. 'Je ziet er heerlijk uit, maar toch ook weer niet. Er zit overal zand op je hoofd, je haar zit door de war en je bent door- en doornat.'

Voor het eerst die dag voelde Georgeanne zich op vertrouwd terrein. Er verscheen een tevreden glimlachje om haar lippen. Hoe hard hij ook zijn best deed het tegendeel te bewijzen, het bleek dat John haar wel degelijk leuk vond. Als ze het nu tactisch slim speel-de, liet hij haar misschien in zijn huis verblijven tot ze had bedacht wat ze verder ging doen. 'Wil je alsjeblieft mijn polsen loslaten?'

'Ga je me dan weer slaan?'

Georgeanne schudde haar hoofd en probeerde intussen uit te vogelen hoeveel van haar ruim vertegenwoordigde charme ze op hem kon loslaten.

Hij tilde weer een wenkbrauw op. 'Zand gooien dan?'

'Nee.'

Hij liet haar los, maar maakte geen aanstalten van haar op te staan. 'Heb ik je pijn gedaan?'

'Nee.' Ze legde haar handen op zijn schouders en voelde dat zijn krachtige spieren zich aanspanden. John leek haar niet het type man dat zichzelf zou opdringen. Al moest ze toegeven dat ze wel in zijn huis verbleef. Dat alleen al was genoeg om hem het verkeerde idee te geven. Eerder, toen het leek dat hij haar hele-maal niet leuk vond, had ze er niet aan gedacht dat John mis-schien meer van haar zou verlangen dan alleen dankbaarheid. Nu schoot het wel door haar heen.

Ineens moest ze aan Ernie denken en dat maakte haar aan het lachen. 'Ik ben nog nooit eerder getackeld. Is dat jouw versier-truc?' John zou nooit verwachten dat ze bij hem in bed kroop als zijn opa in de kamer ernaast lag te slapen. Ze voelde zich een stuk beter.

'Hoezo? Vind je het niet fijn?'

Georgeanne glimlachte naar hem. 'Nou, je kunt misschien een andere techniek proberen.'

Hij stond langzaam op, maar bleef haar aankijken. 'En jij hebt vast wat tips in de aanbieding.'

Nu zijn warme lichaam van het hare verdween was, kreeg Georgeanne het meteen koud. Ze krabbelde overeind. 'Begin eens met een bosje bloemen. Iets subtieler, maar zo veelzeggend.'

John stak zijn hand uit en hielp Georgeanne overeind. Nooit meer zou hij bloemen kunnen geven aan een vrouw. Nooit meer. De dag dat hij tientallen roze rozen op de kist van zijn vrouw had gelegd was de laatste keer dat hij bloemen had gekocht voor een vrouw.

Hij liet Georgeannes hand vallen en probeerde de nare gedachte te verdrijven. Hij richtte zijn aandacht daarom weer op haar. Ze was net bezig haar billen schoon te kloppen. Hij gaf zijn ogen eens flink de kost. Haar krullen zaten in de war en ze zat onder het zand; haar rode teennagels vormden een sterk contrast met haar vieze voeten. De korte broek plakte aan haar bovenbenen en ook zijn oude zwarte T-shirt kleefde tegen haar lijf, zodat haar tepels, stijf van het koude zeewater, er als kleine besjes doorheen prikten. Toen hij boven op haar had gelegen voelde ze eigenlijk wel lekker aan – veel te lekker. En hij had veel te lang in haar mooie groene ogen gekeken.

'Heb je je tante al te pakken gekregen?' vroeg hij, terwijl hij zich vooroverboog om zijn zonnebril op te rapen.

'Eh… nog niet.'

'Nou, bel haar dan even als we weer boven zijn.' John draaide zich om en liep terug naar zijn huis.

'Ik zal het proberen,' zei ze, toen ze hem eindelijk had ingehaald en probeerde net zulke grote passen te maken als hij. 'Maar tante Lolly heeft bingoavond, dus ik denk dat ze pas over een paar uur thuis is.'

John keek naar haar, voordat hij zijn zonnebril weer opzette. 'Hoe lang duren die bingoavonden dan?'

'Dat hangt ervan af hoeveel fiches ze koopt. Als ze naar de avond in de hooischuur is, dan duurt het niet lang, omdat daar gerookt mag worden, en tante Lolly heeft een hekel aan sigarettenrook. Bovendien speelt Doralee Hofferman daar natuurlijk en die twee zijn als water en vuur sinds 1979. Toen heeft Doralee namelijk Lolly's favoriete recept voor pindarotsjes gestolen en net gedaan of het van haar was. En je moet weten dat die twee de beste vriendinnen waren tot, nou ja, totdat...'

'Daar gaan we weer,' zuchtte John. 'Luister eens, Georgeanne.' Hij ging voor haar staan. 'We komen de avond niet door als je hier niet mee ophoudt.'

'Waarmee ophoudt?'

'Met ratelen.'

Haar voluptueuze mond viel open van verbazing en ze legde haar linkerhand op haar borst om haar onschuld te bezweren. 'Ik? Ratelen?'

'Jazeker, en ik word er bloednerveus van. Ik geef geen bal om de gelatinepudding van je tante, links- of rechtsdraaiende baptisten of pindarotsjes. Kun je niet over gewone dingen praten, zoals gewone mensen?'

Ze liet haar hoofd zakken, maar niet voordat hij het verdriet in haar ogen had gezien. 'Praat ik dan niet als gewone mensen?'

Heel even voelde hij zijn geweten opspelen. Hij wilde haar niet verdrietig maken, maar hij wilde ook niet urenlang hoeven luisteren naar haar gekakel.

'Niet echt, nee. Als ik jou een vraag stel waarop je met drie woorden kunt antwoorden, krijg ik een verhaal van drie minuten dat nergens op slaat.'

Ze beet op haar onderlip en zei toen: 'Ik ben niet dom, John.'

'Dat bedoel ik ook niet,' beweerde hij, ook al geloofde hij niet dat ze cum laude was afgestudeerd, zoals ze had beweerd. 'Luister eens, Georgie,' voegde hij eraan toe, omdat hij zich schuldig voelde. 'Als jij nou niet zo kletst, zal ik me netjes gedragen.'

Ze trok haar mondhoeken naar beneden.

'Geloof je me soms niet?'

Ze schudde gelaten met haar hoofd. 'Ik zei toch al dat ik niet dom ben.'

John lachte. Shit, hij begon haar nog leuk te vinden ook. 'Kom op,' hij gebaarde naar zijn huis, 'volgens mij heb je het koud.'

'Klopt,' gaf ze toe.

Zwijgend liepen ze gezamenlijk verder. Het geluid van de wind, de branding en de meeuwen vulde de stilte. Toen ze bij de verweerde trap naar zijn huis waren aanbeland, liep Georgeanne als eerste naar boven, draaide zich op de tweede tree om en zei, met haar ogen dichtgeknepen tegen de ondergaande zon: 'Ik ratel niet.'

John bleef staan en keek haar recht in de ogen. Een aantal krullen waren al opgedroogd en dansten voor haar ogen. 'Georgie, je ratelt als een bezetene.' Hij zette zijn zonnebril af. 'Maar als je je een beetje kunt beheersen, dan kunnen we het heel gezellig hebben. Ik denk zelfs dat we dan voor één avond –' hij zweeg even en zette de Ray-Ban op haar neus '– vrienden kunnen zijn.' Hij wist dat dat niet het goede woord was maar hij kon even niets anders bedenken.

'Dat lijkt me fijn, John.' Haar mond plooide zich in een verleidelijke glimlach. 'Maar ik dacht dat je daarstraks zei dat je een eikel was.'

'Dat ben ik niet.' Ze was zo dichtbij dat haar borsten hem bijna aanraakten – bijna, en hij vroeg zich af of ze weer aan het flirten was.

'Hoe kunnen we nou vrienden zijn als jij niet aardig doet?'

John liet zijn ogen naar haar lippen gaan. Heel even kwam hij in de verleiding om haar te laten zien hoe aardig hij kon zijn. Wilde zijn mond op de hare drukken, heel even, en voelen hoe zacht haar lippen waren en de belofte van haar verleidelijke glimlach verder onderzoeken. Wilde zijn handen in haar zij leggen, iets boven haar heupen, en haar tegen zich aan trekken, omdat hij wilde weten hoe ver hij mocht gaan tot ze hem een halt zou toeroepen.

Hij kwam in de verleiding, maar liet zich niet gek maken. 'Makkelijk.' Hij legde zijn handen op haar schouders en duwde haar opzij. 'Ik ga stappen,' verkondigde hij en hij liep langs haar de trap op.

'Mag ik mee?' vroeg ze, terwijl ze hem achternaliep.

'Nee.' Hij schudde zijn hoofd. Hij dacht er niet aan om in het openbaar met Georgeanne Howard gezien te worden.

Het warme water verwarmde Georgeannes verkleumde huid. Langzaam masseerde ze de shampoo in haar haren. Toen ze een kwartier geleden de douche binnenstapte, had John haar gevraagd het kort te houden, omdat hij nog wilde douchen voordat hij uitging. Georgeanne had andere plannen.

Met haar ogen dicht hield ze haar hoofd naar achteren om het schuim uit te spoelen. Ze maakte zich zorgen over wat het goedkope spul met haar krullen zou doen. Ze dacht aan de dure shampoo die in haar koffer zat in de achterbak van Virgils Rolls-Royce. De tranen sprongen haar in de ogen en ze maakte het proefpakketje conditioner open dat ze had gevonden onder in het badkamerkastje. Een aangename geur vulde de douche. Haar gedachten gingen van de slechte shampoo naar haar probleem in de nabije toekomst.

Ernie was vertrokken en John was van plan hem te volgen naar de kroeg. Georgeanne kon John er moeilijk van overtuigen dat ze nog een paar dagen hier moest blijven als hij niet eens thuis was. Toen hij had gezegd dat ze vrienden konden worden, was ze even opgelucht geweest, maar dat gevoel was snel verdwenen toen hij aankondigde uit te willen.

Voorzichtig werkte Georgeanne de conditioner door haar haren en stapte weer onder de warme straal. Heel even overwoog ze seks te gebruiken om John over te halen om thuis te blijven, maar dat idee wees ze snel af. Niet omdat ze het moreel verwerpelijk vond, maar omdat ze niet van seks hield. De paar keer dat ze met mannen intiem was geweest, was ze zich verschrikkelijk bewust van zichzelf geweest. Zo bewust dat ze er niet van had kunnen genieten.

Toen ze onder de douche vandaan kwam, was het water koud geworden en rook ze naar mannenzeep. Ze droogde zich snel af en trok een groene beha met een bijpassend broekje aan. Ze had het setje gekocht vanwege haar wittebroodsweken, maar ze was er bepaald niet rouwig om dat Virgil het niet zou aanschouwen.

Inmiddels was de meeste condens wel verdwenen uit de badkamer, maar de zachte zijden kimono die ze van John had geleend plakte tegen haar warme huid toen ze de ceintuur strikte. Het was overduidelijk een model dat voor mannen bestemd was, ondanks het zachte materiaal. De geur van aftershave hing er nog in. Hij kwam net iets boven haar knieën en op de rug zat een groot Japans karakter in rode zijde geborduurd.

Ze kamde haar haren en probeerde niet te denken aan de dure bodylotion die in Virgils achterbak zat opgesloten. Ze rommelde in de laatjes van het kastje onder de wasbak, op zoek naar alternatieven. Maar er kwam niets meer tevoorschijn dan wat tandenborstels, een tube tandpasta, een bus voetpoeder, een blik scheerschuim en twee scheermessen.

'Is dat alles?' Met een frons besloot ze nog een keer haar tas te doorzoeken. Het doosje met anticonceptiepillen, die ze drie dagen geleden was gaan slikken, duwde ze resoluut opzij. Ze vond het onrechtvaardig dat John er zo knap kon uitzien zonder er te veel moeite voor te doen, terwijl zij honderden dollars per maand besteedde en ongeveer evenveel uren aan haar uiterlijk.

Met de handdoek wreef ze een hoekje droog in de spiegel en ze bestudeerde zichzelf. Vervolgens poetste ze haar tanden, en deed mascara en blusher op.

Ze schrok toen er op de deur werd geklopt en bijna had ze met haar lippenstift in haar neus gezeten.

'Georgeanne?'

'Ja, John?'

'Ik wil er ook graag in, weet je nog?'

Dat wist ze nog wel. 'O, vergeten.' Met haar handen bewerkte ze haar kapsel en daarna bekeek ze zichzelf met kritische blik. Ze rook naar een man en zag er niet op haar best uit.

'Ben je ergens vanavond nog klaar?'

'Heel even nog,' antwoordde ze. Ze gooide haar make-up in

de tas. 'Moet ik mijn natte kleren op het wasrek hangen?' vroeg ze, terwijl ze deze opraapte van de zwart-wit geblokte vloer.

'Ja, graag. Zeg, duurt het nog lang?'

Zorgvuldig hing Georgeanne haar natte beha en ondergoed over de waslijn; de korte broek en het T-shirt hing ze ernaast. 'Klaar!' Ze opende de deur.

'Je zou het toch kort houden?' vroeg hij met een vragend handgebaar.

'Was dit niet kort dan? Ik vond het kort.'

Met een plof liet hij zijn hand tegen zijn been vallen. 'Je was zo lang bezig, het valt me nog mee dat je geen gerimpelde abrikoos bent.' Pas toen deed hij wat ze had verwacht, vanaf het moment dat ze de deur opendeed. Hij liet zijn blik over haar verschijning gaan, eerst van boven naar beneden, toen weer terug omhoog. Ze zag tot haar vreugde een vonkje belangstelling in zijn ogen verschijnen. Hij vond haar aantrekkelijk. 'Heb je al het warme water opgemaakt?' vroeg hij beschuldigend.

Georgeanne sperde haar ogen wijd open. 'Niet op gelet.'

'Doet er ook niet meer toe, shit,' vloekte hij met een blik op zijn horloge. 'Zelfs als ik nu wegrijd, hebben ze geen oesters meer in de bar als ik er ben.' Hij draaide zich om en liep naar de woonkamer. 'Dan maar wat oude popcorn en borrelnootjes.'

'Als je honger hebt, kan ik wel wat voor je maken.' Georgeanne volgde hem op de voet.

Hij keek haar over zijn schouder spottend aan. 'Dat geloof ik niet.'

Maar zo'n prachtige gelegenheid om indruk op hem te maken liet ze niet voorbijgaan. 'Ik kan heel lekker koken. Ik kan echt iets lekkers voor je maken voordat je uitgaat.'

John bleef midden in de woonkamer staan en keek haar recht in haar gezicht. 'Nee.'

'Maar ik heb ook honger,' zei ze, al was dat niet helemaal waar.

'Heb je daarstraks niet genoeg gegeten dan?' Hij stak zijn handen in zijn broekzakken. 'Ernie vergeet wel eens dat niet iedereen zo weinig eet als hijzelf. Dat had je moeten zeggen.'

'Nou, ik was allang blij dat ik wat opgeschept kreeg,' zei ze en ze glimlachte liefjes. Ze zag hem aarzelen en drong nog wat verder aan. 'En ik wilde je grootvader niet beledigen, maar ik had de hele dag nog niets gegeten en ik had verschrikkelijke honger. Maar ik weet hoe het is met oudere mensen. Die eten een soepje of salade en vinden dat een rijke maaltijd, terwijl wij het niet meer dan een voorafje noemen.'

Er verscheen iets van een glimlachje om zijn lippen.

Georgeanne beschouwde dit als een aanmoediging en liep langs hem naar de keuken. Voor een sportman als hij, die niet gewend was veel te koken, was deze verrassend modern ingericht. Ze deed de beige koelkast open en bestudeerde de inhoud. Ernie had al gezegd dat alles op voorraad was en hij had niet gelogen.

'Eten ze in Texas echt tonijn met roomsaus?' vroeg John vanuit de deuropening.

De receptenklapper in haar hoofd draaide op volle toeren, terwijl ze in de keukenkastjes de voorraden pasta's en kruiden inspecteerde. 'Ga nou niet zeggen dat je tonijn in een roomsaus wilt eten? Sommige mensen zijn er dol op, maar ik word er niet koud of warm van.'

'Kun je dan een lekker ontbijtje maken?'

Georgeanne sloot het keukenkastje en draaide zich naar hem om. De ceintuur van de kimono kwam los. 'Natuurlijk,' antwoordde ze. Ze strikte de zwarte zijden band weer vast. 'Maar waarom zou je willen ontbijten als je al die heerlijke schaaldieren hebt staan in je koelkast?'

'Ik kan hier altijd al zoveel vis eten,' gaf hij schouderophalend ten antwoord.

Ze had in al die kookcursussen heel wat culinaire kwaliteiten opgedaan, waarmee ze graag indruk op hem maakte. 'Weet je zeker dat je een ontbijt wilt? Ik kan geweldige pesto maken en mijn pasta met schelpdieren is ongelooflijk lekker.'

'Ik wil liever ouderwetse broodjes met jus.'

Ze was teleurgesteld. 'Weet je het zeker?' Georgeanne kon zich niet meer herinneren wanneer ze dat voor het eerst had leren maken; daar draaide ze haar hand niet voor om. 'Ik dacht dat je trek had in oesters.'

Hij haalde zijn schouders weer op. 'Ik heb liever van die broodjes. Echt zo'n zuidelijk maal waar je uren op kunt teren.'

Georgeanne opende hoofdschuddend de koelkast weer. 'Dan beginnen we maar met het spek.'

'We?'

'Jazeker.' Ze legde een stuk spek op het aanrecht. 'Jij gaat hier plakken van snijden, terwijl ik het deeg maak.'

Er verscheen een kuiltje in zijn wang toen hij zich glimlachend losmaakte van de deuropening. 'Dat lukt me wel.'

Bij het zien van die glimlach kreeg Georgeanne een vreemd gevoel in haar onderbuik. Terwijl ze een pak worstjes uit de koelkast haalde en deze in een kom heet water onderdompelde, bedacht ze dat hij, met zo'n glimlach, geen enkele moeite zou hebben om vrouwen in zijn bed te krijgen. 'Heb jij een vriendin?' vroeg ze. Ze deed de kraan dicht en haalde alle ingrediënten voor de ouderwetse zachte broodjes uit de kast.

'Hoeveel plakken hebben we nodig?' vroeg hij, waarmee hij haar vraag ontweek.

Georgeanne keek over haar schouder. In zijn ene hand hield hij het stuk spek, in de andere een gevaarlijk uitziend mes. 'Zoveel als je denkt op te kunnen,' antwoordde ze. 'Ga je mijn vraag nog beantwoorden?'

'Nee.'

'Waarom niet?' Ze deed, zonder het precies af te meten, de juiste hoeveelheden bloem, zout en bakpoeder in een kom.

'Omdat,' hij sneed een dikke plak af, 'je dat geen bal aangaat.'

'Maar we zijn toch vrienden?' wierp ze tegen. Dolgraag zou ze meer weten over zijn privéleven. Ze schepte wat margarine door het bloemmengsel en ging verder: 'Vrienden vertellen elkaar alles.'

Hij stopte met snijden en zijn blauwe ogen keken haar doordringend aan. 'Ik geef antwoord op jouw vraag als jij de mijne beantwoordt.'

'Oké,' zei ze, bedenkend dat ze wel een leugentje om bestwil zou kunnen vertellen als dat nodig was.

'Nee, ik heb geen vriendin.'

Op de een of andere manier zorgde die mededeling voor nog meer vlinders in haar buik.

'En nu is het jouw beurt.' Hij stak een stuk spek in zijn mond en vroeg: 'Hoe lang ken je Virgil al?'

Georgeanne dacht over deze vraag na terwijl ze langs John liep om de melk uit de koelkast te pakken. Zou ze liegen, de waarheid vertellen of ergens in het midden blijven? 'Iets langer dan een maand,' antwoordde ze naar waarheid, waarna ze wat melk toevoegde aan het deeg.

'Aha,' zei hij met een flauwe glimlach. 'Liefde op het eerste gezicht.'

Bij het horen van zijn vlakke, belerende toontje wilde ze hem liefst een pets geven met haar houten lepel. 'Geloof je daar niet in dan?' Ze zette de kom op haar linkerheup en begon het deeg te mengen zoals ze haar grootmoeder het ontelbare keren had zien doen.

'Nee.' Hij schudde zijn hoofd en begon weer een plak spek te snijden. 'Vooral niet tussen een vrouw als jij en een man van Virgils leeftijd.'

'Een vrouw als ik? Wat bedoel je daarmee?'

'Je weet best wat ik bedoel.'

'Nee,' zei ze, hoewel ze zich er wel iets bij kon voorstellen. 'Ik weet niet waar je het over hebt.'

'Kom op.' Hij keek haar fronsend aan. 'Jij bent jong en aantrekkelijk en ziet eruit om op te...' Hij zweeg en wees met het mes haar kant op. 'Er is maar één reden waarom een meisje zoals jij trouwt met een man die zijn haar al over zijn kale schedel moet kammen.'

'Ik ben dol op Virgil,' verdedigde ze zichzelf. Het deeg was inmiddels tot een bal gevormd.

Hij tilde een wenkbrauw sceptisch op. 'Dol op zijn geld, zul je bedoelen.'

'Dat is niet waar. Hij kan heel charmant zijn.'

'En hij kan ook een ontzettende klootzak zijn, maar aangezien jij hem pas een maand kent, kun je dat nog niet weten.'

Voorzichtig zette ze de kom op het aanrecht. Nu moest ze oppassen dat ze niet weer iets naar hem ging gooien, en daarmee haar kans op een uitnodiging om hier nog een paar dagen te verblijven verspeelde.

'Waarom ben je gevlucht voor de plechtigheid?'

Ze was niet van plan hem haar redenen daarvoor op te biechten. 'Ik dacht er gewoon ineens anders over.'

'Of drong het ineens tot je door dat je voor de rest van je leven het bed moest delen met een man die je grootvader zou kunnen zijn?'

Georgeanne sloeg haar armen over elkaar en keek hem woest aan. 'Dit is de tweede keer dat je dit onderwerp aansnijdt. Waarom wil je zo graag meer weten over mijn relatie met Virgil?'

'Ik ben gewoon nieuwsgierig,' antwoordde hij, waarna hij weer wat plakken spek afsneed.

'Is het ooit tot je doorgedrongen dat ik het bed nog nooit gedeeld heb met Virgil?'

'Nee.'

'Nou, dat is zo.'

'Lulkoek.'

Ze liet haar handen vallen en deze balden zich tot vuisten. 'Je denkt overal het slechtste van én je bent grof in de mond.'

Heel nonchalant haalde John zijn schouders op en ging tegen het aanrecht staan. 'Virgil Duffy komt niet zomaar aan zijn miljoenen. Hij zou heus niet betalen voor zo'n lekker ding als jij zonder haar eerst uit te proberen.'

Georgeanne wilde hem toeschreeuwen dat Virgil haar niet betaald had maar het feit was dat hij dat wel had gedaan. Alleen had hij er nog niets voor teruggekregen. Dat zou hij pas hebben gehad als ze met hem was getrouwd. 'Ik ben niet met hem naar bed geweest,' bleef ze aandringen. Ze was niet alleen boos, maar ook gekwetst. Boos omdat hij haar veroordeeld had en gekwetst omdat hij haar zo goedkoop vond.

Met een spottend glimlachje om zijn lippen zei hij: 'Ach, schatje, het maakt me niet uit of je met Virgil naar bed bent geweest.'

'Waarom begin je er dan telkens over?' vroeg ze. Steeds opnieuw moest ze zichzelf eraan herinneren dat ze niet weer haar geduld mocht verliezen, hoe irritant hij ook was.

'Omdat je denk ik niet in de gaten hebt wat je hebt gedaan. Virgil is een rijke en machtige man. En vandaag heb je hem in zijn hemd gezet.'

'Dat realiseer ik me wel.' Ze verplaatste haar blik beschaamd naar de keukenvloer. 'Ik denk dat ik hem morgen maar even moet opbellen om me te verontschuldigen.'

'Slecht plan.'

'Te snel?'

'Absoluut. Over een jaar zou nog te snel zijn. Als ik jou was zou ik deze staat zo snel mogelijk verlaten.'

Georgeanne deed een paar passen naar voren en bleef op een paar centimeter afstand van John staan. Ze keek hem aan met angst in haar ogen, terwijl ze eigenlijk niet bang was voor Virgil Duffy. Ze voelde zich naar over wat ze hem vandaag had aangedaan, maar ze wist ook dat hij er wel overheen zou komen. Hij hield toch niet van haar. Hij wílde haar alleen maar. Maar vanavond was ze niet van plan nog langer aan Virgil Duffy te denken. Vooral niet nu ze een veel belangrijker missie had, namelijk een uitnodiging in de trant van 'blijf maar tot je je leven weer op de rit hebt' van John. 'Wat zou hij dan doen?' zei ze met haar wat lijzige, zuidelijke tongval. 'Iemand inhuren om me te vermoorden?'

'Dat lijkt me vergezocht.' Hij liet zich afleiden door haar volle mond. 'Maar hij zou je wel heel wat last kunnen geven, meisje.'

'Ik ben geen meisje meer,' fluisterde ze en ze kwam nog een stapje dichterbij. 'Of was je dat nog niet opgevallen?'

John draaide zich naar haar om en keek haar recht in de ogen. 'Ik ben niet blind en ook niet achterlijk. Dat was me al opgevallen,' zei hij en hij legde een arm om haar middel. 'Er is me nog veel meer opgevallen en als jij nu die kimono uitdoet, dan weet ik zeker dat je een paar uur lang een grote glimlach op mijn gezicht kunt toveren.' Zijn vingers gleden langs haar ruggengraat omhoog.

Hoewel John met zijn brede borst en sterke armen heel dicht tegen haar aan stond, voelde Georgeanne zich niet bedreigd. Ze wist dat hij haar niet tegen haar wil zou vasthouden. 'Ach mannetje, als ik mijn kimono uit zou trekken, zouden ze die glimlach van jou op de operatietafel pas kunnen verwijderen,' zei ze plagerig, met extra nadruk op haar accent.

Hij liet zijn hand zakken naar haar kont en pakte haar rechterbil vast. Zijn ogen daagden haar uit. Hij probeerde te kijken hoe ver hij kon gaan totdat ze hem van zich af zou slaan. 'Wie weet ben jij wel een kleine operatie waard.' Hij trok haar dichter naar zich toe.

Georgeanne schrok even, tot ze zijn aanraking op zich in liet werken. En hoewel hij met zijn hand haar achterwerk vasthad en haar borsten tegen zijn borstkas drukten, voelde ze zich niet betast of bepoteld, zoals zo vaak het geval was geweest. Ze ontspande zich en liet haar handen via zijn borstspieren omhoog strijken. Ze genoot van zijn kracht onder haar vingertoppen.

'Maar mijn carrière ben je niet waard.' Zijn vingers streelden de gladde stof om haar billen.

'Je carrière?' Georgeanne ging op haar tenen staan en drukte zachte kusjes op zijn mondhoeken. 'Waar heb je het over?' vroeg ze, zich ondertussen afvragend hoe ze zich kon losrukken als hij te ver zou gaan.

'Over jou,' antwoordde hij tegen haar mond. 'Je bent een echte stoeipoes, maar dat is slecht voor iemand zoals ik.'

'Waarom dan?'

'Omdat ik heel slecht nee kan zeggen tegen iets wat te lekker, te opzichtig of te veel is.'

Georgeanne glimlachte. 'Welke van de drie ben ik?'

John grinnikte. 'Georgie, meisje, ik geloof dat jij dat alle drie wel bent, en ik zou graag willen uitvinden hoe goed je kunt stoeien, maar het gaat niet gebeuren.'

'Wat niet?' vroeg ze voorzichtig.

Hij duwde haar wat verder van zich af. 'Stoeien.'

'Wat bedoel je?'

'Seks.'

Een golf van opluchting spoelde over haar heen. 'Heb ik even pech,' zei ze met een brede glimlach op haar lippen, die ze maar amper kon verbergen.

Hoofdstuk 4

John staarde naar het gevouwen servet naast zijn vork en schudde zijn hoofd. Hij kon niet zeggen wat het moest voorstellen: een hoed of een boot. Maar omdat Georgeanne hem had verteld dat ze de tafel had gedekt rond een *North & South*-thema, vermoedde hij dat het een hoed moest voorstellen. Uit twee lege bierflesjes staken gele en witte veldbloemen en over het midden van de tafel lag een baan van zand met hier en daar een schelpje om de hoefijzers gedrapeerd die normaal gesproken boven de open haard hingen. John dacht dat Ernie het niet erg zou vinden dat ze die gebruikt had, maar van hem hoefde al die rommel op tafel niet.

'Wil je wat boter?'

Hij keek over de tafel heen in haar verleidelijke groene ogen en stak een hap van zijn ontbijt naar binnen. Georgeanne mocht dan een echte flirt zijn, ze was ook een geweldige kok. 'Nee.'

'En hoe was je douche?' vroeg ze, met een glimlach die boter zou doen smelten.

In de tien minuten dat ze nu aan tafel zaten, deed ze haar uiterste best een gesprek met hem aan te knopen, maar hij had er geen zin in. 'Prima,' antwoordde hij dus.

'Wonen je ouders in Seattle?'

'Nee.'

'Canada?'

'Alleen mijn moeder.'

'Zijn je ouders gescheiden?'

'Nee.' Zijn blik dwaalde af naar haar diepe decolleté in zijn zwarte kimono.

'Waar is je vader dan?' vroeg ze, terwijl ze naar de jus d'orange reikte. Haar kimono viel open en liet een randje groen kant zien, met daarboven de welving van haar zachte borsten.

'Die is doodgegaan toen ik vijf was.'

'Vreselijk. Ik weet hoe het is een van je ouders te verliezen. Ik ben de mijne allebei kwijtgeraakt toen ik nog jong was.'

John keek haar onverstoord aan. Ze was een geweldig mooie vrouw. Vol en zacht op de juiste plekken, met een mond om te zoenen. Ook haar lange benen waren prachtig en ze was precies het type vrouw dat hij graag naakt in zijn bed zou aantreffen. Eerder die dag had hij al geaccepteerd dat hij haar niet zover kon krijgen. Dat vond hij niet eens zo erg, maar wat hij verschrikkelijk vond was dat ze net had gedaan alsof ze niet kon wachten om haar vlugge vingertjes over zijn hele lijf te laten gaan. Toen hij haar had gezegd dat hij vandaag niet de liefde met haar zou bedrijven, had ze met haar wulpse mond geoohd en geaahd, maar uit haar ogen sprak vooral een grote opluchting. Zo'n opluchting had hij nog niet eerder bespeurd bij een vrouw.

'Het was een bootongeluk,' informeerde ze hem, alsof hij ernaar gevraagd had. Ze nam een slok jus en ging verder: 'Voor de kust van Florida.'

John prikte een stuk spek aan zijn vork en reikte vervolgens naar zijn koffie. Vrouwen waren dol op hem. Ze stopten hun telefoonnummers en slipjes in zijn broekzakken. Vrouwen keken niet naar John alsof seks met hem gelijkstond aan een wortelkanaalbehandeling.

'Het was nog een wonder dat ik er niet bij was. Mijn ouders vonden het natuurlijk vreselijk om me achter te laten, maar ja, ik had de waterpokken. Dus met pijn in hun hart lieten ze me achter bij mijn grootmoeder Clarissa June. Ik weet nog…'

John liet haar woorden voor wat ze waren en liet zijn blik afdwalen naar het kuiltje tussen haar sleutelbeenderen. Hij was geen verwaande man, tenminste, hij dacht van niet, maar het feit dat Georgeanne zijn charmes kennelijk kon weerstaan vond hij mateloos irritant. Hij zette zijn koffiemok op de tafel en vouwde zijn armen over elkaar. Na zijn douche had hij een schone spijkerbroek aangetrokken en een wit T-shirt. Hij was nog steeds van plan op stap te gaan. Hij hoefde alleen maar zijn schoenen aan te trekken en weg was hij.

'Maar mevrouw Lovett was zo kil, net een koelkast,' ging Georgeanne verder. John vroeg zich af hoe ze in vredesnaam van haar ouders bij koelkasten was beland. 'En ordinair... godsammekrake, wat was dat een ordinaire vrouw. Toen LouAnn White ging trouwen, gaf ze haar...' Hier zweeg ze even. Haar groene ogen glinsterden van de voorpret. '... een hotdogapparaat. Niet te geloven toch? Niet alleen gaf ze een ordinair stuk witgoed, maar dan ook nog eentje waarmee je worstjes in de fik zet!'

John wipte zijn stoel naar achteren zodat deze op twee poten rustte. Hij kon zich toch echt herinneren dat hij het met haar had gehad over dit gekwebbel. Maar hij zag in dat ze er niets aan kon doen. Ze was niet alleen een flirt, ze was nog een kwebbelkont ook.

Georgeanne schoof haar bord opzij en boog voorover, waardoor haar decolleté nog dieper werd. Samenzweerderig vertrouwde ze hem toe: 'Mijn grootmoeder zei altijd dat Margaret Lovett zo ordinair is als een spijkerbroek met glitters.'

'Doe je dat met opzet?' vroeg hij.

Haar ogen sperden zich nog verder open. 'Wat?'

'Me je borsten laten zien.'

Ze keek naar beneden, liet zich naar achteren zakken en trok de kimono met beide handen dicht. 'Nee.'

John liet de beide voorpoten van zijn stoel weer neerkomen en stond op, keek haar diep in de ogen en gaf gevolg aan een waanzinnig idee. Met uitgestoken hand commandeerde hij: 'Kom eens hier.' Toen ze voor hem stond, sloeg hij zijn armen om haar middel en trok haar dicht tegen zich aan. 'Ik ga nu,' zei hij, met zijn armen stevig om haar ronde vormen. 'Geef me eens een kus.'

'Hoe lang blijf je weg?'

'Een hele tijd,' antwoordde hij, maar hij voelde dat zijn lichaam steeds lomer werd.

Als een kat die zich uitrekt in de zon, drukte Georgeanne zich tegen hem aan en sloeg haar armen om zijn nek. 'Ik kan met je meegaan,' klonk het zacht.

John schudde zijn hoofd. 'Geef me eerst maar eens een kus, een echte.'

Ze ging op haar tenen staan en deed wat hij gevraagd had. Ze kuste hem als een vrouw die wist wat ze deed. Haar zachte lippen drukten tegen de zijne aan. Ze smaakte naar sinaasappelsap en iets zoeters. Iets wat nog moest komen. Haar tong streelde en plaagde de zijne. Ze kroelde met haar handen door zijn haar en wreef met haar voet over zijn kuit. Opeens werd hij overrompeld door een gevoel van pure lust, dat zich nestelde in zijn onderbuik alsof het daar voorlopig zou blijven.

Ze was een professional en hij leunde wat naar achteren om haar eens goed te bekijken. Haar lippen glansden, haar ademhaling was wat gejaagd, en als hij in haar ogen ook maar een glimp had gezien van dezelfde lust die hij zelf voelde, dan had hij zich omgedraaid en was hij zonder problemen de deur uit gelopen.

Maar nu verloor John zich in haar donkere krullen. Het licht glinsterde in elke zachte pijpenkrul en hij wilde er dolgraag zijn handen in begraven. Hij wist dat hij beter kon gaan. Gewoon omdraaien en weglopen. In plaats daarvan keek hij haar recht in de ogen.

Maar hij was niet tevreden. Nog niet. Hij legde een hand tegen haar achterhoofd, hield haar gezicht schuin voor het zijne en gaf haar een zoen waar de vonken vanaf sprongen. Terwijl hij met zijn mond de hare zorgvuldig onderzocht, dwong hij haar achteruit te lopen tot ze tegen de servieskast op botste, waarin hij zijn trofeeën opborg. Hij bleef haar zoenen, op haar wangen en haar kin. Toen daalden zijn lippen af naar haar nek en streek hij haar lokken opzij. Ze rook naar bloemen en warme vrouwenhuid. Hij schoof de zijden kimono van haar schouder.

Hij voelde haar verstijven in zijn armen en zei tegen zichzelf dat hij moest stoppen. 'Je ruikt lekker,' mompelde hij tegen haar hals.

'Ik ruik als een man,' lachte ze nerveus.

John glimlachte. 'Ik ga al mijn hele leven met mannen om, schatje, en jij ruikt echt niet als een man.' Hij haakte zijn vingertoppen achter het groene behabandje en kuste tegelijkertijd de zachte huid van haar hals.

Snel legde ze haar hand op de zijne. 'Ik dacht dat we niet met elkaar naar bed zouden gaan.'

'Dat doen we toch niet.'

'Wat doen we dan, John?'

'Beetje stoeien.'

'Maar leidt dat niet tot meer?' Ze sloeg haar armen kruislings voor haar borsten.

'Deze keer niet. Geniet er nou van.' John bewoog zijn handen naar haar achterbenen, pakte haar billen van onderen beet en tilde haar op. Voordat ze kon tegenstribbelen had hij haar al op het kastje gezet, waarna hij tussen haar benen ging staan.

'John?'

'Hmm.'

'Beloof je me dat je me geen pijn zult doen?'

Hij tilde zijn hoofd op en keek haar diep in de ogen. Ze meende het oprecht. 'Ik zal je geen pijn doen, Georgie.'

'Of iets doen wat ik niet leuk vind.'

'Natuurlijk niet.'

Met een glimlach bracht ze haar handen naar zijn schouders.

'Vind je dit leuk?' vroeg hij, en hij streek met zijn handen langs haar dijen, waarbij de zwarte stof naar boven schoof.

'Mmm,' antwoordde Georgeanne, toen knabbelde ze zachtjes aan zijn oorlel en liet het topje van haar tong langs zijn nek naar beneden glijden. 'Vind jij dat lekker?' vroeg ze met haar mond tegen zijn hals. Toen zoog ze zachtjes op de gevoelige huid daar.

'Lekker,' grinnikte hij zacht. Zijn handen waren bij haar knieën aanbeland. Verder omhoog gingen ze, tot ze het elastiek en het kant van haar onderbroek ontmoetten. 'Alles aan jou is lekker.' John hield zijn hoofd scheef en sloot zijn ogen. Hij kon zich niet heugen ooit een vrouw te hebben aangeraakt die zo lekker zacht was als Georgeanne. Zijn vingers zonken diep in haar warme dijen en hij duwde ze zachtjes uit elkaar. Terwijl ze met haar mond ongelooflijke dingen deed bij zijn hals, liet hij zijn handen via haar kimono naar haar achterste glijden. 'Je huid is zo zacht en je benen zijn prachtig en je hebt een heerlijke kont.' Hij duwde met zijn bekken tegen het hare. Een gloeiende hitte verspreidde zich nu door zijn kruis en hij wist dat als hij het niet voorzichtig aanpakte, hij zich snel in Georgeanne zou verliezen.

Georgeanne keek hem vragend aan. 'Hou je me nou voor de gek?'

John keek verbaasd terug. 'Nee,' antwoordde hij naar waarheid. Hij zocht in haar ogen naar een sprankje van het verlangen dat hij voelde, maar kwam het niet tegen. 'Ik zou nooit een half ontklede vrouw voor de gek houden.'

'Vind je me dan niet te dik?'

'Ik hou niet van magere vrouwen,' was zijn antwoord, en zijn vingers daalden via haar heupen af naar haar knieën om de weg naar boven opnieuw af te kunnen leggen. Even flikkerde er iets in haar ogen, tot daar, eindelijk, het verlangen verscheen.

Georgeanne zocht in zijn blik naar een teken dat hij haar voor de gek hield. Al sinds haar puberteit was ze in een voortdurend gevecht verwikkeld met haar gewicht, en ze had meer diëten geprobeerd dan ze kon bijhouden. Nu legde ze haar beide handen aan weerszijden van zijn hoofd en zoende hem. Niet de bestudeerde, perfecte kus van daarnet, maar een gepassioneerde zoen, die hem plaagde en uitdaagde. Dit keer wilde ze hem in zijn geheel opvreten. Ze wilde hem laten zien hoeveel zijn woorden betekenden voor een meisje dat zichzelf altijd te dik had gevonden. Ze liet zichzelf gaan, ging helemaal op in haar warme, duizelingwekkende verlangen. Haar zoenen werden steeds hongeriger en zijn handen streelden, grepen, knepen, en ze voelde de rillingen tot in de toppen van haar tenen. Ze voelde de zwarte zijden ceintuur losgaan en de kimono wijken. Zijn warme handen gingen via haar buik naar haar middel, tot ze op haar ribben stuitten, en van daar streelde hij met zijn duimen haar grote borsten. Een onverwachte en intense schok overrompelde haar. Voor het eerst in haar hele leven ervoer ze het niet als een aanranding dat een man aan haar borsten zat. Ze zuchtte diep en uitte haar verbazing in de buurt van zijn mond.

John tilde zijn hoofd op en keek haar diep in de ogen. Hij glimlachte en het leek alsof hij tevreden was met wat hij zag. Daarna trok hij de kimono van haar schouders.

Georgeanne liet haar armen zakken en liet de zwarte stof op het kastje vallen. Voordat ze in de gaten had wat hij van plan was, begaven Johns handen zich naar haar rug, waar ze vliegensvlug haar beha losmaakten. Geschrokken tilde ze haar handen op en hield de groene kanten cups op hun plaats. 'Ze zijn nogal groot,' hijgde ze, maar al snel schaamde ze zich dat ze zoiets stoms had gezegd.

'Die van mij is ook nogal groot,' plaagde hij haar met een grijns. Nerveus lachte ze mee, terwijl een van de bandjes van haar beha naar beneden gleed.

Zijn zachte aanraking zette al haar zintuigen op scherp. Ze vond de dingen die hij zei en deed heel prettig en ze wilde niet dat hij daarmee ophield. Ze vond John leuk en wilde dat hij haar ook leuk vond. Ze keek in zijn sexy ogen en liet haar handen zakken. Haar beha viel langzaam naar beneden en ze hield gespannen haar adem in.

'Jezus, Georgie,' zei hij ademloos. 'Ze zijn inderdaad groot. Maar je hebt er niet bij gezegd dat ze perfect zijn. Dat jíj perfect bent.' Hij pakte haar borsten beet met beide handen en zoende haar vol en hard op haar lippen. Met zijn duimen streelde hij gelijktijdig haar tepels, heen en weer, eroverheen en eromheen. Niemand had haar ooit eerder zo aangeraakt als John op dat moment deed. Door zijn vederlichte aanrakingen voelde ze zich zo luchtig en breekbaar. Hij trok er niet aan of kneep er niet in. Hij pakte haar niet ruw beet zoals ze vaker had meegemaakt.

Verlangen, blijdschap en liefde overspoelden haar en ze voelde de emotie ook in haar onderbuik. Ze zoende hem weer en sloeg haar benen om zijn heupen, waarmee hij dichter tegen haar aan kwam te staan en ze zijn erectie goed kon voelen. Met bevende handen trok ze zijn T-shirt omhoog. Daarna liet haar mond de zijne even gaan zodat ze de stof over zijn hoofd kon trekken.

Donker haar bedekte zijn borstkas, daalde via zijn platte buik af naar zijn navel, waarna het verdween achter zijn broekband. Ze gooide het T-shirt op de grond en streelde gretig zijn borst en buik. Haar vingers begroeven zich in de korte, fijne haartjes en warmden zich aan zijn warme vel. Ze voelde zijn hart bonzen en de snelle ademhaling die gepaard ging met hun staat van opwinding.

Hij kreunde haar naam en bracht vlak daarop zijn mond tegen de hare voor een volgende, vurige zoen. Haar tepels kwamen tegen zijn borstkas en ze voelde een pijnlijke scheut door haar hele lijf. Elke plek op haar lichaam die hij aanraakte versterkte deze pijn, die een lust verspreidde die ze nog niet eerder had gevoeld. Het was alsof haar lichaam had gewacht tot John haar zou beminnen. Ze streelde zijn krachtige, gespierde rug en liet haar vingers hun weg vinden naar zijn buik. De adem stokte hem in de keel toen ze haar vingers via zijn broekband naar beneden liet afdalen. Hij maakte zich met moeite los van haar mond, deed een stap naar achteren en keek haar met geloken blik aan. Er verscheen een rimpel op zijn voorhoofd en hij had een blos op zijn wangen. Hij zag eruit als een man met berenhonger, die net zijn favoriete hapje krijgt voorgeschoteld, maar nog niet wil eten. Hij zag eruit alsof hij het wilde weigeren.

'Ach, wat kan het mij ook schelen,' bracht hij na een poosje uit, en hij pakte de rand van haar slipje beet. 'Wat ik ook doe, ik ben toch verloren.'

Georgeanne zette haar beide handen op het kastje en tilde haar billen op terwijl hij haar ondergoed uittrok. Toen hij weer tussen haar benen kwam staan was ook hij naakt. En hij was behoorlijk fors geschapen. Daar had hij niet over gelogen. Ze reikte naar hem en sloot haar hand om zijn grote pik. Hij legde zijn hand over de hare en voerde deze eerst in de richting van de gezwollen eikel en daarna weer naar beneden. Hij voelde ongelooflijk hard en heet.

Zijn blik ging van hun handen naar haar gespreide benen. 'Gebruik je een voorbehoedsmiddel?' vroeg hij haar, voordat hij zijn vrije hand naar haar venusheuvel uitstrekte.

'Ja,' zuchtte ze, terwijl hij met zijn vingers door haar schaamhaar streek en haar natte plekje streelde, waarmee hij haar verlangen nog verder aanwakkerde, totdat ze dacht dat ze uit elkaar zou spatten.

'Leg je benen om mijn middel,' commandeerde hij en toen ze dat deed, bracht hij zijn pik diep bij haar naar binnen. Hij tilde zijn gezicht weer op en keek haar in de ogen. 'O, god, Georgie,' stamelde hij. Zacht trok hij zich terug, om even later weer volledig naar binnen te stoten. Hij pakte haar heupen beet en bewoog op en neer, eerst zacht en voorzichtig, later sneller en sneller. De bekers in de kast begonnen te trillen, en Georgeanne had het gevoel dat hij haar bij iedere stoot verder in de richting van een afgrond bracht. Haar huid voelde steeds heter en haar verlangen naar hem werd dieper en dieper. Elke beweging van hem was een marteling en een zalig gevoel tegelijkertijd.

Ze riep zijn naam, keer op keer, waarna haar hoofd naar achteren viel en ze haar ogen sloot. 'Doorgaan,' riep ze uit en toen voelde ze zich over de rand van de afgrond vallen. De hitte verspreidde zich over haar hele lijf en haar spieren spanden en ontspanden zich om beurten, zonder dat ze er enige controle over had, in een langdurig, gloeiend orgasme. Ze riep dingen die ze nooit eerder had gezegd. John gaf haar een sensatie, een ongelooflijke sensatie, waarvan ze het bestaan nooit vermoed had. Met haar hele wezen en zijn omsloot Georgeanne de man die haar dit genot bezorgde.

'Jezus, Georgie,' fluisterde John, en hij begroef zijn gezicht tegen haar hals. Zijn greep om haar heupen werd steviger, en met een diepe kreun stootte hij een laatste keer bij haar naar binnen.

De duisternis omhulde John, die naakt in zijn woonkamer stond met een flesje bier in zijn hand. Het donker paste wel bij zijn sombere bui. Het huis was stil. Te stil. Als hij goed luisterde, leek het alsof hij Georgeannes rustige ademhaling hoorde. Maar die lag te slapen in zijn bed en hij wist dat hij haar onmogelijk kon horen.

Het was de nacht. De duisternis. De stilte. Die spanden tegen hem samen, hijgden in zijn nek en brachten nare herinneringen boven.

Hij zette zijn flesje bier aan de mond en nam een flinke teug. Daarna liep hij naar het grote raam, waar hij de enorme volle maan kon zien, die de inktzwarte golven deed glinsteren. In het donkere glas kon hij zijn eigen, vage silhouet onderscheiden. Een wazig beeld van een man die zijn ziel had verloren en niet echt zijn best deed deze terug te vinden.

Volkomen onverwacht verscheen in de duisternis het beeld van zijn vrouw, Linda. Een visioen van de laatste keer dat hij haar had gezien – zittend in een badkuip vol bloederig water, haar verschijning zo anders dan het frisse meisje dat hij nog van school kende.

De beelden volgden elkaar op, van de korte tijd op school dat ze verkering met elkaar hadden gehad, tot hij na het eindexamen honderden kilometers verderop ijshockey was gaan spelen. Toen ging zijn leven over niets anders dan sport. Hij had hard gewerkt en was toen hij twintig was de eerste speler die dat seizoen door de Toronto Maple Leafs was aangekocht. Door zijn lange en brede lichaam had hij veel overwicht en al snel kreeg hij de bijnaam 'The Wall'. Zijn schaatstechniek viel op en hij werd een bekend gezicht op de baan. Buiten het ijs viel hij vooral op bij de vrouwelijke fans, de zogenaamde 'rink bunny's', die vielen voor zijn gespierde lichaam. Vier seizoenen lang speelde John bij de Maple Leafs, tot de New York Rangers hem een lucratiever contract aanboden en hij een van de bestbetaalde spelers in de National Hockey League werd. Linda was hij inmiddels vergeten.

Toen hij haar weer zag, waren ze zes jaar verder. Ze waren even oud, maar hadden ieder een heel ander leven geleid. John had veel gezien van de wereld. Hij was een rijke jongeman, die dingen had gedaan waar andere mensen slechts van kunnen dromen. Mettertijd was hij erg veranderd, terwijl Linda hetzelfde was gebleven. Ze was nog steeds hetzelfde meisje met wie hij had rondgereden in de Chevrolet van Ernie. Hetzelfde meisje dat de achteruitkijkspiegel gebruikte om haar lippenstift bij te werken, zodat hij het er weer af kon zoenen.

Hij kwam Linda weer tegen tijdens een korte vakantieperiode. Hij nam haar mee de stad uit, naar een hotelletje. Drie maanden later, toen ze hem vertelde dat ze zwanger van hem was, trouwde hij met haar. Hun zoon, Toby, werd al geboren in de vijfde maand van de zwangerschap. De weken daarna moest hij machteloos toekijken terwijl Toby worstelde met zijn ademhaling in de couveuse. Hij droomde ervan Toby alles bij te brengen wat hij zelf geleerd had, over het leven en over ijshockey. Maar deze droom werd wreed verstoord toen zijn zoontje overleed.

En waar John in stilte leed, was Linda's verdriet zichtbaar voor de hele wereld. Ze huilde voortdurend en raakte in korte tijd geobsedeerd met het krijgen van een tweede kind. John wist dat hij de reden was voor haar obsessie. Hij was immers met haar getrouwd omdat ze zwanger was, niet omdat hij van haar hield.

Dat was het moment waarop hij haar had moeten verlaten. Maar hij kon haar onmogelijk in de steek laten. Niet nu ze zoveel pijn had en hij zich verantwoordelijk voelde voor haar verdriet. Dus bleef hij dat jaar, terwijl ze de ene dokter na de andere bezocht, terwijl ze een reeks miskramen doorstond. Hij bleef vooral bij haar omdat ook hij graag nog een kindje had gekregen. Hij bleef bij haar, terwijl haar ellende almaar groter werd.

Dat hij haar niet verliet wilde niet zeggen dat hij een goede echtgenoot was. Haar obsessie om een kind te krijgen werd steeds groter. De laatste paar maanden van haar leven wilde hij haar niet langer aanraken. Hoe harder ze om hem schreeuwde, des te verder hij haar van zich af duwde. Steeds vaker begon hij affaires met andere vrouwen. Ergens wilde hij dat zij hem verliet.

Maar in plaats daarvan maakte ze een einde aan haar leven.

John zette het flesje weer aan zijn lippen en dronk gulzig. Ze had gewild dat hij haar zo zou vinden, en het was haar gelukt. Een jaar later kon hij nog steeds exact de kleur van het badwater beschrijven. Het contrast dat dit vormde tegen haar bleke gezicht en blonde haren. Hij wist nog hoe de shampoo rook en kon de lange wonden zien die ze in haar onderarmen had gemaakt, van haar polsen naar haar ellebogen. Van die afschuwelijke aanblik, dat hij haar zo zag liggen, droomde hij nog steeds.

Elke dag moest hij leven met dat verschrikkelijke schuldgevoel. Hij zocht afleidingen om de herinneringen en de rol die hij erin had gespeeld weg te duwen.

John liep weer terug naar zijn slaapkamer en keek neer op het zinnelijke meisje dat opgekruld in zijn laken lag te slapen. Het licht van de ganglamp bestreek een deel van het bed en de donkere krullen, verspreid over het kussen. Een arm lag op haar buik, de andere naast haar lichaam.

Hij moest zich eigenlijk schuldig voelen dat hij Virgils bruidsnacht had verpest. Maar dat was niet het geval. Hij had geen spijt van wat hij gedaan had. Het was heel aangenaam geweest en als bekend werd dat zij bij hem had geslapen, zouden ze toch automatisch aannemen dat ze de nacht samen hadden doorgebracht. Dus wat maakte het ook uit?

Ze had een lijf dat gemaakt was om de liefde mee te bedrijven, maar hij was er wel achter gekomen dat ze niet zo ervaren was als ze wel deed voorkomen. Hij had haar moeten laten zien hoe ze genot kon uitdelen én ontvangen. Hij had haar overal gekust en gestreeld en aangeraakt met zijn tong en in ruil daarvoor had hij haar geleerd wat ze allemaal kon doen met die lekkere mond van haar. Ze was sensueel, maar ook naïef, lief en ongelooflijk erotisch.

John glipte naast haar zijn bed in en schoof het laken tot aan haar middel naar beneden. Het leek of ze zo, *ploep*, in een grote bak slagroom was gevallen. Hij voelde dat hij weer een stijve kreeg en omsloot haar lichaam met het zijne. Met zijn handen op haar borsten begroef hij zijn gezicht in haar decolleté en drukte er plagerige kusjes op. Hier, met dit zachte, warme vlees dicht tegen hem aan, hoefde hij nergens over na te denken. Het enige wat hij moest doen was genieten. Hij hoorde Georgeanne zacht kreunen. Met een slaperige blik in haar groene ogen keek ze naar hem op.

'Heb ik je wakker gemaakt?'

Georgeanne zag het kuiltje in zijn rechterwang en voelde haar hart opspringen. 'Was dat niet je bedoeling dan?' vroeg ze. Haar gevoelens voor hem waren tot diep in haar ziel gedrongen en hoewel hij niet had gezegd hoeveel hij om haar gaf, wist ze dat hij toch iets voor haar moest voelen. Hij had tenslotte Virgils woede over zich afgeroepen door met haar de nacht door te brengen. Hij had zijn loopbaan in de waagschaal gesteld en die gok vond Georgeanne ongelooflijk spannend en romantisch. 'Ik kan op mijn handen gaan liggen, zodat jij weer kunt gaan slapen,' zei hij, 'maar dat zal niet gemakkelijk zijn.' Zijn hand verplaatste zich naar haar bovenbeen.

'Is er nog een andere optie?' vroeg ze, met haar vingers strijkend door de korte haartjes op zijn slapen.

Hij kroop naar boven, zodat zijn gezicht op gelijke hoogte was als het hare. 'Ik kan ervoor zorgen dat je het uitgilt van genot.'

'Hmm.' Ze deed net of ze erover nadacht. 'Wanneer wil je het weten?'

'Je tijd is om.'

John was jong en knap en in zijn armen voelde ze zich zeker en veilig. Hij was een geweldige minnaar en zou voor haar zorgen. Maar het allerbelangrijkste was dat ze halsoverkop verliefd op hem aan het worden was.

Hij drukte zijn mond op de hare en kuste haar vol vuur. Ze voelde zich zo blij, dat ze wel kon zingen.

Ze wilde dat John ook zo blij werd. Al sinds haar eerste verkering, op haar vijftiende, had Georgeanne haar gedrag aangepast aan de voorkeuren van haar vriendjes. In het verleden had ze haar donkere lokken wel eens in een vreselijke tint rood laten verven, en ze had zich zelfs laten toetakelen op een rodeostier. Georgeanne had altijd haar uiterste best gedaan de mannen in haar leven te plezieren en in ruil daarvoor waren ze als een blok voor haar gevallen.

John mocht nu wel niet verliefd op haar zijn, maar dat zou snel gebeuren.

Hoofdstuk 5

Georgeanne hield haar hand tegen haar borst. Haar vingers omklemden de witte strik op het lijfje van de jurk. Daaronder streden haat en liefde om het hardst. Haar hart werd aan stukken gereten. Ze vocht tegen de tranen in haar roze trouwjurk, en met de hoge schoentjes aan haar voeten. Sprakeloos zag ze Johns rode sportauto in het verkeer verdwijnen. Dat was het moment dat ze het gevecht verloor. Hete tranen omfloersten haar blik en ze snikte het uit, ook al wist ze dat huilen haar geen enkele verlichting zou brengen.

Ze zag John met eigen ogen wegrijden, maar kon nog niet geloven dat hij haar op de stoep van het vliegveld had gedumpt. Niet alleen liet hij haar hier moederziel alleen achter, hij keurde haar geen blik meer waardig.

Om haar heen liepen zakenmensen en toeristen druk heen en weer. Taxichauffeurs stonden met draaiende motoren bagage uit te pakken, terwijl de uitlaatgassen de toch al warme lucht verpestten. Een onpersoonlijke mannenstem deelde mee dat er op die plek niet mocht worden geparkeerd. De overdaad aan geluiden mengde zich met het geroezemoes in Georgeannes hoofd. De afgelopen nacht was John zo anders geweest dan de onverschillige man die haar vanochtend had gewekt, met een bloody mary in zijn hand. De afgelopen nacht had hij verscheidene keren met haar de liefde bedreven en ze had zich nog nooit eerder zo close gevoeld met een man. Ze wist zeker dat John dat ook had gevoeld. En hij zou het risico om zijn baan kwijt te raken toch nooit hebben genomen als hij niet om haar gaf? Maar vanochtend had hij zich gedragen alsof hij de hele nacht naar herhalingen op het sportkanaal had zitten kijken, in plaats van eindeloos en gepassioneerd met haar te vrijen.

Toen hij had gezegd dat hij voor haar een vlucht naar Dallas had geboekt, klonk dat alsof hij haar een groot plezier deed. Hij had haar weer in het korset en de roze trouwjurk geholpen, maar niet met de aandacht van de dag ervoor. Eerder het tegenovergestelde. Terwijl hij haar in de jurk had gehesen, had Georgeanne geworsteld met haar verwarrende gevoelens. Ze kon maar niet de juiste woorden vinden waarmee ze hem kon overhalen om haar te laten blijven. Ze had laten blijken dat ze alles wilde doen wat hij verlangde, maar hij had al haar subtiele en minder subtiele hints genegeerd.

Op weg naar de luchthaven had hij de muziek zo hard aangezet dat een gesprek onmogelijk was. In het uur dat ze gezamenlijk in de auto hadden doorgebracht was ze zichzelf blijven pijnigen met vragen. Ze vroeg zich af wat ze toch verkeerd had gedaan dat alles zo radicaal anders was. Het was alleen haar eigen trots die haar ervan weerhield de cd uit te zetten en een antwoord te eisen. Net zoals ze te trots was om haar tranen te laten zien toen hij haar uit zijn auto hielp.

'Je vliegtuig vertrekt over een uurtje. Je hebt meer dan genoeg tijd om je ticket op te pikken en op tijd bij de gate te zijn,' had John gezegd. Daarna had hij haar de tas overhandigd.

Paniekgevoelens overmeesterden haar. De angst verjoeg haar trots en ze deed haar mond open om hem te smeken haar weer mee terug te nemen. Maar zijn volgende mededeling boorde haar laatste hoop de grond in.

'Met die jurk aan krijg je geheid twee huwelijksaanzoeken voordat je in Dallas bent geland. Ik kan je niet vertellen hoe je je leven moet leiden, want ik heb er zelf een behoorlijke puinhoop van gemaakt, maar misschien kun je je volgende verloofde met iets meer aandacht uitzoeken.'

Ze was zo verliefd op hem dat het pijn deed en het kon hem niets schelen dat ze met een andere man zou trouwen. De nacht die ze samen hadden doorgebracht betekende helemaal niets voor hem.

'Het was leuk je te leren kennen, Georgie.' Hij draaide zich om. 'John!' schreeuwde ze.

Toen draaide hij zich even om en de uitdrukking op haar gezicht moest boekdelen spreken. Maar hij zuchtte slechts alsof het hem vermoeide. 'Ik wilde je geen pijn doen, maar zoals ik je al meteen heb gezegd, ik zou mijn plek bij de Chinooks nooit in gevaar brengen.' Hij zweeg even en voegde er toen aan toe: 'Het heeft niets met jou te maken.' Toen liep hij weg naar zijn auto en verdween zo uit haar leven.

Georgeannes hand begon pijn te doen en ze keek naar de tas in haar hand. Ze had hem zo stevig vast dat haar knokkels er wit van zagen. Ze nam de tas over in haar andere hand.

De uitlaatgassen maakten haar misselijk en daarom draaide ze zich om en liep naar binnen. Ze moest hier snel weg, al wist ze niet waar naartoe. Ze voelde haar hersenen weer volstromen. Angstig probeerde ze haar gedachten vrij te maken. Toen ze de balie van de luchtvaartmaatschappij had gevonden, legde ze de stewardess uit dat ze alleen maar handbagage had. Met haar ticket in haar ene hand en haar tas in de andere ging ze weer op pad.

Ze passeerde winkeltjes, restaurants en informatieborden. Maar haar ellendige gevoel weerhield haar ervan iets te zien. Met haar ogen naar de grond gericht, omdat ze niet wilde dat iedereen kon zien dat ze liefdesverdriet had, liep ze als in een waas verder.

Andere mensen konden vast aan haar zien dat er helemaal niemand was die iets gaf om Georgeanne Howard. Niet hier, in het uiterste noordwesten van het land, noch in het zuiden, waar ze vandaan kwam. Ze had haar enige vriendin in de hele wereld, Sissy, in de steek gelaten en als ze nu zou sterven, zou er echt niemand zijn die dat iets kon schelen. O, natuurlijk zou haar tante Lolly net doen alsof ze het vreselijk vond. Die zou haar standaard groene pudding maken en huilen alsof ze niet stiekem een beetje opgelucht was dat ze niet meer voor Georgeanne hoefde te zorgen. Vluchtig vroeg Georgeanne zich af of haar moeder om haar zou rouwen, maar ze wist het antwoord al voordat ze de gedachte had afgemaakt. Nee. Billy Jean zou nooit rouwen om het kind dat ze niet gewenst had.

Ze was bij de gate aangeland, en bijna verloor ze haar laatste restje zelfbeheersing. Ze zette haar tas neer naast een stoeltje met zicht op de startbaan, schoof een krant opzij en ging zitten. Ze staarde naar buiten en het gezicht van haar moeder verscheen voor haar geestesoog, zoals ze zich haar herinnerde van de enige keer dat ze Billy Jean had ontmoet.

Het was de dag geweest waarop haar grootmoeder werd begraven. Ze keek op van de kist en zag een elegante vrouw met een keurig, donker kapsel en groene ogen. Als Lolly haar niet had verteld wie ze was, had ze het niet geweten. Het verdriet om haar grootmoeder mengde zich vanaf dat moment met opflakkerende hoop. Haar hele leven had Georgeanne gewacht op het moment dat ze eindelijk haar moeder zou ontmoeten.

Tijdens haar kinderjaren was haar verteld dat Billy Jean nog jong was toen ze haar kreeg en niet toe was aan kinderen. Daarom droomde Georgeanne van de dag dat haar moeder van gedachten zou veranderen.

Maar tegen de tijd dat ze een tiener was, had Georgeanne de hoop op een weerzien opgegeven. Ze had ontdekt dat Billy Jean Howard inmiddels Jean Obershaw heette en getrouwd was met een senator van de staat Alabama. Ook was ze de moeder van twee kleine kinderen. Op de dag dat ze dat te weten kwam, was het afgelopen met dromen. Haar grootmoeder had tegen haar gelogen. Billy Jean wilde wél kinderen. Ze wilde alleen Georgeanne niet.

Dus toen ze bij de begrafenis eindelijk haar moeder zag, had ze ook niet verwacht iets te voelen. Maar tot haar verbazing leefde, diep in haar binnenste, nog steeds de fantasie van de liefhebbende moeder. Kennelijk had ze zich toch vastgeklampt aan de droom dat haar moeder de lege plek in haar hart zou innemen. Dus waren Georgeannes knieën gaan knikken en beefden haar handen toen ze de vrouw die haar kort na haar geboorte in de steek had gelaten wilde groeten. Ze had al die tijd haar adem ingehouden... gewacht... gewenst. Maar Billy Jean had haar amper aangekeken en zei kortaf: 'Ik weet wel wie je bent.' Daarna had ze zich omgedraaid en was achter in de kerk gaan zitten. Na de dienst was ze meteen vertrokken, terug naar haar man en kinderen. Terug naar haar eigen leven.

Een omgeroepen mededeling bracht Georgeanne weer terug naar het heden. Er kwamen andere passagiers in de wachtruimte zitten, dus pakte ze haar tas en zette deze op schoot. Een oudere vrouw met een strak permanentje en een polyester jurk ging in de nu lege stoel zitten. Automatisch trok Georgeanne de krant van de zitting. Ze legde hem boven op haar tas en staarde weer uit het raam, waar een bagagekar voorbijreed. Normaal gesproken zou ze de vrouw een glimlach hebben geschonken en met haar een praatje zijn begonnen. Maar nu had ze geen zin om aardig te doen. Ze overdacht haar leven en de mensen die ze haar onbeantwoorde liefde had geschonken.

In minder dan één dag tijd was ze verliefd geworden op John Kowalsky. Ze was zo door haar gevoelens overrompeld dat ze het zelf amper kon geloven. In haar gedachten zag ze zijn blauwe ogen en het kuiltje in zijn rechterwang als hij moest glimlachen. Ze dacht aan zijn sterke armen om haar heen, die haar een veilig gevoel gaven. Als ze haar ogen sloot kon ze zijn handen weer op haar billen voelen, toen hij haar op de kast met de prijzen had getild, alsof ze zo licht als een veertje was.

... *dat ze perfect zijn. Dat jíj perfect bent,* had hij tegen haar gezegd, waarna ze zich zo vreselijk trots en aantrekkelijk gevoeld had. Bij geen enkele andere man had ze zich ooit zo goed gevoeld. En geen enkele andere man had haar daarna zo de grond in geboord.

De tranen begonnen weer te prikken achter haar ogen en haar blik werd wazig. Ze had de laatste tijd alleen maar verkeerde beslissingen genomen. Boven aan het lijstje stond wel haar besluit om met een man te trouwen die haar grootvader had kunnen zijn. En vlak daaronder stond het besluit om te vluchten. Maar verliefd worden op John was geen beslissing geweest. Dat was haar gewoon overkomen.

Er gleed een traan over haar wang en ze veegde hem weg. Ze moest snel over John heen komen. Ze moest verder met haar leven.

Welk leven? Ze had geen thuis en geen baan. Ze had geen familie die op haar wachtte en haar enige vriendin haatte haar nu waarschijnlijk. Al haar kleren zaten in koffers in de achterbak van Virgils Rolls en ze twijfelde er niet aan dat hij inmiddels ziedend op haar was. Als klap op de vuurpijl was de man op wie ze verliefd was dat niet op haar.

Ze had helemaal niets, helemaal niemand.

'Dames en heren,' klonk het door de ruimte. 'Passagiers voor Delta-vlucht 624 naar Dallas/Fort Worth International Airport, boarden over vijftien minuten.'

Georgeanne tuurde naar het ticket in haar hand. Nog een kwartier, dacht ze. Nog vijftien minuten en dan zat ze op een vliegtuig dat haar zou brengen naar niets. Naar niemand. Er was geen mens die haar zou verwelkomen. Kip noch kraai zou voor haar zorgen. Niemand die haar kon vertellen wat ze moest doen.

Ze had alleen zichzelf, Georgeanne.

De paniek sloeg weer toe en als verdoofd pakte ze de krant van haar tas. Ze voelde dat haar brein weer overvoerd werd door emotie, en om een complete shutdown te voorkomen concentreerde ze zich op de krant. Zacht mompelend begon ze de vacatures te lezen.

Het bord boven Crane Catering was door de storm van afgelopen nacht net zo lang heen en weer geslingerd tot het scheef hing. Nu leek het alsof de machtige grote vogel een snoekduik naar beneden wilde maken. De rododendrons in de potten naast de entree hadden de harde wind overleefd, maar de bakken met rode geraniums konden worden afgeschreven.

Binnen, in de voormalige winkel, was alles wel op orde. In het kantoor aan de voorkant stonden een bureau en een ronde tafel. Er hing een foto aan de muur met daarop twee mensen in identieke kleding en met identieke gezichten die allebei een stukje van een dollarbiljet vasthielden. Achter in het pand, in de keuken, glommen alle apparaten en pannen je tegemoet. Een selectie gerechtjes stond op een dienblad in een van de koelkasten. In een andere hoek stond een grote heteluchtoven te blazen.

De eigenaresse van het cateringbedrijf stond in de kleine wc met een elastiekje tussen haar tanden. De tl-buis boven haar hoofd flikkerde en gaf haar een grijze teint. Ze bekeek haar gezicht in de spiegel boven de wasbak en borstelde haar haren in een hoge paardenstaart.

Alles aan Mae was volkomen naturel. Ze had geen behoefte aan fruitige shampoos of crèmes. Ze haatte het gevoel van make-up op haar gezicht. Soms droeg ze een beetje mascara, maar omdat ze het zo weinig gebruikte, was ze niet zo goed in het aanbrengen ervan. Niet zo goed als Ray in elk geval. Ray zag er altijd piekfijn uit.

Mae bestudeerde zichzelf nogmaals van alle kanten en duwde met een hand nog een weerbarstige lok weg. Eigenlijk moest ze de paardenstaart uithalen en opnieuw beginnen, maar een belletje kondigde de bezoeker aan op wie Mae zat te wachten. Candace Sullivan was een vaste klant van Crane en ze had Mae gevraagd voor het vijftigjarig huwelijk van haar ouders. Candace was de vrouw van een bekende cardioloog. Ze was rijk en Mae had al haar hoop op haar gevestigd om de droom van Ray en haarzelf te laten voortbestaan.

Ze keek eens goed of haar lichtblauwe poloshirt wel netjes in haar broek zat en haalde diep adem. Wat ze nu moest doen was niet haar sterkste kant. Aardig doen tegen de klant was waar Ray goed in was. Zij was maar de accountant. Zij was geen mensenmens. Zij had tot in de kleine uurtjes zitten rekenen, maar hoe ze het ook wendde of keerde, het cateringbedrijf dat haar broer Ray en zijzelf drie jaar geleden hadden geopend werd niet bepaald bedolven onder de klanten en als er niet snel iets gebeurde, moest ze de deuren sluiten. Ze had Candace Sullivan hard nodig; ze had haar geld hard nodig.

Mae pakte de map die ze had klaargelegd en verliet de wc.

Dwars door de keuken liep ze naar voren, maar daar aangekomen bleef ze verbaasd staan. De vrouw in het kantoor leek helemaal niet op mevrouw Sullivan. Sterker nog, het leek eerder of ze net was ontsnapt uit de Playboy Mansion. Ze was precies het tegenovergestelde van Mae: lang, gevuld, met dik zwart haar en een mooie bruine teint. Als Mae aan de zon dácht werd ze al zo rood als een kreeft. 'Eh... kan ik je helpen?'

'Ik kom hier voor het baantje,' antwoordde de vrouw met een overduidelijk zuidelijk accent.

Mae liet haar blik van de krant in de handen van de jonge vrouw via haar roze satijnen jurk naar de grote witte strik gaan. Haar broer zou die jurk schitterend hebben gevonden. Hij had hem vast willen lenen. 'Heb je wel eens eerder bij een cateraar gewerkt?'

'Nee, maar ik kan heel goed koken.'

Haar uiterlijk deed Mae aan heel andere dingen denken dan aan kookkunsten. Maar ze wist beter dan af te gaan op iemands uiterlijk. Ze had haar hele leven gevochten om haar tweelingbroer te beschermen tegen vooroordelen van anderen, onder wie de leden van haar eigen familie.

'Ik ben Mae Crane,' zei ze.

'Aangenaam, mevrouw Crane.' De andere vrouw legde de krant op een tafeltje bij de deur, waarna ze op Mae af kwam lopen om haar de hand te schudden. 'Ik ben Georgeanne Howard.'

'Oké, Georgeanne, ik pak even een aanmeldingsformulier voor je.' Mae liep naar haar bureau. Als ze het klusje van Sullivan kon krijgen, dan had ze wel een assistent nodig, maar ze dacht niet dat deze vrouw die klus aankon. Niet alleen nam ze liever ervaren koks aan, ook zette ze haar vraagtekens bij een vrouw die zich zo kleedde voor een sollicitatiegesprek bij een cateraar.

Maar al was ze niet van plan Georgeanne aan te nemen, ze vond het niet meer dan netjes haar het formulier te geven voordat ze haar de deur uit werkte. Net op het moment dat ze naar de onderste la reikte, ging de bel opnieuw. Toen ze opkeek herkende ze haar rijke klant. Net als alle andere cocktailsdrinkende, tennisspelende, klerenkopende rijke vrouwen, zag het haar van Candace Sullivan eruit alsof ze een geblondeerde helm ophad. Net als haar haarkleur waren haar nagels nep, maar haar sieraden waren echt. Ze gedroeg zich ook exact als alle andere rijke vrouwen voor wie Mae ooit had gewerkt. Ze reed een peperdure auto maar mopperde over de prijs van frambrozen. 'Hallo, Candace. Ik heb alles al klaargezet voor je.' Mae wees naar de ronde tafel waar ze drie fotoalbums had neergelegd. 'Ga vast zitten, dan ben ik zo bij je.'

Mevrouw Sullivan keek nieuwsgierig naar het meisje in het roze en gaf toen glimlachend gevolg aan Mae's uitnodiging. 'De storm van donderdag heeft behoorlijk huisgehouden,' zei ze toen ze plaatsnam.

'Nou en of.' Mae wist dat ze het uithangbord moest laten repareren en nieuwe planten moest kopen, maar ze had momenteel geen geld. 'Je kunt hier zitten,' zei ze tegen Georgeanne, en ze legde het aanmeldingsformulier op het bureau. Daarna nam ze plaats aan de ronde tafel tegenover haar potentiële klant. 'Ik heb een aantal menu's voor je samengesteld om uit te kiezen. Toen we elkaar aan de telefoon spraken had je het over eend.' Ze haalde de menu's tevoorschijn uit de map en wees naar haar eerste concept. 'Bij geroosterde eendenborst zou ik een wilde rijst serveren met ofwel gemengde groenten, ofwel haricots verts. Met een broodje erbij...'

'O, ik weet het niet, hoor,' zuchtte Candace Sullivan.

Die reactie verbaasde Mae niets. 'Ik heb wat kleine proeverijtjes voor je klaarstaan.'

'Nee, dank je. Ik heb net geluncht.'

Mae probeerde haar irritatie te verbergen en wees op haar volgende suggestie. 'Dan heb ik groene asperges voor je. Of artisjok...'

'Nee,' onderbrak Candace haar. 'Lijkt me niets. Ik ben sowieso niet meer zo voor eendenborst.'

Mae ging verder naar het tweede keuzemenu. 'Oké, dan een zomerse stoofschotel van ribstuk, met aardappels uit de oven, groene boontjes en...'

'Ik heb dit jaar al drie keer runderstoofschotel op feestjes gegeten. Ik wil eens iets anders. Iets speciaals. Ray had altijd zulke fantastische ideeën.'

Mae husselde wat met de papieren voor haar neus en haalde een derde menu tevoorschijn. Ze had een berucht kort lontje en was hier niet goed in. Ze kon slecht omgaan met lastige klanten die niet wisten wat ze wilden, en al haar suggesties de grond in boorden. 'Ja, Ray was geweldig,' zei ze strak. Ze miste haar broer zo erg dat het net leek of met hem haar hart en ziel zes maanden geleden waren begraven.

'Ray was de beste,' verzuchtte Candace Sullivan. 'Ook al was hij... nou ja... je weet wel.'

Dat wist Mae zeker en als Candace nou niet ophield, zou ze haar het gat van de deur wijzen. Al kon Ray zelf niet meer lijden onder haar vooroordelen, Mae trok het niet meer. 'Wat dacht je van pasteitjes?' Ze wees naar haar derde menusuggestie.

'Nee,' antwoordde Candace, waarmee ze in minder dan vijf minuten alle ideeën van Mae had afgewezen. Mae kon haar wel vermoorden en moest zichzelf blijven voorhouden dat ze haar geld hard nodig had.

'Voor het vijftigjarig jubileum van mijn ouders hoopte ik toch op iets speciaals. Maar ik heb nog niets speciaals van je gehoord. Ik wou dat Ray er was. Die zou tenminste iets lekkers hebben bedacht.'

Alle menu's die Mae haar had laten zien, waren lekker. Sterker nog, ze kwamen uit de koker van Ray. Mae begon langzaamaan haar humeur te verliezen. Dus dwong ze zichzelf zo vriendelijk mogelijk te blijven. 'Waar denk je zelf aan?'

'Ja, dat weet ik niet, hoor. Jij bent de cateraar. Jij moet iets creatiefs bedenken.'

Maar Mae was nooit de creatieveling geweest.

'Ik heb nog niets speciaals gehoord. Heb je nog iets anders?'

Mae reikte naar een van de fotoalbums en klapte het open. Ze verwachtte niet dat Candace daarin iets naar haar zin zou vinden. Ze was ervan overtuigd dat Candace Sullivan uitsluitend naar haar kantoor was gekomen om Mae aan de drank te brengen. 'Dit zijn foto's van partijen die we hebben gecaterd. Misschien staat er iets tussen wat je wel bevalt.'

'Ik hoop het.'

'Neem me niet kwalijk,' onderbrak het meisje in het roze dat aan het bureau zat het gesprek. 'Ik hoor dit gesprek per ongeluk, maar misschien kan ik helpen.'

Mae was vergeten dat Georgeanne ook aanwezig was.

'Waar zijn je ouders geweest met hun huwelijksreis?' vroeg Georgeanne, gezeten achter het bureau.

'In Italië,' antwoordde Candace.

'Hmm.' Georgeanne legde de punt van haar pen tegen haar volle lippen. 'Dan kun je beginnen met *bruschetti* als antipasta en daarna een simpele *pappa al pomodoro*.' Het Italiaans klonk heel vreemd door haar zuidelijke tongval. 'En daarna Florentijns geroosterd speenvarken, met in de oven gebakken aardappelen en gegrilde groenten en natuurlijk Italiaans brood. Of als je liever eendenborst eet, kan dat à la Arezzo, met een pasta erbij en groene salade.'

Candace keek naar Mae en van haar weer naar de andere vrouw. 'Mijn moeder is dol op lasagne.'

'Lasagne met een heerlijke salade van radicchio zou perfect zijn. En als bekroning van de maaltijd een zonnige feesttaart met abrikozen.'

'Abrikozentaart?' vroeg Candace, ineens een stuk minder enthousiast. 'Daar heb ik nog nooit van gehoord.'

'Die is verrukkelijk,' kirde Georgeanne.

'Echt?'

'Absoluut.' Ze boog zich voorover en plantte haar ellebogen op het bureau. 'Vivian Hammond, van de Hammonds uit San Antonio, is werkelijk dól op abrikozentaart. Ze is er zo dol op dat ze brak met een traditie van honderddertig jaar, die voorschreef dat je cheesecake serveerde aan de dames van de Gele Roos, tijdens hun jaarlijkse bijeenkomst.' Samenzweerderig fluisterde ze verder, alsof het de laatste roddel betrof: 'Want weet je, ze aten die cheesecake natuurlijk omdat dat zo mooi kleurt bij de gele rozen en zo.' Ze zweeg even, leunde achterover en hield haar hoofd iets scheef. 'Haar moeder vond het uiteraard verschrikkelijk.'

Mae fronste haar wenkbrauwen en staarde naar Georgeanne. Ze had iets vertrouwds over zich. Ze kon er niet precies de vinger op leggen, maar vroeg zich wel af of ze elkaar al eerder hadden ontmoet.

'Eerlijk?' vroeg Candace. 'Waarom serveerde ze niet allebei?'

Georgeanne haalde haar ontblote schouders op. 'Geen idee. Maar Vivian is een rare.'

Hoe meer Georgeanne sprak, des te sterker groeide het gevoel bij Mae dat ze haar kende.

Candace keek op haar horloge en vervolgens naar Mae. 'Ik vind het idee van iets Italiaans heel leuk en we hebben een abrikozentaart nodig die groot genoeg is om honderd mensen te voeden.' Tegen de tijd dat Candace Sullivan het pand verlaten had, had Mae een menuplan gereed, was het contract ondertekend en lag er een cheque met een voorschot klaar. Ze boog zich over het bureau.

'Ik wil je een paar vragen stellen,' begon ze. Toen Georgeanne opkeek van het aanmeldingsformulier dat ze zogenaamd aan het invullen was, wees Mae op het menu in haar hand. 'Wat is *pappa al pomodoro*?'

'Italiaanse tomatensoep.'

'Kun jij die maken?'

'Tuurlijk. Dat is heel makkelijk.'

Mae legde het menuvoorstel weg. 'Dat verhaal over die abrikozentaart, heb je dat verzonnen?'

Georgeanne probeerde haar gezicht strak te houden, maar er verscheen een klein glimlachje om haar mondhoeken. 'Nou... ik heb het een beetje aangedikt.'

Toen wist Mae waarom ze de andere vrouw dacht te kennen. Georgeanne was net zo'n gladde verkoper als Ray was geweest. Heel even voelde ze de leegte van zijn overlijden iets minder hard op haar drukken. 'Heb je wel eens eerder gewerkt als catering-

assistent? Of heb je horeca-ervaring?' Ze wilde het aanmeldingsformulier pakken, maar Georgeanne legde snel haar hand over
het papier.

Toch had Mae al gezien dat haar handschrift abominabel was
en dat ze 'asestent' had opgeschreven, in plaats van 'assistent'.

'Ik ben serveerster geweest, bij twee verschillende lunchrooms,
en ik heb zoveel kooklessen gevolgd als maar mogelijk is.'

'Heb je ook eerder bij een cateraar gewerkt?'

'Nee, maar ik kan alles bereiden, van Japanse sushi tot Griekse
ovenschotels. En ik kan heel goed met mensen overweg.'

Mae keek Georgeanne nog eens vorsend aan en hoopte dat ze
zich niet vergiste. 'Dan heb ik nog een laatste vraag. Wanneer
kun je beginnen?'

Hoofdstuk 6

SEATTLE, JUNI 2005

Georgeanne verliet de chaos in de keuken om voor de laatste keer langs de tafels te gaan. Met een kritische blik nam ze de zevenendertig met wit linnen gedekte tafels in ogenschouw. Midden op alle tafels stonden glazen schalen waarin een aantal in was gedoopte rozen lagen, vergezeld van mooi groen en glazen kralen.

Mae zei beschuldigend dat het wel een obsessie leek; Georgeannes vingers deden nog steeds pijn van de hete paraffine. Maar nu ze naar de stukjes keek, wist ze dat het alle ergernis, pijn en ellende waard was geweest. Ze had iets heel moois en unieks gecreëerd. Zij, Georgeanne Howard, het meisje dat altijd van anderen afhankelijk was, had haar leven goed voor elkaar. En dat had ze helemaal zelf gedaan. Ook had ze zichzelf methodes aangeleerd waarmee ze beter met haar dyslexie kon omgaan. Ze verborg haar problemen niet langer, al sprak ze er evenmin openlijk over. Ze had haar leesproblemen te lang voor de wereld verborgen gehouden om er nu mee te koop te lopen.

Zo had ze veel obstakels overwonnen en was ze nu, op negenentwintigjarige leeftijd, partner in een succesvol cateringbedrijf en bezat ze een bescheiden huisje in Bellevue. Ze was enorm trots op wat het domme gansje uit Texas had weten te bereiken. Ze had er ook hard voor moeten knokken, had hier en daar een flinke buil opgelopen, maar ze had het overleefd. En hoe; ze was nu veel sterker, al was ze misschien minder goedgelovig en uiterst wantrouwig tegenover mannen. Maar die laatste twee eigenschappen zaten haar geluk niet in de weg, vond ze zelf. Ze had haar lesje geleerd, en ze wilde voor geen goud terug naar het leventje dat ze achter zich liet toen ze bij Crane Catering naar binnen stapte. Toch was ze nu de vrouw die ze was dankzij dat wat haar destijds was overkomen. Nu had ze een vol leven, omringd door mensen en dingen waar ze dol op was.

Hoewel ze was opgegroeid in Texas, was ze al snel verliefd geworden op Seattle. Ze was dol op de stad in de heuvels, omgeven door hoge bergen en water, heel veel water. Het had wel een paar jaar geduurd voordat ze gewend was aan al die regen, maar nu vond ze het normaal, net als de mensen die in de 'Rainy City' geboren en getogen waren. Ook was ze dol op alle leuke plekjes in de stad en het natuurschoon van de baai waaraan deze lag.

Georgeanne stak haar arm uit haar zwarte smokingjasje en keek op haar horloge. Elders in het oude hotel stond haar bedienend personeel hapjes uit te serveren en de glazen champagne voor het gezelschap van driehonderd mensen. Maar binnen een halfuur zouden zij de eetzaal in komen, voor een diner met kalfsmedaillons, nieuwe aardappeltjes met citroenboter en een salade van witlof en waterkers.

Ze reikte naar een wijnglas en plukte aan het servet dat erin zat. Met trillende vingers vouwde ze de bloemvorm opnieuw open. Ze was nerveuzer dan anders. Ze had met Mae al eerder partijen van ruim driehonderd man gecaterd. Dus dat was niet nieuw. Wat nieuw was, was werken voor de Harrison Stichting. Ze had niet eerder gecaterd voor een liefdadigheidsinstelling die gasten maar liefst vijfhonderd dollar vroeg per couvert. Zij wist natuurlijk ook wel dat de mensen niet zoveel geld neertelden voor het eten. Het geld dat vanavond ingezameld werd ging naar het kinderziekenhuis. Nee, het was de gedachte dat ze werkte voor mensen die zoveel geld betaalden voor een stukje kalfsvlees, die nogal beangstigend was.

Aan de zijkant van de zaal ging een deur open. 'Ik dacht al dat je hier zou zijn,' zei Mae terwijl ze op Georgeanne af kwam lopen. Ze droeg de groene map met het draaiboek en alle bonnen en werkbriefjes.

Georgeanne glimlachte naar haar dierbare vriendin en zakenpartner en zette het gevouwen servet weer in het glas. 'Hoe gaat het in de keuken?'

'O, die nieuwe souschef heeft die lekkere witte wijn gebruikt die voor bij het kalfsvlees bestemd was.'

Georgeanne schrok zich wezenloos. 'Zeg me dat je een geintje maakt!'

'Ik maak een geintje.'

'Echt waar?'

'Echt waar.'

'Niet grappig,' zuchtte Georgeanne.

'Vast niet, maar relax toch een beetje.'

'Ik kan pas relaxen als ik in de auto zit, op weg naar huis,' zei Georgeanne, waarna ze zich omdraaide en de roze roos op de revers van Mae's smokingjasje opnieuw vastspeldde. Hoewel ze allebei hetzelfde droegen, zagen ze er totaal anders uit, omdat ze elkaars tegenpolen waren. Georgeanne had donkere krullen en een licht getinte huid; Mae had de bleke huid die bij haar blonde haar hoorde en daarnaast was ze klein en rank. Georgeanne was altijd jaloers op Mae's snelle verbranding, waardoor ze alles kon eten zonder een grammetje aan te komen.

'We lopen keurig op schema. Wind je niet zo op. Straks raak je nog helemaal de weg kwijt, zoals bij de trouwerij van Angela Everett.'

Georgeanne fronste haar wenkbrauwen en liep naar de deur. 'Als ik die poedel van oma Everett in mijn handen krijg...'

Mae liep lachend met Georgeanne mee terug. 'Die avond zal ik nooit vergeten. Ik stond bij het buffet te serveren en ik kon jou horen gillen in de keuken.' Ze liet haar stem wat dalen en deed Georgeannes zuidelijke accent na: 'Godsammekrake. Die hond heeft mijn ballen opgevreten!'

'Ik zou nooit "vreten" zeggen!'

'O jawel, hoor. En toen heb je zo'n tien minuten naar de lege schaal zitten staren.'

Zo had Georgeanne het niet onthouden. Maar zelfs zij moest toegeven dat ze nog steeds niet heel goed was in het omgaan met plotseling optredende stress, hoewel het al veel beter ging. 'Je bent een verschrikkelijke leugenaar, Mae Crane,' zei ze, waarna ze haar vriendin een liefkozend rukje aan haar paardenstaart gaf. Daarna draaide ze zich nog een keer om voor een laatste blik op de dinerzaal. Al het serviesgoed, zilver en kristal glom als een spiegeltje en de gevouwen servetten zagen eruit alsof er honderden rozen boven de tafel zweefden.

Georgeanne was heel erg tevreden met het resultaat.

Er verscheen een frons boven John Kowalsky's ogen. Hij leunde naar voren om het ingewikkeld gevouwen servet in zijn glas beter te kunnen zien. Het moest kennelijk lijken op een vogel, of een ananas of zo.

'O, wat mooi,' riep zijn date voor die avond, Jenny Lange. Hij keek naar haar glanzende blonde haar en bedacht dat hij haar een stuk leuker had gevonden op de dag dat hij haar mee uit had gevraagd. Ze was fotografe en hij had haar twee weken geleden leren kennen toen ze was langsgekomen om foto's te maken van zijn woonboot voor een plaatselijk tijdschrift. Hij kende haar niet heel goed. Toen leek ze hem een leuke vrouw, maar al voordat ze bij het diner waren aangekomen, was hij erachter dat hij haar toch niet zo heel erg leuk vond. Zelfs niet een heel klein beetje leuk. Niet dat het haar fout was. Het lag aan hem.

Hij richtte zich weer op het servet, trok het uit het glas en legde het over zijn knie. De laatste tijd dacht hij steeds vaker aan trouwen. Hij had het er zelfs al met Ernie over gehad. Misschien had het goede doel van deze avond wel iets bij hem aangezwengeld. Of misschien kwam het omdat hij onlangs zijn vijfendertigste verjaardag had gevierd, dat hij zijn wilde haren aan het kwijtraken was. In elk geval dacht hij de laatste tijd vaker aan een gezinnetje. Daarbij dacht hij vaker dan anders aan Toby.

Hij leunde achterover en stak zijn hand in zijn broekzak. Hij wilde gewoon weer vader worden. Hij wilde het woord 'vader' toevoegen aan het lijstje identiteiten. Hij wilde zijn zoon leren schaatsen, zoals Ernie dat bij hem had gedaan. Net als elke andere vader in de wereld wilde hij op kerstavond laat bezig zijn met het in elkaar schroeven van nieuwe fietsen, bureaus en racebanen. En hij wilde met een verkleed kind op stap voor Halloween. Maar als hij Jenny zo eens bekeek, wist hij al dat zij niet de moeder van zijn kinderen zou worden. Ze deed hem denken aan Jodie Foster en met haar had hij helemaal niets; hij vond haar op een hagedis lijken. En hij wilde niet dat zijn kinderen op hagedissen zouden lijken.

Er kwam een kelner aan die vroeg of hij een glas wijn wilde. John schudde van nee en zette daarna zijn wijnglas op zijn kop op tafel.

'Drink jij niet?' vroeg Jenny.

'Tuurlijk wel,' antwoordde hij. 'Ik drink mineraalwater met een schijfje citroen.'

'Maar geen wijn?'

'Nee, geen alcohol meer.' Hij zette zijn glas naast zijn bord, terwijl een andere ober een bordje sla voor zijn neus zette. Van alcohol werd hij een vervelend mannetje en dat was hem eindelijk de keel uit gaan hangen.

Op de avond dat hij de aanvaller van Philadelphia tegen de vlakte had geslagen, was het kwartje eindelijk bij hem gevallen. Er waren mensen die vonden dat hij Dirty Danny eindelijk had gegeven wat hij verdiende, maar daar was John het zelf niet mee eens. Toen hij de ander op het ijs zag liggen, wist hij dat hij zijn zelfbeheersing had verloren. Hij was tenslotte al vaker tegen zijn benen geschopt of in zijn ribben gestompt. Dat hoorde bij het spelletje. Maar toen Danny die avond tegen hem aan was geschaatst was er iets bij hem geknapt. Voordat hij het besefte, had hij zijn stick en zijn handschoenen weggesmeten, en de andere ijshockeyer zijn vet gegeven. Danny was bewusteloos geraakt en in het ziekenhuis bleek hij een hersenschudding te hebben. John was onmiddellijk geschorst voor zes wedstrijden. De volgende ochtend was hij in een hotelkamer wakker geworden, met een lege fles Jack Daniel's en twee naakte vrouwen naast zich. Terwijl hij daar naar het spuuglelijke hotelplafond had liggen staren, walgend van zichzelf en niet meer wetend hoe hij de nacht ervoor had doorgebracht, was het tot hem doorgedrongen dat hij ermee moest stoppen.

En sindsdien had hij geen druppel meer gedronken. Hij had er niet eens trek in. En als hij nu naar bed ging met een vrouw, wist hij de volgende ochtend als hij wakker werd haar naam nog. Sterker nog, tegenwoordig wilde hij nog veel meer weten dan alleen een naam voordat hij een vrouw meenam naar zijn huis.

'Is de zaal niet schitterend versierd?' vroeg Jenny.

John keek naar de tafel, het podium en de rest van de zaal. Al die bloemen en kaarsen waren hem een beetje te overdadig. 'Ziet er goed uit,' zei hij. Daarna begon hij aan zijn salade. Toen hij die ophad, werd zijn bord weggehaald en werd een volgend bord voor zijn neus gezet. Hij was wel vaker bij liefdadigheidsbijeen-komsten geweest en had ook veel diners meegemaakt. Hij moest toegeven dat wat hij vanavond voorgeschoteld kreeg, hem aardig smaakte. Het was ook niet te weinig, maar precies de juiste hoe-veelheid. Beter dan vorig jaar in elk geval. Vorig jaar kregen ze bij dezelfde gelegenheid een rubberachtig stukje parelhoen met van die waardeloze pijnboompitjes. Hij kwam hiernaartoe om geld te geven. Heel veel geld. Maar weinig mensen wisten dat John veel geld gaf aan liefdadigheid en dat wilde hij graag zo houden. Dit deed hij voor zijn zoon, het was een privéaangelegenheid.

'Had jij ooit gedacht dat de Colorado Avalanches de Stanley Cup zouden winnen?' vroeg Jenny bij het dessert.

John bedacht dat ze haar best deed een gesprek met hem te voeren, zonder exact te willen weten hoe hij daarover dacht. 'Ze hebben een geweldige goalie. Die zorgt er wel voor dat ze de voorrondes halen. En hun verdediging is puik, al is die aanvaller van ze wel een ongelooflijk watje.' Hij pakte zijn dessertlepel en keek haar vriendelijk aan. 'Natuurlijk komen ze volgend jaar ook bij de laatste acht.' En dan zou hij ze flink te grazen nemen, want ook hij verwachtte met zijn team de Stanley Cup te zullen winnen.

Hij liet zijn blik over de zaal en de aanwezigen gaan, op zoek naar de voorzitter van de Harrison Stichting. Meestal was Ruth Harrison de eerste spreker, waarna de sfeer er meteen in zat. Hij zag haar twee tafels verderop zitten praten met een vrouw die naast haar stond. Deze laatste viel nogal op, omdat ze, in tegenstelling tot alle andere vrouwen, geen jurk in opvallende kleuren droeg. Hoewel ze was gekleed in een getailleerd smokingjasje was ze op de een of andere manier veel te mooi voor een liefdadigheidsdiner. Haar donkere haar was naar achteren gebonden met een zwarte strik. Haar krullen vielen tot halverwege haar rug. Ze was lang en toen ze zich omdraaide en John haar gezicht kon zien, verslikte hij zich in zijn ijsje. 'Jezus!' piepte hij.

'Gaat het?' vroeg Jenny. Bezorgd legde ze haar hand op zijn schouder.

Hij kon haar geen antwoord geven, maar alleen in die richting staren, alsof hij een klap tegen zijn kop had gekregen. Na die keer dat hij haar had afgezet bij de luchthaven, had hij niet verwacht haar ooit nog een keer te zien. Hij wist nog hoe ze er zeven jaar geleden had uitgezien. Een voluptueuze, verleidelijke vrouw in een roze, glimmende jurk. Hij wist zelfs nog veel meer over haar en nu hij daar weer aan moest denken, verscheen er een glimlach om zijn lippen. Waarom wist hij niet meer precies, maar die nacht die hij met haar had doorgebracht, was hij niet dronken geweest. Niet dat het wat had uitgemaakt als hij dat wel was geweest – Georgeanne Howard was niet het type vrouw dat een man snel zou vergeten.

'Wat is er, John?'

'O, eh, niets.' Snel keek hij naar Jenny, waarna hij zijn blik weer naar de vrouw liet gaan die zoveel opschudding had veroorzaakt omdat ze was weggelopen bij haar eigen bruiloft. Na die dag was Virgil Duffy voor acht maanden naar het buitenland vertrokken. Op het trainingskamp van de Chinooks die zomer had het gegonsd van de geruchten. Sommige spelers dachten dat ze was gekidnapt, terwijl andere hele verhalen verzonnen over de manier waarop ze was verdwenen. En dan was er Hugh Miner, die had gezegd dat ze zelfmoord had gepleegd, liever dan

te zullen trouwen met Virgil, waarna deze haar lichaam had ver-
donkeremaand. Alleen John kende de waarheid, maar hij deed
als enige niet mee aan de speculaties.

'John?'

En nu stond ze hier, op een liefdadigheidsbijeenkomst, nog net
zo mooi als hij zich herinnerde. Misschien wel mooier. Wellicht
kwam het door de smoking die haar welgevormde lichaam accen-
tueerde in plaats van het te verbergen. Misschien was het wel het
licht dat haar krullen deed glanzen, en haar volle mond extra
aanzette. Hij wist niet precies wat het was, maar hoe meer hij
keek, des te groter werd zijn nieuwsgierigheid. Hij vroeg zich af
wat ze in Seattle deed. Wat had ze van haar leven gemaakt, of
had ze hier een andere rijke man gevonden?

'John?'

Verbaasd keek hij naar zijn tafeldame.

'Wat is er aan de hand?' vroeg ze.

'Niets, echt niet.' Hij draaide zich weer om naar Georgeanne en
zag haar een tasje op tafel zetten. Ze stopte er iets in en schudde
daarna de hand van Ruth Harrison. Daarna lachte ze even en liep
weg.

'Sorry, Jenny,' zei John, en hij stond op. 'Ik ben zo weer terug.'

Hij volgde Georgeanne terwijl deze tussen de tafeltjes door
zigzagde. Hij hield zijn ogen gericht op haar schouders. 'Pardon.' Met een boogje liep hij om twee oudere heren heen. Net
op het moment dat ze een zijdeur in wilde gaan, haalde hij haar
in.

'Georgie.' Hij legde zijn hand over de hare heen op de deurknop.

Ze bleef staan en keek over haar schouder naar hem op. Zo
bleef ze wel vijf seconden staan, terwijl haar mond langzaam
open zakte.

'Ik dacht al dat ik je herkende,' zei hij.

Ze deed haar mond dicht. Maar haar ogen waren nog zo groot
als schoteltjes.

'Herken je me niet meer?'

Ze zei niets terug; staarde hem alleen maar aan.

'Ik ben John Kowalsky. We hebben elkaar ontmoet bij de trouwerij, toen jij daar wegliep,' legde hij uit, hoewel hij zich afvroeg hoe ze zoiets zou kunnen vergeten. 'Je bent toen met me meegereden en toen...'

'Ik weet nog wel wie je bent,' onderbrak ze hem. Toen zweeg ze weer. Even vroeg John zich af of er iets mis was met haar, omdat hij zich goed herinnerde wat een kletskous ze destijds was.

'Mooi,' zei hij, om de ongemakkelijke stilte te doorbreken. 'En wat doe je hier in Seattle?'

'Werken.' Ze hapte naar adem, waarbij haar borsten omhoogkwamen, zag hij, en zei: 'Oké, nu moet ik gaan.' Daarna draaide ze zich razendsnel om, zodat ze tegen de dichte deur aan liep. De botsing gaf een doffe dreun. Ze liet haar handtasje vallen, waarbij de inhoud over de grond verspreid werd. 'Godsammekrake,' zei ze ademloos, met het bekende zuidelijke accent. Ze bukte zich om haar spullen op te rapen.

John liet zich op een knie zakken en raapte een lippenstift en een pen op, die hij in haar richting hield. 'Alsjeblieft.'

Georgeanne keek hem aan. Weer staarde ze lange tijd naar hem. Toen pakte ze de lippenstift en pen van hem aan. 'Dank je,' fluisterde ze en ze trok haar hand bliksemsnel terug. Ze stond op en deed de deur open.

'Wacht even,' zei hij, omdat hij verderop nog een portefeuille zag liggen. In de tijd dat hij de portefeuille had opgeraapt en was opgestaan, was ze vertrokken. De deur sloot in zijn gezicht met een luide knal. John stond erbij en keek ernaar. Het leek wel alsof ze bang voor hem was geweest. Oké, hij wist niet meer precies wat ze die nacht allemaal hadden gedaan, maar hij wist nog heel goed dat hij haar niet bang had gemaakt. Toch dacht hij er even kort over na; al snel wuifde hij de gedachte opzij. Zelfs al was hij vreselijk dronken geweest, hij had nog nooit een vrouw pijn gedaan.

Verbijsterd draaide hij zich dus om en liep terug naar zijn tafel.

Hij kon maar niet bedenken waarom ze gevlucht was voor hem. Hij had geen onplezierige herinneringen aan Georgeanne. Ze hadden die nacht heerlijke seks gehad en daarna had hij een ticket voor haar geregeld om naar huis te gaan. Natuurlijk had hij begrepen dat hij haar daarmee beledigd had, maar op dat moment was dat het enige wat hij voor haar had kunnen doen.

John keek naar de portefeuille in zijn hand en sloeg hem open. Hij zat vol met pasjes en een paar kindertekeningen. Aan de pasjes kon hij zien dat ze haar eigen naam nog droeg. Daarnaast zag hij dat ze in Bellevue woonde.

Dit gaf antwoord op een paar vragen, maar niet allemaal. Wat de reden ook was, het was duidelijk dat ze hem niet wilde zien. Hij stak de portefeuille in zijn jaszak. Hij zou hem maandag naar haar huisadres sturen.

Georgeanne liep haastig haar voordeurpad op, langs haar voortuin vol kleurige bloemen en mooie planten. Met een bevende hand stak ze de sleutel in het slot. De paniek was haar om het hart geslagen en ze wist dat ze pas weer rustig zou worden als ze veilig in haar eigen huis was.

'Lexie,' riep ze terwijl ze de voordeur achter zich sloot. Ze keek angstig de woonkamer in en eindelijk kalmeerde ze wat. Daar zat haar zes jaar oude dochter rustig op de bank, omringd door al haar knuffels, naar een tekenfilm te kijken. Op de televisie lachte een of andere heks hysterisch, waarna ze er gierend vandoor ging op een bezemsteel. Tussen de knuffels zag Georgeanne ook Rhonda zitten, het zestienjarige buurmeisje, dat wel vaker op Lexie paste. Haar neusbel glinsterde en haar blauwe haar lichtte vreemd op in het schijnsel van de schemerlamp. Rhonda mocht er dan wat merkwaardig uitzien, het was een lieve meid en een geweldige oppas.

'Hoe ging het vanavond?' Rhonda kwam geïnteresseerd op haar afgelopen.

'Geweldig,' loog Georgeanne. Ze deed haar tas open en haalde er haar portemonnee uit. 'Hoe ging het met Lexie?'

'Prima. We hebben een tijdje met de barbies gespeeld en daarna heeft ze haar macaroni netjes opgegeten.'

Georgeanne overhandigde Rhonda vijftien dollar. 'Dank je wel voor het oppassen.'

'Geen probleem, hoor. Lexie is een leuk kind.' Ze stak haar hand op. 'Tot ziens.'

'Dag, Rhonda,' riep Lexie. Georgeanne liep met de babysitter naar de deur en liet haar uit. Daarna ging ze op haar chesterfield met bloemmotief zitten, naast haar dochter. Ze haalde diep adem en blies heel langzaam weer uit. Hij weet het niet, zei ze tegen zichzelf. En zelfs als hij het weet, kan het hem toch niets schelen.

'Hé, liefje,' ze gaf Lexie een tikje tegen haar been, 'ik ben weer thuis.'

'Weet ik. Dit is het mooiste stukje,' sprak Lexie met haar ogen gefixeerd op de tv. 'Mijn favoriete film.'

Georgeanne veegde wat van Lexies donkere krullen opzij. Het liefst wilde ze haar dochter stevig vastpakken om haar te knuffelen. Maar ze zei: 'Als ik een pakkerd van je krijg, laat ik je met rust.'

Lexie draaide zich automatisch om, tilde haar gezichtje op en tuitte haar donkerrode lippen.

Georgeanne gaf haar een zoen en pakte haar dochters kin stevig in haar handpalm. 'Heb jij weer eens mijn lippenstift gepikt?'

'Nee, mammie, deze is van mij.'

'Die kleur rood zit niet in jouw make-updoos.'

'Jawel hoor, die kleur heb ik ook.'

'Waar heb je die dan vandaan?' Georgeanne zag ineens ook de donkerpaarse oogschaduw die Lexie uitbundig had aangebracht van haar oogleden tot aan haar wenkbrauwen. Op haar wangen zaten knalroze strepen en ze rook naar kinderparfum.

'Gevonden.'

'Je mag niet liegen, hoor. Je weet dat je niet mag liegen.'

Lexies knalrode onderlip begon te trillen. 'Dat vergeet ik wel eens,' snikte ze dramatisch. 'Ik denk dat je de dokter moet bellen om me daarmee te helpen.'

Georgeanne beet op haar lip om niet te lachen. Zoals Mae wel vaker zei, was Lexie echt een toneelspeelster. En dat wist Mae, omdat ze was opgegroeid met een broer die net zo goed kon acteren. 'Dokters geven prikken, hoor,' waarschuwde Georgeanne.

Lexies onderlip trilde meteen niet meer, maar ze sperde haar ogen wijd open.

'Dus ik denk dat je beter je best moet doen om te onthouden dat je niet aan mijn spulletjes moet komen.'

'Oké,' zei Lexie, net iets te vlot.

'Want anders is het afgelopen met onze afspraak,' waarschuwde Georgeanne, verwijzend naar de overeenkomst die ze een paar weken geleden hadden gesloten. In de weekends mocht Lexie zich naar hartenlust verkleden en make-up dragen als ze dat wilde, maar doordeweeks droeg ze de kleren die haar moeder voor haar klaarlegde en had ze een schoon gezicht. Tot op heden had die afspraak gewerkt.

Lexie was gek op make-up. Ze was er zo dol op dat ze het zo veel mogelijk opsmeerde. Dus staarde iedereen haar na als ze helemaal opgetut op haar fietsje langsreed, zeker als ze ook nog de groene boa droeg die ze van Mae had gekregen. Als Georgeanne met haar boodschappen ging doen was dat wel eens lastig, maar gelukkig deed zich dat alleen in het weekend voor. En de afspraak was makkelijker om na te leven dan elke ochtend strijd te moeten leveren bij het aankleden.

Dus het dreigement dat er een einde zou komen aan de afspraak maakte indruk op het meisje. 'Ik beloof het, mammie.'

'Goed zo, maar dat komt omdat ik zoveel van je snuitje hou,' zei Georgeanne, en ze gaf haar een kus op het voorhoofd.

'Ik hou ook zoveel van jouw snuitje,' zei Lexie.

Georgeanne stond op. 'Ik ben in mijn slaapkamer.' Het meisje knikte en ging weer naar de film kijken.

Georgeanne liep de gang door, langs een kleine badkamer, naar haar slaapkamer. Ze trok het smokingjasje uit en gooide het op een bankje dat met roze en wit gestreepte zijde was overtrokken.

John wist niet van het bestaan van Lexie. Dat was onmogelijk. Ze had daarstraks zo heftig gereageerd, hij dacht waarschijnlijk dat ze gek was. Het was zo'n schok geweest om hem weer te zien. Ze had altijd zo haar best gedaan hem te ontwijken. Ze bewoog zich niet in dezelfde kringen als hij en ze ging nooit naar een wedstrijd van de Chinooks, wat bepaald geen opoffering was, want ze vond ijshockey vreselijk gewelddadig. En om te voorkomen dat ze hem tegen het lijf zou lopen, deed Crane Catering nooit klussen voor sportieve evenementen, wat Mae ook helemaal niet erg vond, omdat ze een hekel had aan sportlui. Nooit had Georgeanne gedacht dat ze hem zou kunnen tegenkomen bij een liefdadigheidsbijeenkomst voor een ziekenhuis.

Ze ging zitten op haar gebloemde sprei. Ze wilde helemaal niet aan John denken, maar hem compleet uit haar hoofd krijgen was onmogelijk. Soms liep ze een winkel binnen en dan zag ze zijn knappe gezicht weer op een of ander tijdschrift. Seattle was dol op de Chinooks en John 'The Wall' Kowalsky. Tijdens het ijshockeyseizoen kon je hem elke avond tegenstanders tegen de vlakte zien werpen op een of ander sportjournaal. Ook zag ze hem wel eens in plaatselijke reclame-uitingen, zoals laatst die billboardcampagne voor zuivel. Ze rook wel eens een bepaalde aftershave die haar aan hem deed denken, of het geluid van de branding voerde haar terug naar die keer dat ze op haar rug in het zand lag en in twee diepblauwe ogen staarde. De herinnering daaraan was inmiddels minder geworden. De pijn was minder scherp. Maar nog steeds moest ze elke dag aan die man en die nacht denken. Terwijl ze er niet aan wilde denken.

Ze had altijd gedacht dat Seattle groot genoeg was voor hen beiden. Ze had gedacht dat als ze haar uiterste best deed om hem te ontlopen, ze hem nooit zou hoeven zien. Maar tegelijkertijd had ze zich altijd stiekem afgevraagd wat hij zou zeggen als hij haar weer zou zien. Natuurlijk wist ze zelf precies wat ze zou zeggen. Ze stelde zich dan voor dat ze compleet onverschillig zou doen. Dat ze heel koeltjes zou zeggen: 'John? John wie? Nee, sorry, zegt me niks. Maar vat het niet persoonlijk op.'

Maar dat was niet gebeurd. Ze had iemand het koosnaampje horen gebruiken dat ze al zeven jaar niet meer had gehoord. Het paste niet bij de vrouw die ze was geworden. Daarom had ze zich omgedraaid. Het duurde een paar tellen voordat haar hersenen hadden geregistreerd wat haar ogen hadden gezien. Daarna was de schok ingeslagen, was er een oerinstinct in werking getreden en was ze gevlucht.

Maar niet voordat ze diep in zijn blauwe ogen had gekeken en hem per ongeluk had aangeraakt. Ze had de warmte van zijn hand onder haar vingers gevoeld en het vreemde glimlachje om zijn lippen zien spelen, waarna ze zich de sensatie van zijn mond op de hare weer herinnerde. Hij zag er nog precies zo uit als toen. Alleen leek hij nog groter en had de tijd een paar rimpeltjes toegevoegd aan zijn gezicht. Hij was nog steeds heel erg aantrekkelijk en die paar tellen dat ze in zijn ogen had gekeken was ze vergeten dat ze hem haatte.

Georgeanne stond op en liep naar de staande spiegel. Ze bracht haar handen naar de knoopjes van haar smokinghemd en maakte ze los. Vanwege Lexies donkere haar en teint zeiden mensen vaak dat ze op Georgeanne leek, maar Lexie leek veel meer op haar vader. Ze had dezelfde blauwe ogen en volle wimpers. Zelfs haar neus was de zijne en als ze glimlachte verscheen er een kuiltje in haar wang. Net als bij John.

Ze trok haar smokinghemd uit haar broek en knoopte ook de manchetten los. Lexie was het allerbelangrijkste in Georgeannes leven. Ze was het middelpunt van haar leven en de gedachte dat ze haar kwijt zou kunnen raken was ondraaglijk. Georgeanne was bang. Banger dan ze in lange tijd geweest was. Nu John wist dat ze in Seattle woonde, kon hij Lexie ook vinden. Hij hoefde het alleen maar te vragen aan iemand van de Harrison Stichting en dan had hij Georgeanne zo getraceerd.

Maar waarom zou John haar opzoeken? Hij had haar zeven jaar geleden gedumpt bij het vliegveld en had zo geen enkel misverstand laten bestaan over zijn gevoelens jegens haar. Zelfs als hij zou horen dat hij een dochter had, wilde hij vast niets met haar te maken hebben. Hij was een stoere ijshockeyer. Wat moest hij nou met een klein meisje?

Ze was gewoon bang voor niets.

De volgende ochtend at Lexie in haar eentje haar cornflakes op en zette de kom netjes in de gootsteen. Ze hoorde haar moeder de douchekraan opendraaien en wist dat ze nog lang moest wachten voordat ze boodschappen gingen doen. Haar moeder was dol op lang douchen.

De deurbel ging en ze liep naar de woonkamer. Haar boa sleepte ze achter zich aan. Ze deed het gordijn van het grote raam opzij en zag een man in een spijkerbroek en een gestreept overhemd voor de deur staan. Lexie bestudeerde de man even en liet het gordijn weer los. Ze wikkelde haar boa om haar nek en liep naar de voordeur. Ze wist dat ze de deur niet open mocht doen voor vreemden, maar ze kende de man in hun voortuin, ook al had hij een zonnebril op. Ze had hem vaak op tv gezien en vorig jaar waren hij en zijn vrienden naar haar school gekomen om handtekeningen uit te delen. Maar Lexie had toen helemaal achter in de gymzaal gestaan en niemand had haar zijn handtekening gegeven.

Hij kwam nu vast langs om haar zijn handtekening te geven, dacht ze, terwijl ze de deur opendeed. Toen keek ze omhoog. Het was wel een lange man.

John zette zijn zonnebril af en stak hem in zijn borstzakje. De deur ging open en hij keek naar beneden. Het was een kind. Een klein meisje in de deuropening van Georgeannes huis. En of dat niet vreemd genoeg was, het uiterlijk van het kind was op zijn zachtst gezegd nogal opvallend. Ze droeg roze cowboylaarzen, een roze rokje, een paars met roze T-shirtje en een knalgroene boa om haar nek. Maar het ergste was haar gezicht. 'Eh, hoi,' zei hij, geschrokken van de lichtblauwe oogschaduw, zachtroze wangen en glimmend rode lippen. 'Ik ben op zoek naar George-anne Howard.'

'Mama staat onder de douche, maar je mag wel binnenkomen, hoor.' Ze draaide zich om en liep naar de woonkamer. Een scheve paardenstaart hoog op haar hoofd wiegde met elke pas van haar laarsjes mee.

'Weet je het wel zeker?' John wist maar weinig over kinderen, en al helemaal niets over kleine meisjes, maar hij wist wel dat het niet de bedoeling was dat ze vreemde mannen binnenlieten. 'Georgeanne vindt het vast niet fijn als je me binnenlaat, terwijl ze nog onder de douche staat,' zei hij daarom. Aan de andere kant, ook als ze niet onder de douche stond zou ze het niet fijn vinden hem hier aan te treffen.

Het meisje keek hem over haar schouder aan. 'Ze vindt het niet erg, hoor. Ik pak mijn spullen vast.' Daarna verdween ze om een hoek.

John haalde Georgeannes portefeuille uit zijn achterzak en stapte het huis binnen. De portefeuille was maar een smoesje. Hij was hier eigenlijk naartoe gekomen omdat hij nieuwsgierig was. Toen Georgeanne gisteravond halsoverkop was vertrokken, was hij aan haar blijven denken. Hij sloot de voordeur achter zich en stapte de woonkamer binnen. Hij voelde zich meteen uit zijn element. Net als die keer dat hij een lingeriezaak binnenstapte om voor een vriendin mooi ondergoed te kopen.

Alles was met lichte tinten ingericht en overal stonden en hingen versieringen waar een stoere heteroman de kriebels van kreeg. Op een dikke, gebloemde bank lagen kussentjes die pasten bij de vitrage. Er stonden vazen vol bloemen en waar hij ook keek zag hij ingelijste foto's. Sommige hadden versierde zilveren lijstjes die John zelfs mooi vond. Hij vroeg zich af of hij nu aan zichzelf moest twijfelen.

'Ik heb wat spullen gevonden,' zei het meisje, dat terugkeerde met een speelgoedwinkelwagentje van oranje plastic. Ze ging op de bank zitten en gaf een klopje op de plaats naast haar.

Nu voelde John zich nog minder op zijn gemak. Toch ging hij naast Georgeannes dochter zitten. Hij bestudeerde haar gezicht en probeerde uit te vogelen hoe oud ze moest zijn, maar hij wist niet zoveel van kinderen. De make-up die ze op haar gezicht had gesmeerd maakte het extra moeilijk.

'Hier,' zei ze en ze trok een T-shirt met de 101 Dalmatiërs uit de oranje winkelwagen.

'Waar is dat voor?'

'Daar moet je handtekening op.'

'Echt waar?' Hij voelde zich ontzettend groot naast het meisje. Ze knikte en gaf hem een dikke groene stift.

John wilde het shirt van het kind niet verpesten. 'Dan wordt je moeder boos.'

'Echt niet. Dat is een shirt voor zaterdag.'

'Weet je het zeker?'

'Ja.'

'Oké.' Hij haalde zijn schouders op en trok de dop van de stift. 'Hoe heet je?'

Ze keek alsof dat een ontzettend onnozele vraag was. 'Lexie.' Toen zei ze het nog een keer, maar dan harder, voor het geval hij het niet goed had verstaan. 'Leeeexieieieie. Lexie Mae Howard.'

Howard? Georgeanne was niet getrouwd met de vader van het kind. Hij vroeg zich af wat dat voor man was geweest. Wat voor man liet zijn kind nou in de steek? Hij draaide het shirt om omdat hij iets op de rug wilde schrijven. 'Waarom moet ik nu jouw mooie shirt verpesten, Lexie Mae Howard?'

'Omdat de andere kinderen wel spullen met jouw handtekening erop hebben en ik niet.'

Hij wist niet precies wat ze bedoelde, maar hij bedacht dat hij het beter eerst aan Georgeanne kon vragen, voordat het T-shirt verpest was.

'Brett Thomas heeft allemaal spullen met jouw handtekening. Die liet hij me laatst zien.' Ze zuchtte diep en liet haar schouders zakken. 'Hij heb ook een kat. Heb jij ook een kat?'

'Eh, nee. Geen kat.'

'Mae heb ook een kat,' vertrouwde ze hem toe, alsof hij Mae goed kende. 'Hij heet Sokkie, omdat hij witte sokjes heeft. Hij verstopt zich altijd als ik er ben. Eerst dacht ik dat hij mij niet lief vond, maar Mae zegt dat hij zich verstopt omdat ie verlegen is.' Ze pakte een uiteinde van haar boa beet en zwaaide ermee.

'Maar hiermee krijg ik hem altijd te pakken. Die wil ie pakken en dan pak ik hem stevig vast.'

Als John er nog niet van overtuigd was dat dit meisje George-annes dochter was, dan werd hij dat wel naarmate hij langer naar haar luisterde. Vlotjes vertelde ze over de kat die ze zelf wilde hebben. Toen ging het ineens over honden en daarna over muggenbulten. Terwijl ze sprak, bestudeerde John haar gezichtje. Hij bedacht dat ze meer op haar vader moest lijken, omdat ze weinig had van haar moeder. Misschien haar haren en volle mond, maar meer ook niet.

'Lexie,' onderbrak hij haar. Ineens kwam de gedachte in hem op dat hij wel eens naast Virgil Duffy's dochter kon zitten. Nu vond hij Virgil niet het type man dat zijn kind in de steek zou laten. Al kon hij wel een ontzettende klootzak zijn. 'Hoe oud ben jij?'

'Zes. Ik was een paar maanden geleden jarig. Toen had ik een partijtje en hebben we taartjes gemaakt. En daarna hebben we naar *Babe* gekeken. Ik moest zo huilen toen Babe weg moest bij zijn moeder. Dat was echt verdrietig en toen moest ik spugen. Maar mammie zei dat hij elk weekend op bezoek mocht en toen werd ik weer blij. Ik wil ook een varkentje, maar mama zegt dat dat niet kan. En ik vind het leuk als Babe die schapen bijt,' giechelde ze.

Zes was ze. Maar het was zeven jaar geleden dat hij George-anne had ontmoet. Dus Lexie kon niet van Virgil zijn. Tot hij besefte dat hij de negen maanden van de zwangerschap niet meetelde. En als ze een paar maanden geleden zes was geworden, kon ze wel degelijk Virgils dochter zijn. Maar ze leek totaal niet op de man. Hij bekeek haar nog nauwkeuriger. Er verscheen een brede glimlach op haar gezicht en in haar rechterwang kwam een kuiltje. 'Ik ben dol op dat snuitje van dat biggetje.' Toen begon ze weer te giechelen.

Elders in het huis hoorde hij dat een kraan werd dichtgedraaid en Johns adem stokte in zijn keel. Hij slikte, maar zijn keel was kurkdroog. 'Godverdomme,' fluisterde hij.

Lexie stopte meteen met lachen. 'Dat mag je niet zeggen.'

'Sorry,' mompelde hij en hij probeerde haar make-up weg te denken. Ze had heel lange, volle wimpers. Toen hij nog klein was, werd John eindeloos gepest vanwege zijn volle wimpers. Hij bestudeerde haar blauwe ogen. Net zo blauw als de zijne. Er ging een schok door zijn hele lijf alsof hij zijn vingers in het stopcontact had gestoken. Nu wist hij waarom Georgeanne zich gisteravond zo vreemd had gedragen. Ze had een kind van hem. Een meisje.

Zijn dochter.

'Godverdomme.'

Hoofdstuk 7

Georgeanne deed de handdoek om haar haren los en gooide deze op het bed. Ze reikte naar de haarborstel op haar dressoir, maar voordat ze het voorwerp door haar haren kon trekken, stond ze stokstijf stil. Uit de woonkamer klonk naast Lexies gegiechel het onmiskenbare lage geluid van een mannenstem. Bezorgd pakte ze haar groene katoenen badjas en stak haar armen in de mouwen. Lexie wist toch wel beter dan een vreemde man naar binnen te laten? Daar hadden ze laatst een heel lang gesprek over gehad, toen Georgeanne op een keer haar woonkamer binnenstapte en er vier Jehova's getuigen op de bank zaten.

Ze strikte de ceintuur om haar middel en snelde door de smalle gang. De boze woorden die op het puntje van haar tong lagen bleven daar liggen en ze verzette geen stap meer. De man die naast haar dochter op de bank zat was niet langsgekomen om haar verlossing te bieden.

Hij richtte zijn blik op en ze keek in de ogen van haar ergste nachtmerrie.

Ze probeerde iets te zeggen, maar opnieuw bleven de woorden in haar keel steken. Binnen één seconde stond haar wereld stil, om met een rotgang weer verder te draaien, zodat ze er duizelig van werd.

'Meneer Wall kwam langs om een handtekening op mijn spullen te zetten,' vertelde Lexie.

De tijd stond stil en Georgeanne staarde in twee terug starende blauwe ogen. Het was amper te bevatten dat John Kowalsky in haar huiskamer zat, nog net zo groot en knap als zeven jaar geleden – als gisteravond. In haar huis, op haar bank, naast haar dochter. Ze legde een hand op haar keel en haalde diep adem. Ze voelde haar hart bonzen onder haar vingertoppen. Hij zag er vreemd uit in haar huis, alsof hij er niet hoorde. Wat natuurlijk ook het geval was. 'Alexandra Mae,' lukte het haar uiteindelijk uit te brengen, met haar blik op haar dochter. 'Je weet toch dat je geen vreemden mag binnenlaten.'

Lexies ogen werden zo groot als schoteltjes. Omdat Georgeanne haar volledige naam gebruikt had, wist ze dat ze in de nesten zat. 'Maar... maar...' stotterde ze. Ze sprong van de bank. 'Maar mammie, ik ken meneer Wall. Hij was op school, maar toen kreeg ik niks.'

Georgeanne had geen idee wat haar dochter bedoelde. Ze keek weer naar John. 'Wat doe jij hier?'

Hij stond langzaam op en reikte naar zijn achterzak. 'Dit heb je gisteravond laten vallen.' Hij wierp haar een portefeuille toe.

Ze ving het voorwerp te laat op; het stuiterde tegen haar borstkas en viel op de grond. Maar ze raapte het niet op. 'Dat hoefde je toch niet langs te brengen.' Ze was iets opgelucht. Hij was langsgekomen om haar portefeuille te brengen, niet omdat hij had ontdekt dat Lexie van hem was.

'Klopt,' was het enige wat hij antwoordde. Zijn mannelijke gestalte contrasteerde met haar woonkamer vol tierlantijnen. Ineens was ze zich scherp bewust van het dunne groene katoenen badjasje dat ze had aangeschoten. Ze keek snel naar beneden en zag tot haar opluchting dat alles nog volledig bedekt was.

'Nou, dank je wel,' zei ze, waarna ze naar de voordeur liep. 'Lexie en ik hebben plannen voor vandaag en jij hebt vast ook wel wat beters te doen.' Ze pakte de deurknop beet en trok de deur open. 'Tot ziens, John.'

'Wacht even.' Hij kneep zijn ogen tot spleetjes, waardoor het litteken door zijn rechterwenkbrauw extra opviel. 'Eerst moeten we praten.'

'Waarover?'

'Goh, wat zullen we eens bespreken.' Hij hield zijn hoofd

scheef. 'Misschien moeten we dat gesprek eens voeren dat we zeven jaar geleden hadden moeten voeren.'

Ze keek hem argwanend aan. 'Ik weet niet wat je bedoelt.'

Hij wierp een blik op Lexie, die midden in de kamer stond en aandachtig het gesprek volgde. 'Je weet precies wíé ik bedoel,' gaf hij ten antwoord.

Gedurende een paar seconden keken ze elkaar strak aan. Twee strijders vlak voordat ze elkaar te lijf gingen. Georgeanne had bepaald geen zin alleen met John in deze ruimte te verblijven, maar wat er ook besproken werd tussen hen beiden, ze wist zeker dat het beter was als Lexie het niet zou horen. Daarom wendde ze zich eerst tot haar dochter. 'Loop even naar de overkant van de straat en kijk eens of je bij Amy kunt spelen.'

'Maar mammie, ik mag een week lang niet met Amy spelen omdat we de haren van mijn barbiepop hebben geknipt, weet je nog?'

'Ik ben van gedachten veranderd.'

Schoorvoetend sleepte Lexie haar roze cowboylaarsjes over het hoogpolige tapijt en liep naar de voordeur. 'Volgens mij heb Amy griep,' zei ze.

Georgeanne, die normaal gesproken haar uiterste best deed om haar dochter uit de buurt van alle mogelijke ziektekiemen te houden, had in de gaten dat Lexie een smoesje verzon. 'Voor deze ene keer is dat niet erg.'

Vanuit de deuropening keek Lexie nog een keer over haar schouder naar John. 'Dag, meneer Wall.'

John keek haar langdurig aan en toverde toen een glimlach op zijn gezicht. 'Dag meisje.'

Lexie wendde zich nu tot haar moeder en hield haar gewoontegetrouw haar getuite lippen voor.

Georgeanne boog zich voorover en proefde de fruitsmaak op de rode lippen van haar kind. 'Ben je over een uurtje weer thuis?'

Lexie knikte en liep door de deur de twee treden naar het pad af, de groene boa achter zich aan slepend. Bij de stoeprand stopte ze en keek naar beide kanten, waarna ze de straat over stormde.

Georgeanne bleef in de deuropening kijken tot het meisje het huis van haar buurmeisje binnen was. Zo kon ze bovendien de confrontatie nog heel even uitstellen. Daarna haalde ze diep adem, deed een pas naar achteren en sloot de deur.

'Waarom heb je me niet over haar verteld?'

Hij kon het toch niet weten? Tenminste, niet zeker? 'Je wat verteld?'

'Waag het niet me te behandelen alsof ik achterlijk ben, Georgeanne,' waarschuwde hij met een gezicht dat op onweer stond. 'Waarom heb je me niet al heel lang geleden over Lexie verteld?'

Ze kon het natuurlijk ontkennen. Liegen en zeggen dat Lexie zijn kind niet was. Misschien geloofde hij haar en zou hij hen met rust laten. Maar de strakke lijn van zijn kaak en de boosheid in zijn ogen duidden erop dat hij haar niet zou geloven. Met haar rug tegen de muur vouwde ze haar armen over elkaar. 'Waarom zou ik?' vroeg ze. Ze had geen zin om alles meteen toe te geven.

Hij wees naar het huis aan de overkant van de straat. 'Dat is mijn dochter,' zei hij. 'Ontken het maar niet. En dwing me niet om een test af te laten nemen, want ik doe het zo.'

Met een vaderschapstest wist hij direct dat hij gelijk had. Georgeanne zag in dat het geen zin had te ontkennen. Ze deed er beter aan zijn vragen te beantwoorden en hem zo snel mogelijk het huis uit te krijgen, waarmee hij, hopelijk, uit haar leven verdween. 'Wat wil je?'

'Vertel me de waarheid. Ik wil het uit jouw mond horen.'

'Oké.' Ze haalde haar schouders op en probeerde er kalm uit te zien, alsof het niet zoveel voorstelde om zoiets toe te geven. 'Lexie is jouw biologische dochter.'

Hij sloot zijn ogen en haalde diep adem. 'Jezus,' fluisterde hij. 'Hoe kan dat nou?'

'Op de gebruikelijke wijze,' antwoordde ze droogjes. 'Je zou denken dat een man met jouw ervaring wel zou weten hoe baby's gemaakt worden.'

Hij keek haar woest aan. 'Jij zei dat je aan de pil was.'

'Was ik ook.' Alleen niet lang genoeg, kennelijk. 'Niets is honderd procent veilig.'

'Waarom, Georgeanne?'

'Waarom wat?'

'Waarom heb je me dat niet zeven jaar geleden verteld?'

Ze haalde haar schouders op. 'Het ging je niets aan.'

'Wat?' vroeg hij ongelovig. Hij keek alsof hij het in Keulen hoorde donderen. 'Het ging me niets aan?'

'Nee.'

Zijn handen balden zich tot vuisten en hij deed een paar passen dichterbij. 'Je hebt een kind van míj gekregen en dan vind je dat het míj niets aangaat?' Hij bleef op minder dan twee passen van haar af staan en keek haar ontzet aan.

Hoewel hij een stuk groter was dan zij, keek ze zonder angst naar hem op. 'Ik heb zeven jaar geleden een beslissing gemaakt die mij op dat moment de beste leek. Zo denk ik er nog steeds over. En trouwens, er kan nu toch niets aan veranderd worden.'

Er verscheen een diepe frons op zijn voorhoofd. 'O nee?'

'Nee. Daar is het te laat voor. Lexie kent jou niet. Het is beter voor haar als je haar nooit meer ziet.'

Hij zette zijn beide handen aan weerszijden van haar hoofd naast haar tegen de muur. 'Als jij denkt dat het zo zal lopen, ben je niet helemaal snugger.'

Ze mocht dan wel niet bang zijn voor John, van zo dichtbij was hij toch aardig intimiderend. Met zijn brede borstkas en gespierde armen zo vlakbij was ze volledig omgeven door één brok testosteron. De geur van zijn aftershave bedwelmde haar bijna. 'Ik ben geen meisje meer,' zei ze en ze liet haar armen zakken. 'Zeven jaar geleden was ik nogal onvolwassen, maar dat is niet meer het geval. Ik ben veranderd.'

Hij liet zijn blik naar beneden afdwalen en met een grijns op zijn gezicht zei hij: 'Voor zover ik kan zien ben je helemaal niet zo veranderd. Je bent nog steeds een lekker ding.'

Georgeanne moest zichzelf bedwingen, anders had ze hem een klap verkocht. Ze keek naar omlaag en voelde een blos op haar wangen verschijnen. Haar groene badjas was opengegaan en ze had een decolleté waar je in kon verdwijnen. Geschrokken trok ze de badjas dicht.

'Laat maar,' stelde John voor. 'Als je er zo bij loopt zou ik je eerder kunnen vergeven.'

'Ik hoef jouw vergiffenis niet,' zei ze en ze dook onder zijn arm door. 'Ik ga me aankleden. Jij kunt beter vertrekken.'

'Ik wacht hier op je,' zei hij echter. Hij had zich omgedraaid en keek haar na terwijl ze de gang door snelde. Zijn blik volgde haar draaiende heupen en billen en de badjas die om haar enkels wapperde. Hij kon haar wel vermoorden.

Hij liep de woonkamer door en deed het tuttige gordijntje opzij om naar buiten te kijken. Hij had een kind. Een dochter die hij niet kende en die hem niet kende. Tot het moment dat George-anne zijn vermoedens had bevestigd, was hij niet helemaal zeker geweest van zijn zaak. Nu het bevestigd was, wist hij zich geen raad.

Zijn dochter. Hij dacht er even over om naar de overkant van de straat te stormen en Lexie daar weg te halen. Hij wilde naar haar kijken en haar stemmetje horen. Hij wilde haar aanraken, maar wist dat dat niet zou gebeuren. Daarstraks had hij zich wat ongemakkelijk gevoeld met zijn grote lijf naast het hare. Hij was eerder gewend met ijshockeypucks en stoere mannen om te gaan dan met kleine meisjes.

Zijn dochter. Hij had een kind. Zíjn kind. Hij dwong zichzelf de opstekende woede weg te stoppen.

Hij draaide zich om en liep naar de schoorsteenmantel. Daar stonden diverse foto's in lijstjes, onder andere een van een baby-meisje dat op een krukje zat en met haar ene hand haar shirtje optilde en met de andere verbaasd naar haar navel wees.

Gefascineerd door de beeltenis van zijn kleine meid, reikte hij naar een fotootje van een kleuter met grote blauwe ogen en dikke roze wangen. Haar donkere haartjes stonden rechtover-eind op haar hoofd, zoals een plumeau, en ze had haar lipjes ge-tuit alsof ze de fotograaf een zoentje wilde geven.

Ergens in de gang ging een deur open en dicht. Hij schoof het portretje in zijn broekzak en draaide zich om tot Georgeanne weer zou verschijnen. Toen ze binnenkwam bleek ze haar haren strak in een paardenstaart te hebben gedaan. Ze had een wit truitje aan en een gaasachtige rok tot op de grond. Daaronder droeg ze witte sandaaltjes.

'Wil je wat ijsthee?' vroeg ze gastvrij, zoals dat hoort in het zuiden.

Gezien de omstandigheden was hij verrast door haar aanbod. 'Nee, dank je.' Hij keek haar vorsend aan. Er waren een boel vragen waarop hij graag antwoord wilde.

'Ga alsjeblieft zitten.' Ze wees op een witte rotan stoel waarin een bloemig kussen lag.

'Ik blijf liever staan.'

'Nou, ik vind het fijner als je gaat zitten, dan hoef ik niet tegen je op te kijken. Dus óf je gaat zitten om dit te bespreken, óf we bespreken helemaal niets.'

Ze had lef, dat moest hij haar nageven. Zo kende John haar niet. De Georgeanne die hij zich herinnerde was een flirterige kletskous. 'Prima,' antwoordde hij en hij ging op de bank zitten, omdat hij bang was dat de stoel hem niet zou houden. 'Wat heb je Lexie over mij verteld?'

Ze ging in de rieten stoel zitten. 'Niets, eigenlijk.' Haar zuidelijke accent was een stuk minder dan hij zich herinnerde.

'Heeft ze dan nooit naar haar vader gevraagd?'

'O, jawel.' Georgeanne leunde achterover en sloeg haar benen over elkaar. 'Zij denkt dat je overleden bent toen zij nog een baby'tje was.'

Het antwoord irriteerde John, maar verraste hem niet. 'Echt waar? Hoe ben ik dan overleden?'

'Je F-16 is neergeschoten in Irak.'

'Ik ben een oorlogsheld?'

'Ja,' zei ze glimlachend. 'Een heel dappere. Toen het Amerikaanse leger de beste piloten nodig had, was jij het eerst aan de beurt.'

'Ik ben een Canadees.'

Ze haalde haar schouders op. 'Maar Anthony was een Texaan.'

'Anthony? Wie is dat nou weer?'

'Dat ben jij. Ik heb je een andere naam gegeven. Ik vind Tony wel stoer voor een man.'

Niet alleen had ze gelogen over zijn voortijdige dood en zijn beroep, ook had ze zijn naam veranderd! John voelde de woede weer oplaaien en hij boog zich voorover. 'En wat voor foto's heb je dan, van die verzonnen vader? Heeft Lexie daar nooit naar gevraagd?'

'Tuurlijk wel. Maar die zijn allemaal in rook opgegaan toen ons huis is afgebrand.'

'Wat toevallig.'

Haar glimlach werd nog breder. 'Ja, vind je niet?'

De lach die om haar lippen speelde, maakte hem alleen maar kwader. 'En wat ga je doen als ze ontdekt dat Howard jouw meisjesnaam is? Dan heeft ze toch in de gaten dat je gelogen hebt.'

'Tegen die tijd is ze al een tiener. Dan zal ik opbiechten dat Tony en ik nooit getrouwd waren, maar wel heel erg verliefd.'

'Je hebt het allemaal goed bedacht.'

'Inderdaad.'

'Waarom die leugens, Georgeanne? Dacht je dat ik je niet zou helpen?'

Georgeanne keek hem even zwijgend aan voordat ze antwoordde. 'Eerlijk gezegd dacht ik niet dat jij het wilde weten, of dat je het belangrijk zou vinden. Ik kende jou niet en jij kende mij niet. Maar jouw gevoelens voor mij waren overduidelijk toen je mij de volgende ochtend zonder me nog een blik waardig te keuren dumpte bij het vliegveld.'

Zo herinnerde John zich de gebeurtenissen niet. 'Ik had wel een ticket voor je gekocht.'

'Maar je hebt me niet gevraagd of ik wel naar huis wilde.'

'Ik heb het toch voor jou geregeld.'

'Je hebt het voor jezelf geregeld.' Georgeanne staarde naar

haar handen in haar schoot. Er was zoveel tijd verstreken sinds dat verschrikkelijke moment dat de herinnering haar geen pijn meer zou moeten doen, maar toch was dat wel het geval. 'Je kon niet snel genoeg van me af komen. Het ene moment lagen we samen in bed en het volgende…'

'We lagen niet zomaar in bed; we hadden geweldige seks die nacht,' onderbrak hij haar. 'Geweldige, wilde, zweterige, hete seks.'

Georgeanne hield haar vingers stil en keek hem aan. Voor het eerst zag ze de boosheid in zijn blik. Hij was kwaad en deed zijn uiterste best haar ook kwaad te krijgen. Georgeanne kon het zich niet veroorloven zich te laten opjutten, niet nu ze juist kalm moest blijven en helder moest kunnen nadenken. 'Als jij het zegt.'

'Ik weet het zeker, en jij ook.' Hij boog zich een beetje voorover en zei zachtjes: 'En omdat ik de volgende ochtend niet meteen riep dat ik zielsveel van je hield, heb je mijn kind voor jezelf gehouden. Nou, daar kon je me goed mee terugpakken, of niet?'

'Die beslissing had niets te maken met terugpakken.' Georgeanne dacht na over die dag waarop ze erachter kwam dat ze zwanger was. Toen ze eenmaal was bijgekomen van de schok en de onzekerheid, voelde ze zich gelukkig. Het voelde alsof ze een geschenk zou krijgen. Lexie was de enige familie die Georgeanne had en ze was niet van plan haar dochter te delen. Zelfs niet met John. Helemaal niet met John. 'Lexie is van mij.'

'Je lag die nacht niet alleen in bed, Georgeanne.' John stond op. 'Als jij denkt dat ik zomaar wegga nu ik haar heb ontdekt, dan heb je het goed mis.'

Georgeanne stond ook op. 'Ik wil dat je nu vertrekt en ons uit je hoofd zet.'

'Dat had je gedroomd. Of we komen tot een overeenkomst waar we allebei mee kunnen leven, of ik stuur mijn advocaat op je af.'

Hij blufte. Dat moest wel. John Kowalsky was een sportman. Een ijshockeyster. 'Ik geloof er niets van. Ik kan me niet voorstellen dat jij echt wil dat mensen weten van jouw dochter. Dat kan je imago schaden.'

'Dan zit je ernaast. Mijn imago kan me geen reet schelen.' Hij kwam nog dichter op haar af lopen. 'Ik ben nu eenmaal geen geweldig voorbeeld als het aankomt op de goede zeden. Ik betwijfel dat een klein meisje mijn niet al te beste reputatie nog verder kan schaden.' Hij haalde zijn portefeuille tevoorschijn. 'Ik vertrek morgenmiddag, maar ik ben woensdag weer terug.' Hij pakte er een visitekaartje uit. 'Je kunt het nummer onderaan bellen. Ik neem nooit op, maar ik luister wel al mijn berichten af. Laat dus een voicemail achter. Dan bel ik je terug,' zei hij, terwijl hij een pen pakte en iets achter op het kaartje schreef. Daarna legde hij het kaartje, met de pen erbovenop, in haar hand. 'Als je me niet wilt spreken, mail me dan. Maar hoe het ook zij, als ik voor donderdag niets van je heb gehoord, dan neemt een van mijn advocaten vrijdag contact met je op.'

Georgeanne staarde naar het kaartje in haar hand. Aan de voorkant stond zijn naam in dikgedrukte letters. Daaronder stonden drie verschillende telefoonnummers en een algemeen e-mailadres. Achter op het kaartje stond zijn privételefoonnummer. 'Je kunt Lexie op je buik schrijven. Ik kan haar niet met jou delen.'

'Bel me uiterlijk donderdag op,' waarschuwde hij, en toen was hij verdwenen.

John zette zijn groene Range Rover in de vijfde versnelling en reed de snelweg op. De wind door het open raam waaide door zijn haar, maar bracht weinig verkoeling in zijn oververhitte hersenpan. Hij probeerde zijn handen te ontspannen om het stuur wat losser te kunnen vasthouden.

Lexie. Zijn dochter. Een meisje van zes dat meer make-up droeg dan een fotomodel op de catwalk. Een meisje dat een kat wilde, een hond en een varkentje. Hij tilde zijn rechterbil op en haalde het fotolijstje uit zijn achterzak. Hij zette het gestolen fotootje van zijn dochter op het dashboard. Haar grote blauwe ogen staarden hem aan en daaronder bliezen haar getuite lipjes hem een kusje toe. Hij dacht aan de kus die ze haar moeder had gegeven.

Als hij aan een kind dacht, dan dacht hij altijd aan een zoon. Hij wist niet waarom. Misschien kwam het door Toby, de zoon die hij had verloren. Hij had in elk geval altijd een zoon aan zijn zij als hij aan zichzelf als vader dacht. Vader en zoon bij ijshockey, met autootjes spelen en stoeien. Hij moest dan aan vieze vingers denken, gaten in spijkerbroeken en knieën vol korsten.

Wat wist hij nou van kleine meisjes? Wat deden kleine meisjes eigenlijk?

Hij keek nog even vlug naar het portretje. Kleine meisjes droegen groene boa's en roze cowboylaarzen en knipten het haar van hun barbies af. Kleine meisjes kletsten de oren van je hoofd en giechelden heel veel en gaven hun moeders kusjes met hun lieve mondjes.

Haar moeder. Bij de gedachte aan Georgeanne greep John het stuur nog steviger vast. Zij had zijn dochter jarenlang voor hem verborgen gehouden. Al die jaren van verlangen, van het kijken naar andere mannen met hun kinderen, terwijl hij zelf een dochter had.

Hij had zoveel gemist. Hij had haar geboorte gemist, haar eerste stapjes, haar eerste woordjes. Ze was een deel van hem. Ze deelde de helft van haar genen en chromosomen met hem. Ze was familie van hem en hij had het recht haar te leren kennen.

Georgeanne had besloten dat hij niets van haar bestaan hoefde te weten en hij kon het bittere gevoel van die daad niet los zien van de dader. Georgeanne had besloten dat hij geen deel uitmaakte van het bestaan van zijn kind en hij wist dat hij haar dat nooit zou vergeven.

Voor het eerst in vele jaren had hij grote behoefte aan een fles whisky en een glas. Geen ijs. Dat was Georgeannes schuld, want hoezeer hij haar ook haatte om wat ze had gedaan, hij haatte haar ook om het verlangen dat ze bij hem opriep.

Hoe was het mogelijk dat hij haar aan de ene kant het liefste wilde wurgen, terwijl hij aan de andere kant met zijn handen haar borsten wilde omvatten. Hij lachte plotseling. Toen hij haar had vastgepind tegen de muur had zij zijn fysieke reactie niet opgemerkt, tot zijn verbazing. Het was een reactie geweest die hij niet onder controle had.

Als het ging om Georgeanne had hij geen enkele controle over zijn lichaam. Zeven jaar geleden wílde hij haar niet. Vanaf het moment dat ze bij hem in de auto was gesprongen had hij gevoeld dat ze onheil met zich meebracht. Maar of hij nou wilde of niet, hij had zich ontegenzeggelijk tot haar aangetrokken gevoeld. Hij had op haar gereageerd, of hij nou wilde of niet. Haar verleidelijke, amandelvormige groene ogen; haar volle, filmsterachtige lippen; alles had hem in verleiding gebracht en zijn hele lichaam had op haar gereageerd, ongeacht de situatie.

Kennelijk zat er toch wat in oude gezegdes als 'oude liefde roest niet', want ook nu had hij zich weer tot haar aangetrokken gevoeld. Ondanks het feit dat ze zijn dochter voor hem verborgen had gehouden. Hij vond Georgeanne niet eens aardig, en toch wilde hij haar. Hij wilde haar overal aanraken en betasten. Hij vond zichzelf maar een ziek figuur.

Hij reed om de zuidelijke punt van het meer naar het westen toe en probeerde de beeltenis van Georgeanne in haar dunne badjas uit zijn hoofd te zetten. Af en toe wierp hij een blik op Lexie. Toen hij zijn Range Rover eindelijk had geparkeerd, pakte hij de foto en liep de steiger af naar de plek waar zijn woonboot lag. Deze had een woonoppervlakte van zevenhonderd vierkante meter, verspreid over twee verdiepingen.

Hij had de vijftig jaar oude woonboot twee jaar geleden gekocht en had een architect en een binnenhuisarchitect in de arm genomen om het gevaarte vanaf de bak opnieuw op te bouwen. Toen de klus was geklaard, was hij de trotse eigenaar van een ark met drie slaapkamers, een zadeldak, enkele balkons en grote ramen. Nog geen twee uur geleden was hij zielstevreden met zijn boot. Nu vroeg hij zich af, toen hij de sleutel in het slot had gestoken en de zware houten deur had geopend, of het wel een goede plek was voor een kind.

Lexie is van mij. Ik wil dat je nu vertrekt en ons uit je hoofd zet. Georgeannes woorden echoden na in zijn hoofd, rakelden de haat en woede weer op.

De zolen van zijn bootschoenen piepten op de onlangs gepolijste houten vloer. Op het pluchen tapijt even verderop hoorde hij zichzelf niet lopen. Hij zette het fotootje van Lexie op de lage eikenhouten salontafel die, evenals zijn vloer, de dag ervoor was geboend door zijn schoonmaakploeg. Een van zijn drie telefoons ging, hij nam niet op. Even hoopte John dat het Georgeanne zou zijn, maar toen hij zijn voicemail afluisterde, bleek het zijn agent te zijn, die hem herinnerde aan zijn vluchtschema de volgende dag. Snel begon John weer te peinzen over zijn nieuwe gezinssituatie. Hij begaf zich naar twee openslaande deuren en staarde uit over het dek van zijn woonboot.

Ik wil dat je nu vertrekt en ons uit je hoofd zet. Maar nu hij wist van haar bestaan, zou hij zijn dochter nooit uit zijn hoofd kunnen zetten. *Ik kan haar niet met jou delen.* In de verte voeren een paar kajakkers over het spiegelgladde oppervlak van het meer. Ineens draaide hij zich om en liep naar zijn woonkamer. Daar pakte hij een telefoon en draaide het privénummer van zijn advocaat, Richard Goldman. Toen hij deze even later aan de lijn had, legde hij hem de situatie voor.

'Weet je zeker dat het jouw kind is?' vroeg de advocaat.

'Ja.' Hij keek vanuit de verte naar het fotootje van Lexie op de salontafel. Hij had Georgeanne gezegd dat hij zou wachten tot vrijdag met het bellen van zijn advocaat, maar nu zag hij er geen nut in om nog langer te wachten. 'Ja, honderd procent.'

'Dat is nogal schokkend nieuws.'

Hij wilde alleen maar weten hoe hij er juridisch voor stond. 'Vertel mij wat.'

'En jij denkt niet dat ze voornemens is jou het meisje opnieuw te laten ontmoeten?'

'Nee, daar was ze heel duidelijk in.' John pakte een grote steen van zijn bureau, gooide hem omhoog en ving hem weer op. 'Ik wil mijn dochter niet van haar moeder afpakken. Ik wil Lexie geen pijn doen, maar ik wil haar wel zien. Ik wil haar leren kennen en ik wil dat zij mij leert kennen.'

Er viel een stilte, waarna Richard opmerkte: 'Ik ben niet gespecialiseerd in familierecht, John. Het enige wat ik voor je kan betekenen is een goeie advocaat zoeken op dat gebied.'

'Daarom bel ik jou ook. Ik wil een heel goede.'

'Dan heb je Kirk Schwartz nodig. Hij is de beste familieadvocaat die er is, de beste.'

'Mammie, Amy heb net zo'n Skipper als ik en we speelden met onze Skippers en dat ze allebei verliefd waren op Ken.'

'Hmm.' Georgeanne draaide een paar slierten spaghetti aan haar vork, versierd met een klassiek motief. Terwijl ze haar vork ronddraaide, staarde ze naar het broodmandje op het midden van de tafel. Ze was doodop, alsof ze een zwaar gevecht had moeten leveren, en tegelijkertijd ook rusteloos.

'En toen maakten we kleertjes voor onze Skippers van papieren zakdoekjes en de mijne was een prinses en toen had ik een schoenendoos als auto. Maar Ken mocht niet rijden, want hij heb al een bon en hij vindt Amy's Skipper liever dan de mijne.'

'Hmm.' Keer op keer speelde Georgeanne in haar hoofd af wat er die ochtend was gebeurd. Ze probeerde Johns exacte woorden te reconstrueren en de manier waarop hij ze gezegd had. Ook probeerde ze haar eigen antwoorden te achterhalen, maar ze kon zich niet alles meer herinneren. Ze was in de war en bang.

'Barbie was de moeder en Ken de vader en toen gingen we naar de speeltuin en picknickten onder een grote boom. En ik had toverschoenen en kon nog hoger vliegen dan het hoogste gebouw. En toen vloog ik naar het dak...'

Ze had zeven jaar geleden echt de juiste beslissing genomen. Dat wist ze absoluut zeker.

'Maar Ken dronk te veel en toen moest Barbie hem naar huis rijden.'

Georgeanne keek naar haar dochter. Lexie zoog net een spaghettisliert naar binnen. Alle make-up was van haar gezicht verdwenen en haar donkerblauwe ogen glommen vanwege haar spannende verhaal. 'Wat? Wat vertel je allemaal?' vroeg Georgeanne.

Lexie likte haar mondhoeken af en slikte. 'Amy zegt dat haar vader biertjes drinkt in de kroeg en dan moet Amy's moeder hem komen halen. Hij moet een bekeuring,' kondigde Lexie aan. Ze draaide haar vork in de spaghetti. 'Amy zegt ook dat hij in zijn onderbroek rondloopt en dan aan zijn billen krabt.'

Georgeanne fronste haar wenkbrauwen. 'Dat doe jij ook.'

'Ja, maar hij is groot en ik ben maar een kind,' zei Lexie schouderophalend, terwijl ze nog een hap spaghetti nam. Er gleed een sliert langs haar kin en ze zoog hem snel naar binnen.

'Heb jij Amy weer zitten uithoren over haar vader?' vroeg Georgeanne voorzichtig. Af en toe stelde Lexie aan iedereen vragen over vaders en dochters. Ook Georgeanne moest regelmatig moeilijke vragen beantwoorden. Maar aangezien Georgeanne alleen maar door haar grootmoeder was opgevoed, kon ze die niet allemaal beantwoorden.

'Nee,' antwoordde Lexie met volle mond. 'Dat vertelt ze me gewoon.'

'Niet praten met je mond vol, alsjeblieft.'

Lexie kneep haar ogen dicht en reikte naar haar glas melk. Na een luidruchtige slok zette ze het glas met een klap terug en zei: 'Dan moet jij geen vragen stellen als ik kauw.'

'O, sorry.' Georgeanne legde haar vork op tafel en vouwde haar armen over elkaar. In gedachten ging ze weer terug naar haar ontmoeting met John. Ze had niet gelogen over haar redenen om Lexies bestaan geheim te houden voor hem. Ze had echt gedacht dat hij dat niet wilde weten of dat het hem niets kon schelen. Maar haar belangrijkste reden was een heel egoïstische geweest. Zeven jaar geleden was ze eenzaam en alleen geweest. Toen ze Lexie had gekregen was ze niet meer alleen. Haar dochter had de lege plekjes in Georgeannes hart opgevuld. Ze had een dochter die onvoorwaardelijk van haar hield. Dat was dan wel egoïstisch en hebberig, maar dat kon haar niets schelen. Ze moest zowel een moeder als een vader zijn en dat was voldoende. 'We hebben al een tijdje geen theepartijtje gehad. Ik werk morgen thuis. Zullen we morgen theedrinken?'

Lexies gezicht klaarde op en haar melksnor krulde bij haar mondhoeken omhoog. Toen knikte ze zo hevig dat haar paardenstaart op en neer wipte.

Georgeanne moest lachen. Zeven jaar geleden had ze haar schepen achter zich verbrand en nooit meer achteromgekeken. Ze was erin geslaagd een goed bestaan op te bouwen voor zichzelf en voor Lexie. Ze was partner in een succesvol bedrijfje, ze had een hypotheek en een eigen huis en een maand geleden had ze een nieuwe auto gekocht. Lexie was gezond en gelukkig. Ze had geen vader nodig. Ze had John niet nodig.

'Als je klaar bent, moet je even je roze jurk aantrekken om te zien of hij nog past.' Georgeanne pakte haar bord van tafel en liep ermee naar de keuken. Zij had haar vader nooit gekend en ook zij had het overleefd. Ze had nooit op haar vaders schoot kunnen kruipen om lekker dicht tegen hem aan te liggen en zijn geruststellende hartslag te horen. Nooit gevoeld hoe het was om veilig je vaders armen om je heen te hebben, of zijn stemgeluid te horen. Dat had ze nooit gehad en toch ging het nog steeds goed met haar.

Ze keek via het keukenraam boven het aanrecht naar de tuin. Dat gevoel had ze nooit gehad, maar wel had ze er allerlei fantasieën over gehad.

Ze wist nog dat ze over schuttingen keek als de buren aan het barbecueën waren. Ze wist nog dat ze op haar blauwe fiets met het witte zadel naar het benzinestation reed om te zien hoe de man daar banden verwisselde, gefascineerd door zijn grote zwarte handen. Ze wist nog dat ze 's avonds op de veranda van haar grootmoeder zat, een verward en nieuwsgierig meisje met een lange donkere paardenstaart en rode cowboylaarzen, als de vaders van de kinderen uit haar buurt uit hun werk kwamen. Dan wenste ze dat ze ook een vader had. Ze had zich zitten afvragen wat vaders deden als ze thuiskwamen. Dat wist ze niet, omdat ze er geen had.

Georgeanne schrok op van het geluid van Lexies voetstappen op de keukenvloer. 'Helemaal klaar?' vroeg ze terwijl ze het bord en het glas aannam. 'Ik denk dat je nu wel groot genoeg bent om morgen zelf de thee in te schenken.'

'Joepie!' Lexie klapte opgewonden in haar handen en sloeg toen haar armpjes om Georgeannes bovenbenen. 'Ik hou van je, mammie,' zuchtte ze.

'Ik hou ook van jou.' Georgeanne keek liefdevol naar haar dochters hoofd en legde zacht haar hand op het smalle ruggetje. Haar grootmoeder had veel van haar gehouden, maar die liefde was niet voldoende geweest om de leemte in haar op te vullen. Niemand had dat lege gevoel kunnen wegnemen, behalve Lexie.

Georgeanne wreef zachtjes over haar dochters rug. Ze was heel trots op alles wat ze had bereikt. Ze had geleerd om te gaan met haar dyslexie in plaats van het te verbergen. Ze had hard gewerkt om haar leven op orde te krijgen en alles wat ze nu bezat, alles wat ze nu deed, had ze helemaal zelf bereikt. Ze was gelukkig.

Hoofdstuk 8

Gespierde lijven duwden vasthoudend tegen elkaar aan, hockeysticks sloegen hard tegen het ijs en het gebrul van duizenden toeschouwers vulde Johns woonkamer. Op zijn grote scherm speelden de New York Rangers en het ging er hard aan toe.

'Tjezus, hij neemt die gast wel flink hard te grazen.' Met een bewonderende glimlach keek John van het scherm naar zijn drie gasten: Hugh 'De Neanderthaler' Miner, Dimitri 'Tree' Ulanov en Claude 'De Doodgraver' Dupree.

De drie waren teamgenoten van hem en waren eigenlijk langsgekomen om te kijken naar een honkbalwedstrijd. Maar hun plezier had slechts twee innings geduurd, toen had Hugh gezegd: 'Die gasten verdienen meer dan wij en ze doen eigenlijk geen reet.' Waarna ze een opname van de kampioenswedstrijd van 1994 waren gaan bekijken.

'Heb je die oren gezien van die Rus?' vroeg Hugh. 'Wat een bloemkooloren.'

Terwijl er bloed stroomde uit de gebroken neus van zijn tegenstander, schaatste de aanvaller met veel misnoegen naar de kant; hij werd geschorst.

'Maar ook mooie krullen,' vond Claude met zijn Franse accent. 'Net een meisje.'

Dimitri zat met open mond te kijken hoe de Rus naar de kleedkamer werd geëscorteerd. Nu keek hij verbaasd naar zijn medespeler. 'Is hij net meisje?'

Hugh grinnikte hoofdschuddend en keek naar John. 'Wat denk jij, Wall?'

'Nee, geen net meisje. Daarvoor mept hij te hard.'

'Maar hij draagt wel gouden kettingen,' vond Hugh, die bekendstond om zijn provocerende opmerkingen. 'Dat vind ik behoorlijk meisjesachtig.'

Dimitri wees verontwaardigd naar de gouden kettingen om zijn eigen nek. 'Kettingen is niet alleen voor meisjes!'

'Misschien,' zei Hugh. 'Maar ik weet één ding: hoe meer kettingen een vent om zijn nek heeft, hoe kleiner zijn pik.'

'Niet waar!' Dimitri stoof op.

Grinnikend legde John een arm over de leuning van de bank. 'Hoe weet jij dat nou, Hugh? Kijk jij soms stiekem onder de douche?'

Hugh stond op en wierp zijn lege blikje naar John. Hij kreeg een blik in zijn ogen die John maar al te goed kende. Die kreeg 'De Neanderthaler' altijd als hij vanaf zijn lijn voor het doel een doorgebroken speler stond op te wachten. 'Ik sta al mijn hele leven met kerels onder de douche en ik hoef echt niet stiekem te kijken om te weten dat de gozers met het meeste goud om hun nek de kleinste pikkies hebben.'

Claude lachte nu voluit en Dimitri schudde zijn hoofd. 'Niet waar.'

'Echt waar, Tree,' verzekerde Hugh hem, terwijl hij naar de keuken liep. 'In Polen mag je dan wel een stoere gozer zijn als je veel kettingen om hebt, hier in Amerika, waar jij nu overigens woont, loop je dan eigenlijk alleen maar rond te bazuinen dat je een klein piemeltje hebt. Als je niet voor paal wilt lopen in dit land, moet je wel weten hoe het zit.'

'Of als je leuke Amerikaanse meisjes wilt ontmoeten,' voegde John eraan toe.

De deurbel ging op het moment dat Hugh erlangs liep. 'Zal ik opendoen?'

'Doe maar, dat is vast Heisler,' antwoordde John, doelend op de jongste aanwinst van de Chinooks. 'Die zei dat hij ook nog langs zou komen.'

'John.' Bezorgd kwam Dimitri naast hem zitten. 'Is dat waar? Amerikaanse meisjes denken jij hebt kleine piemel met kettingen om?'

John moest moeite doen om niet in lachen uit te barsten. 'Ja, Tree. Het is waar. Hoeveel meisjes zijn er al met jou uit geweest?'

Dimitri keek teleurgesteld en ging snel weer op zijn eigen stoel zitten.

John hield het niet meer en barstte in lachen uit. Hij keek naar Claude, die ook niet meer wist hoe hij het had met de verwarring op Dimitri's gezicht.

'Uh, Wall, het is Heisler niet.'

John keek achterom en het lachen verging hem direct toen hij zag dat Georgeanne achter Hugh de kamer binnen was gekomen.

'Als ik stoor, dan kom ik een andere keer wel terug, hoor.' Met grote ogen keek Georgeanne van de ene man naar de andere en ze deed schielijk een paar passen achteruit.

'Nee.' John sprong op, geschrokken door haar plotselinge verschijning. Hij griste de afstandsbediening van de salontafel en klikte de tv uit. 'Nee, niet weggaan.'

'Maar je hebt gasten en je hebt het druk en ik had even moeten bellen.' Ze keek naar Hugh, die naast haar stond, en toen weer naar John. 'Eerlijk gezegd belde ik ook, maar je nam niet op. Toen herinnerde ik me dat jij me had verteld dat je nooit de telefoon opneemt, dus daarom dacht ik, dan rijd ik er wel naartoe en... nou, wat ik wilde zeggen is...' Ze wapperde wat met haar hand en nam een diepe ademteug. 'Ik weet dat je nooit onaangekondigd langs moet komen, maar zou ik je even een paar minuutjes alleen kunnen spreken?'

Het was duidelijk dat Georgeanne zich niet op haar gemak voelde, met vier grote ijshockeyspelers om haar heen. John vond het bijna zielig. Bijna. Hij was alleen nog niet vergeten wat ze had gedaan, wat ze níét had gedaan. 'Geen punt.' Hij liep om de tafel heen naar haar toe. 'We kunnen even naar boven lopen of anders naar buiten, naar het terrasdek.'

Weer wierp Georgeanne een blik op de drie andere mannen die aanwezig waren. 'Het dek is het beste, denk ik.'

'Prima.' John gebaarde naar de openslaande deuren aan de andere kant van de kamer. 'Ga je gang.' Terwijl ze langs hem liep,

nam hij haar verschijning nauwkeurig op. Ze droeg een mouwloze rode jurk die hoog was dichtgeknoopt, die haar zachte schouders en haar borsten op hun voordeligst toonde. De jurk kwam
tot haar knieën maar zat niet extreem strak. Toch was het haar
gelukt eruit te zien als zijn favoriete maaltje, ingepakt in een rood
verrassingspakket. Het enige wat ontbrak was de strik. Toch irriteerde het hem dat hij naar haar moest kijken. Hij keek even naar
Hugh. Die stond Georgeanne na te kijken alsof hij haar ergens
van herkende, maar niet meer wist waarvan. En al deed Hugh
soms alsof hij niet helemaal snugger was, hij was bepaald niet
achterlijk en het zou niet lang meer duren of hij wist weer precies
dat zij het weggelopen bruidje van Virgil Duffy was. Zeven jaar
geleden speelden Claude en Dimitri nog niet voor de Chinooks,
maar zij hadden het hele verhaal ongetwijfeld gehoord.

John begaf zich naar de openslaande deuren en hield er eentje
open voor Georgeanne. Daarna draaide hij zich weer om en zei
tegen zijn maten: 'Ik zie jullie zo.'

Claude keek Georgeanne goedkeurend na. 'Neem gerust je tijd.'

Dimitri zei helemaal niets; dat was niet nodig. Het feit dat hij
zijn opvallende gouden kettingen had afgedaan zei meer dan de
dommige uitdrukking op zijn gezicht.

'Het duurt niet lang,' zei John met een frons op zijn gezicht,
waarna hij naar buiten stapte en de deur achter zich sloot. Een
zacht briesje deed de blauw met groene vlag op de achtersteven
wapperen. De golven kabbelden zachtjes tegen het motorsloepje
dat daar was vastgemaakt. De krachtige avondzon gaf het water-
oppervlak een diep oranje kleur. Een zeilboot voer statig voorbij. De mensen aan boord riepen wat naar John en hij zwaaide
automatisch terug. Toch bleef zijn aandacht gevestigd op de
vrouw die aan de rand van het dek met haar hand boven haar
ogen in de verte staarde.

'Is dat het park?' wees ze.

Georgeanne was een mooie vrouw en een verleidelijke vrouw
en tegelijkertijd was ze zo slecht dat hij haar graag het water in
had gegooid. 'Kwam je langs om van het uitzicht te genieten?'

Ze liet haar hand vallen en keek achterom. 'Nee,' antwoordde ze en ze draaide zich helemaal om. 'Ik wilde met je praten over Lexie.'

'Ga zitten.' Hij wees naar een paar dekstoelen en ging tegenover haar zitten, met zijn voeten ver uit elkaar gezet en zijn handen op de leuningen.

'Ik heb je echt gebeld.' Ze keek hem vluchtig aan, maar liet haar blik al snel weer zakken. 'Ik kreeg je voicemail en ik wilde niet zomaar een boodschap inspreken. Wat ik je wilde zeggen is daar te belangrijk voor, maar ik wilde ook niet wachten tot je weer terug was van je reis. Daarom heb ik het erop gewaagd en ben hiernaartoe gereden.' Ze keek weer even naar hem, maar draaide haar hoofd al snel weer weg. 'Het spijt me echt als ik je stoor bij iets belangrijks.'

Op dit moment kon John niet iets belangrijkers bedenken dan datgene wat Georgeanne hem kwam vertellen. Want of het nou goed of slecht nieuws was, het zou in elk geval een grote impact hebben op zijn leven. 'Je stoort helemaal niet.'

'Goed.' Nu keek ze hem eindelijk wat langer aan en er verscheen zelfs een klein glimlachje op haar gezicht. 'Ik neem aan dat je niet van plan bent om Lexie en mij met rust te laten?'

'Nee,' antwoordde hij direct.

'Dat dacht ik al.'

'Waarom ben je hier dan?'

'Omdat ik alleen maar wil wat het beste is voor Lexie.'

'Dan willen we allebei hetzelfde. Alleen denk ik niet dat we het eens zijn over wat precies het beste is voor Lexie.'

Georgeanne liet haar hoofd vallen en zuchtte. Ze was nerveus. Ze hoopte dat John niets zou merken van haar gespannenheid. Ze moest zorgen dat ze de boel weer onder controle kreeg, niet alleen haar emoties, maar liefst de hele situatie. Ze kon niet toestaan dat John en zijn advocaten haar leven zouden bepalen en zouden dicteren wat het beste was voor Lexie. Zo ver mocht ze het niet laten komen. Het was Georgeanne en niet John die zou bepalen hoe de dingen zouden lopen. 'Vanochtend zei je dat je van plan was een advocaat te bellen,' begon ze. Haar blik rustte even op zijn grijze T-shirt, alvorens via zijn ongeschoren kin naar zijn diepblauwe ogen te dwalen. 'Ik denk dat we wel tot cen redelijke overeenkomst kunnen komen zonder advocaten. Een rechtszaak zou Lexie geen goed doen; ik wil niet dat er advocaten bij betrokken moeten worden.'

'Dan moet je me een alternatief bieden.'

'Oké,' zei Georgeanne langzaam. 'Ik denk dat Lexie jou moet leren kennen als een vriend.'

Hij trok een van zijn wenkbrauwen hoog op. 'En?'

'En dan kun jij haar in die hoedanigheid ook leren kennen.'

John keek haar een paar tellen zwijgend aan. 'Dat is het? Dat is jouw redelijke voorstel?'

Georgeanne had hier helemaal geen trek in. Ze wilde dit niet zeggen, maar John dwong haar er gewoon toe. Ze haatte hem. 'Als Lexie jou goed genoeg kent en zich bij jou op haar gemak voelt, en als ik denk dat het zover is, dan zal ik haar vertellen dat jij haar vader bent.' En dan heeft mijn kind een hekel aan mij omdat ik tegen haar gelogen heb.

John hield zijn hoofd een beetje schuin. Hij keek niet bepaald blij. 'Dus,' begon hij, 'ik moet wachten tot jíj eraan toe bent om het haar te vertellen?'

'Ja.'

'Leg me dat eens uit, Georgie.'

'Niemand noemt me nog Georgie.' Ze had haar oude, flirterige manier van omgaan met mannen al lang geleden afgezworen. Ze was Georgie Howard niet meer. 'Ik heb liever dat je me Georgeanne noemt.'

'Het kan me niet schelen wat jij liever hebt.' Hij vouwde zijn armen over zijn brede borstkas. 'Wil je me nu alsjeblieft uitleggen waarom ik op jou zou moeten wachten, Georgeanne?'

'Omdat dit ongetwijfeld een enorme schok voor haar zal zijn en ik het zo zorgvuldig mogelijk wil aanpakken. Mijn dochter is pas zes jaar oud en een rechtszaak zou haar onnodig traumatiseren en in de war maken. Ik wil niet...'

'Ten eerste,' onderbrak John haar, 'is het meisje waar jij het over hebt niet alleen jouw dochter maar ook de mijne. Ten tweede hoef jij mij hier niet af te schilderen als de boosdoener. Ik zou niet met een advocaat hebben hoeven schermen als jij me niet zo duidelijk had gezegd dat ik Lexie van jou niet mocht zien.'

Georgeanne voelde de boosheid bij haar weer opsteken en telde tot drie. 'Nou, ik ben van gedachten veranderd.' Ze kon het zich niet veroorloven het gevecht met hem aan te gaan. Tenminste, nu nog niet. Niet tot ze een paar afspraken hadden gemaakt.

John liet zich verder in zijn stoel zakken en stak zijn handen in zijn zakken. Uit zijn houding sprak wantrouwen.

'Geloof je me soms niet?'

'Eerlijk gezegd niet, nee.'

Toen ze hier vanavond naartoe was komen rijden, had ze diverse en-dan-zegt-hij-dit-en-dan-zeg-ik-dat-scenario's door haar hoofd laten spelen, maar ze had nooit gedacht dat hij haar niet zou geloven. 'Vertrouw je me dan niet?'

Hij keek haar aan alsof ze gek was. 'Voor geen meter.'

Dan stonden ze quitte, wat Georgeanne betrof; zij vertrouwde hem ook niet. 'Ook goed. We hoeven elkaar niet te vertrouwen, zolang we maar iets beslissen wat het beste is voor Lexie.'

'Ik wil haar ook geen pijn doen. Maar zoals ik al eerder zei, ik denk niet dat we het eens kunnen worden over wat dan wel het beste is. Ik weet zeker dat jij het heerlijk zou vinden als ik hier ter plekke dood neerval, maar dat ga ik zeker niet doen. Ik wil Lexie graag leren kennen en ik wil dat zij mij ook leert kennen. Als jij denkt dat het beter is te wachten met vertellen dat ik haar vader ben, dan wachten we daarmee. Jij kent haar beter dan ik.'

'Ik wil het haar zelf vertellen, John.' Nu verwachtte ze dat hij weer zou tegenstribbelen en ze was verbaasd toen dat niet gebeurde.

'Goed dan.'

'Ik wil graag dat je me je woord geeft,' drong ze aan. Ze was er niet helemaal van overtuigd dat John niet na een paar maanden zou terugkrabbelen en misschien zou vinden dat het vaderschap hem toch niet lag. Als hij dan Lexie in de steek zou laten, terwijl ze wist dat hij haar vader was, zou haar hart gebroken zijn. En Georgeanne wist uit ervaring dat in de steek gelaten worden door een ouder een erger trauma opleverde dan die ouder helemaal niet kennen. 'Ik ben degene die haar de waarheid vertelt.'

'Ik dacht dat we elkaar niet vertrouwden. Wat heb je dan aan mijn woord?'

Daar had hij een punt. Georgeanne dacht er even over na. Maar omdat ze geen alternatief had zei ze: 'Ik zal je vertrouwen als je mij je woord geeft.'

'Dat heb je bij dezen, maar verwacht niet dat ik te lang blijf wachten,' waarschuwde hij. 'Ik wil haar zien zodra ik weer terug ben.'

'Dat is de andere reden waarom ik langskwam,' zei Georgeanne, terwijl ze opstond. 'Aanstaande zondag willen Lexie en ik gaan picknicken in het Marymoor Park. We zouden het leuk vinden als jij ook komt, als je geen andere plannen hebt.'

'Hoe laat?'

'Rond twaalven.'

'Moet ik iets meenemen?'

'Lexie en ik nemen alles mee, behalve alcoholische versnaperingen. Als jij een biertje wil drinken, moet je dat zelf meenemen. Al vind ik het natuurlijk prettiger als je dat niet doet.'

'Dat is geen probleem.' Hij stond ook op.

Georgeanne keek naar hem op, ze was elke keer weer verrast door zijn lengte en de breedte van zijn schouders. 'Ik neem zelf een vriendin mee, dus je mag wat mij betreft ook iemand meenemen.' Toen voegde ze er glimlachend aan toe: 'Al heb ik liever niet dat je een ijshockeygroupie meeneemt.'

John keek haar bozig aan. 'Dat is ook geen punt.'

'Mooi.' Ze wilde weglopen, maar bedacht zich en draaide zich om. 'We moeten natuurlijk wel net doen alsof we elkaar aardig vinden.'

Hij staarde haar aan, met dichtgeknepen ogen en samengeperste lippen. 'Dat zou nog wel eens een probleem kunnen opleveren.'

Georgeanne stopte haar dochter stevig in onder haar dekbed en keek nog eens in de slaperige oogjes. Lexies donkere krullen lagen verspreid over het kussen en ze zag bleek om haar neus van de vermoeidheid. Toen ze een baby was, deed ze Georgeanne altijd denken aan een opwindpoppetje. Het ene moment was ze nog uitgebreid aan het kruipen en spelen op de vloer, en het volgende krulde ze zich op diezelfde vloer op en viel in slaap. Ook nu nog viel Lexie, als ze moe was, vrij snel in slaap, wat Georgeanne eigenlijk wel prettig vond. 'Morgen gaan we theepartijtje doen, na *As the World Turns*.' Het was al ruim een week geleden dat ze samen een aflevering van hun favoriete soap hadden gezien.

'Oké,' gaapte Lexie.

'Geef me nog een laatste kusje,' beval Georgeanne, en toen Lexie haar lippen tuitte, boog ze zich voorover om er een kusje op te drukken. 'Ik ben dol op je lieve snuitje,' zei ze zacht. Daarna stond ze op.

'En ik op jouw snuitje. Komt Mae morgen theedrinken?' Lexie ging op haar zij liggen en drukte haar gezicht in het Muppet-dekentje dat ze als baby al had gehad.

'Ik zal het haar vragen.' Georgeanne stapte over een barbie-camper en een stapel ontklede poppen heen. 'Godsammekrake, wat een zootje is het hier!' mopperde ze, terwijl ze bijna over een toverstaf met lange paarse linten struikelde toen ze de kamer verliet. Ze keek nog een laatste keer over haar schouder en zag dat Lexie haar ogen al dicht had. Ze sliep al bijna. Georgeanne knipte het licht uit, deed de deur dicht en liep de gang door.

Al voordat ze de woonkamer binnenkwam, voelde ze het on-geduld van Mae, die op haar zat te wachten. Eerder die avond, toen Georgeanne aan Mae had gevraagd of ze even op Lexie kon passen, had ze kort de situatie met John uitgelegd. In het uur dat ze hadden zitten wachten tot Lexie naar bed zou gaan, had ze al gezien dat Mae bijna uit elkaar klapte omdat ze allerlei vragen wilde stellen.

'Slaapt ze?' vroeg ze dus op fluistertoon toen Georgeanne de kamer binnenkwam.

Georgeanne knikte en ging naast Mae op de bank zitten. Ze pakte een kussentje vast en legde het op haar schoot.

'Ik heb er eens over zitten nadenken,' begon Mae, 'en nu snap ik het allemaal wat beter.'

'Wat allemaal?' vroeg ze, terwijl ze bedacht dat het nieuwe, kortere kapsel van Mae haar veel beter stond. Het deed haar een beetje denken aan Meg Ryan.

'Nou, bijvoorbeeld dat we allebei een hekel hebben aan van die sportieve types. Je weet dat ik er al een hekel aan heb sinds de middelbare school, omdat ze Ray altijd in elkaar wilden slaan. En ik dacht altijd dat jij een hekel aan ze had vanwege je tieten,' zei ze, waarbij ze met haar handen een gebaar maakte alsof ze twee grote meloenen beethad. 'Ik dacht altijd dat je bijna was aangerand door een heel footballteam of zoiets vreselijks, maar er liever niet over wilde praten.' Ze liet haar handen in haar schoot vallen. 'Maar ik had nooit gedacht dat het was omdat Lexies vader een sportman is. Ik zie het trouwens wel; zij is veel atletischer dan jij.'

'Ja, dat klopt. Maar dat zegt natuurlijk niets.'

'Weet je nog toen ze vier was en we de zijwieltjes van haar fiets haalden?'

'Die heb jij eraf gehaald.' Georgeanne keek in Mae's bruine ogen. 'Ik wilde ze liever laten zitten, anders zou ze vallen.'

'Weet ik, maar ze waren toch al verbogen en ze raakten de grond niet eens meer. Ze hadden geen nut meer.' Mae wuifde Georgeannes bezorgdheid weg. 'Ik dacht toen al dat Lexie haar gevoel voor evenwicht van haar vader moest hebben geërfd, want van jou heeft ze het in elk geval niet.'

'Da's ook niet aardig!' protesteerde Georgeanne, maar echt beledigd was ze niet. Het was de waarheid.

'Maar ik had echt nooit kunnen vermoeden dat John Kowalsky Lexies vader is. Mijn god, Georgeanne, die man speelt ijshockey!' Ze sprak de laatste twee woorden uit alsof ze het over een seriemoordenaar had.

'Weet ik.'

'Heb je hem wel eens zien spelen?'

'Nee.' Ze tuurde naar het kussen op haar schoot en zag een bruine vlek in een hoek. 'Maar ik heb wel eens beelden gezien tijdens het sportjournaal.'

'Ik heb hem in het echt zien spelen! Ken je Don Rogers nog?'

'Natuurlijk.' Ze pulkte aan het vlekje op het kussen. 'Je hebt een paar maanden iets met hem gehad, maar toen heb je hem gedumpt omdat je vond dat hij te intensief en te vreemd met zijn labrador omging.' Ze zweeg even en richtte haar aandacht op Mae. 'Heb jij Lexie hier in de kamer laten eten? Volgens mij zit er chocola op dit kussen.'

'Ach, laat dat kussen toch zitten,' zuchtte Mae. Ze haalde haar handen door haar korte blonde haar. 'Don was een ontzettende Chinooks-fan en ik ben een keer met hem naar een wedstrijd geweest. Ik stond er versteld van hoe hard die jongens elkaar slaan. En degene die het hardste sloeg was John Kowalsky. Die avond slingerde hij een jongen door de lucht die drie salto's maakte voordat hij hard op het ijs smakte. Kowalsky deed daar heel nonchalant over.'

Georgeanne vroeg zich af waar dit toe moest leiden. 'Wat heeft dat met mij te maken?'

'Je bent met hem naar bed geweest! Ik kan het me gewoon niet voorstellen. Hij is niet alleen een sportman, hij is nog een klootzak ook!'

Hoewel Georgeanne het met haar eens was, werd ze er toch een beetje chagrijnig van. 'Dat was heel lang geleden. Trouwens, ik zou mijn mond maar houden als ik jou was.

'Wat bedoel je daarmee?'

'Daarmee bedoel ik dat iemand die met Bruce Nelson het bed in gedoken is, geen recht van spreken heeft.'

Mae sloeg gepikeerd haar armen over elkaar. 'Zo erg was ie nou ook weer niet,' mopperde ze.

'Echt niet? Het was een miezerig moederskindje, en jij ging alleen maar met hem om omdat je de baas over hem kon spelen – net als over alle mannen met wie je ooit verkering hebt gehad.'

'Ik heb tenminste regelmatig seks.'

Dit gesprek hadden ze al verschillende keren gevoerd. Mae vond Georgeannes gebrek aan seks ongezond, terwijl Georgeanne vond dat Mae eens wat vaker het woordje 'nee' moest hanteren.

'Weet je, Georgeanne, helemaal geen seks hebben is niet normaal en dat wreekt zich. Bruce was trouwens niet miezerig, hij was schattig.'

'Schattig? Hij woonde nog bij zijn moeder thuis. Hij deed me denken aan mijn achterneef Billy Earl uit San Antonio. Billy Earl woonde nog bij zijn moeder toen zij ging hemelen en je mag van mij aannemen dat hij zo gestoord was als ik weet niet wat. Hij stal leesbrillen van mensen, voor het geval hij die ooit nodig zou hebben. Maar dat was nooit zo, want al mijn familieleden hebben heel goede ogen. Mijn grootmoeder zei altijd dat we voor hem moesten bidden dat hij niet bang zou worden voor gaatjes in zijn tanden, anders zouden mensen met kunstgebitten niet veilig zijn in zijn omgeving.'

Mae lachte hard. 'Jij altijd met je verhalen.'

Georgeanne stak haar rechterhand op. 'Echt, ik zweer het je. Billy Earl was zo gek als een deur.' Ze keek weer naar het kussentje en streek er met haar hand overheen. 'Nou ja, blijkbaar was je dol op Bruce, anders was je niet met hem naar bed geweest. Soms kiest je hart voor je.'

'Hé.' Mae klopte op de rug van de bank om Georgeannes aandacht te trekken. Toen deze opkeek, vertelde Mae: 'Ik vond Bruce helemaal niet zo leuk. Ik vond hem inderdaad zielig en ik had al heel lang geen seks meer gehad, maar dat is de verkeerde reden om met iemand de koffer in te duiken. Ik raad het je niet aan. Als het zonet leek alsof ik je veroordeelde, dan spijt me dat. Ik bedoelde het niet zo, oké?'

'Weet ik toch,' antwoordde Georgeanne luchtig.

'Mooi zo. Vertel eens. Wanneer heb je die John Kowalsky voor het eerst ontmoet?'

'Wil je alle details?'

'Yep.'

'Oké. Weet je nog dat we elkaar voor het eerst zagen? Toen ik dat roze jurkje droeg?'

'Jazeker, dat was je trouwjurk voor Virgil Duffy.'

'Precies.' Jaren geleden had Georgeanne Mae verteld over het misgelopen huwelijk, maar dat ze met John had gevreeën, had ze achterwege gelaten. Nu vertelde ze Mae alles, behalve de intiemste details. Ze was nooit iemand geweest die heel openlijk over seks kon praten. Haar grootmoeder had er zeker nooit over gesproken. Alles wat ze over seks wist, had ze op school geleerd, tijdens biologie, of van onhandige vriendjes die niet wisten hoe ze het haar naar de zin konden maken, of daar geen belangstelling voor hadden.

Toen had ze John ontmoet en hij had haar dingen geleerd die ze niet voor mogelijk had gehouden. Hij had haar in vuur en vlam gezet met zijn warme handen en hongerige mond en zij had hem aangeraakt op manieren waarover ze alleen maar had horen fluisteren. Hij had ervoor gezorgd dat ze hem zo graag wilde dat ze alles had gedaan wat hij voorstelde, en meer dan dat.

Nu dacht ze niet graag meer terug aan die nacht. Ze herkende de jonge vrouw die haar lichaam en haar liefde zo gretig had gegeven niet meer. Die vrouw bestond niet meer en ze had geen behoefte om over haar te praten.

Dus sloeg ze de saillante details over en vertelde Mae over het gesprek dat ze die ochtend met John had gehad en hun overeenkomst van die avond. 'Ik weet niet hoe het allemaal gaat uitpakken, ik hoop alleen dat Lexie er niet de dupe van wordt,' sloot ze haar verhaal af. Ze was kapot.

'Ga je het Charles vertellen?' vroeg Mae.

'Dat weet ik niet,' antwoordde Georgeanne. Ze leunde naar achteren en drukte het kussentje tegen haar borst. 'Ik ben maar twee keer met hem uit geweest.'

'Ga je hem weer zien?'

Georgeanne dacht aan de man met wie ze de afgelopen maand contact had. Ze had hem ontmoet omdat hij Crane Catering had ingehuurd voor zijn dochters tiende verjaardag. De dag erna had hij haar opgebeld en waren ze samen uit eten geweest in een duur restaurant. Georgeanne glimlachte. 'Ik hoop het.'

Charles Monroe was de meest fatsoenlijke man die Georgeanne ooit was tegengekomen. Hij was de eigenaar van een lokaal televisiestation en was rijk, gescheiden, en had een leuke glimlach, die je terugzag in zijn grijze ogen. Hij kleedde zich niet opvallend. Hij was niet vreselijk knap en ze voelde weinig als hij haar zoende. Het voelde alleen prettig, rustig en ontspannen.

Charles zou haar nooit zomaar beetpakken. Georgeanne zag zichzelf op termijn wel een langdurige relatie met hem hebben. Ze vond hem heel aardig en wat nog belangrijker was, Lexie vond hem ook aardig. 'Ik denk dat ik het hem wel zal vertellen.'

'Ik denk niet dat hij dit leuk zal vinden,' voorspelde Mae.

Georgeanne keek naar haar vriendin. 'Waarom niet?'

'Omdat John Kowalsky een lekker ding is, al val ik niet op sportieve types, en Charles geheid jaloers is. Hij maakt zich vast zorgen dat er nog iets speelt tussen jou en die ijshockeyer.'

Zelf dacht ze dat Charles eerder boos zou worden omdat ze hem haar standaard leugentje had verteld over de vader van Lexie, maar ze was niet bezorgd dat hij jaloers zou worden. 'Charles hoeft zich geen zorgen te maken,' zei ze stellig, alsof ze zeker wist dat ze nooit meer iets voor John zou voelen. 'En trouwens, zelfs als ik ooit zo gek word dat ik weer voor John val, gebeurt er nog niks. Hij haat mij. Hij kijkt niet eens naar me.' Het idee van een opbloeiende romance tussen hen beiden was belachelijk. 'Ik breng Charles wel op de hoogte als ik donderdag met hem ga lunchen.'

Maar vier dagen later, toen ze met Charles in een bistrootje zat, kreeg ze de kans niet om hem iets te vertellen. Voordat ze kon uitleggen wat er met John was gebeurd, had Charles haar volledig van haar stuk gebracht.

'Wat denk je ervan om je eigen tv-show te gaan presenteren, live?' vroeg hij, met een broodje rosbief en een bord vol sla voor zijn neus. 'Zoiets als de Nigella Lawson van Seattle, maar dan met iets extra's. Dan kun je op zaterdag van halfeen tot een uur de zender op, vlak na het nieuws en vlak voor de sportmiddag. En jij hebt de volledige vrijheid over de programmering. Je kunt de ene show iets lekkers koken en de volgende iets laten zien over bloemschikken of je keuken opnieuw betegelen.'

'Maar ik kan helemaal niet tegelen,' fluisterde Georgeanne. Ze was zich rot geschrokken en beefde tot in haar pumps.

'Dat was maar een ideetje. Ik heb het volste vertrouwen in je. Jij bent een natuurtalent en je zou het geweldig doen op televisie.'

Georgeanne legde een hand op haar borstkas en zei met piepende stem: 'Ikke?'

'Ja, jij. Toen ik het idee doorsprak met mijn zendmanager, vond ook zij het een geweldig idee.' Charles lachte haar bemoedigend toe. Bijna geloofde ze het zelf, dat ze voor een camera kon staan en haar eigen show presenteren. Charles' aanbod sprak haar natuurlijk enorm aan, vooral het creatieve, maar de werkelijkheid lag uiteraard anders. Georgeanne had wel geleerd met haar dyslexie om te gaan, maar als ze niet oppaste las ze verkeerd voor. Als ze zenuwachtig was, ging het al snel verkeerd; dan moest ze zelfs nadenken over links en rechts. En dan was er nog haar volle figuur. Op tv scheen je wel tien kilo extra te wegen. Dan zou ze niet alleen overkomen als iemand die niet kon lezen, maar ook nog als een dikkerdje dat niet kon lezen. Tot slot moest ze Lexie niet vergeten. Georgeanne voelde zich nu al schuldig over de tijd die haar dochter doorbracht in de opvang of met babysitters.

Ze keek dus diep in Charles' grijze ogen en zei: 'Dank je wel, maar nee.'

'Wil je er niet eens over nadenken?'

'Dat heb ik al gedaan,' zei ze, waarna ze haar vork oppakte en in haar sla begon te prikken. Ze wilde er niet langer over nadenken.

'Wil je niet eens weten hoeveel je ervoor betaald krijgt?'

'Nee.' De helft kon ze toch wegbrengen naar de belastingdienst en dan was ze een dikkerdje dat niet kon lezen en er nog slecht voor betaald werd ook.

'Wil je er echt niet wat langer over nadenken?'

Hij klonk zo teleurgesteld dat ze zei: 'Ik zal er nog eens over nadenken.' Maar ze wist toch al dat ze niet van gedachten zou veranderen.

Na de lunch liep hij mee naar haar auto en eenmaal bij haar lichtbruine Hyundai aangekomen, nam hij haar de sleutel uit handen en deed de deur open.

'Wanneer zien we elkaar weer?'

'Dit weekend lukt niet.' Ze voelde zich een beetje schuldig dat ze het nu niet over John had gehad. 'Waarom komen Amber en jij niet volgende week dinsdag bij mij en Lexie eten?'

Charles pakte haar hand vast en gaf haar de sleutels. 'Dat klinkt goed.' Hij streek over haar arm tot zijn hand bij haar hals belandde. 'Maar ik wil je graag wat vaker alleen zien.' Daarna drukte hij zijn lippen op de hare en zijn kus voelde aan als een verkoelend briesje op een aangenaam warme dag. Oké, ze raakte niet opgewonden van zijn kussen, lekker belangrijk. Ze hoefde geen man die haar zo gek maakte dat ze haar zelfbeheersing verloor. Ze wilde geen man die haar veranderde in een krankzinnige nymfomane. Dat had ze wel gehad.

Ze bracht haar tong naar de zijne en voelde hem even zijn adem inhouden. Zijn andere hand sloeg hij om haar middel en zo trok hij haar dichter tegen zich aan. Zijn druk werd dwingender. Hij wilde meer. Als ze hier niet op een parkeerplaats hadden gestaan, had ze hem misschien meer gegeven.

Ze was zeer op Charles gesteld en mettertijd zou ze wellicht wel verliefd op hem kunnen worden. Het was jaren geleden dat ze verliefd was geweest. Lang geleden dat ze zich had gegeven aan een man. Toen ze Charles losliet en hem in de ogen keek, bedacht ze dat het tijd werd daar verandering in te brengen. Het werd tijd om het weer te proberen.

Hoofdstuk 9

'Hé! Kijk eens naar mij!'

Mae keek op van de zorgvuldig opgevouwen servetten in haar handen naar Lexie, die met een roze Barbie-vlieger achter zich aan over het veld rende. Haar blauwe zonnehoed vloog van haar hoofd en belandde op de grond.

'Je doet het geweldig!' brulde Mae terug. Ze legde de servetten neer en deed een stap achteruit voor een laatste kritische blik op de picknicktafel. De uiteinden van het blauw met wit gestreepte tafelkleed wapperden in het briesje. Lexies Petshopjes zaten uitgestald op een omgekeerde grote kom. Eén hondje droeg een zonnebril van karton en om een varkentje zat een knalrood sjaaltje. 'Wat wil je hiermee zeggen?' vroeg Mae aan Georgeanne.

'Niets,' antwoordde deze, terwijl ze een schaal vol bundeltjes asperges met ham tussen de gerookte zalmmousse en bakjes toast probeerde te zetten. Om de een of andere reden zat er op tafel ook een klein porseleinen poesje in het midden van de schaal; op het kopje van de kat zat een geel vilten hoedje. Mae kende haar vriendin goed genoeg om te weten dat er een thema schuilging achter deze uitbundige picknick. Ze wist nog niet precies wat, maar daar zou ze wel achter komen.

Ze keek van de kat naar de hoeveelheid voedsel, deels afkomstig van cateringklussen die ze de afgelopen week hadden gehad. Zo herkende ze de kaaskoekjes en het joodse brood van een bar mitswa. De krabtaartjes en chocoladekoekjes leken afkomstig van de jaarlijkse high tea van mevrouw Brody en de geroosterde kip en babyribs waren van een barbecue die ze de avond tevoren hadden gecaterd. 'Nou, het ziet eruit alsof je wilt laten zien dat je van koken houdt en van grappige poppetjes.'

'Ik heb gewoon de vriezer op het werk leeggehaald, dat is alles.'

Maar dat was niet alles. De kunstzinnig opgetaste fruitschaal kwam bijvoorbeeld niet van hun bedrijf. De appels, peren en bananen zagen er perfect uit. Daarbovenop waren de perziken en kersen zo gepositioneerd dat de blik van de kijker automatisch werd geleid naar het blauwe vogeltje met het gebloemde manteltje dat boven op een berg witte druiven gepositioneerd was. 'Georgeanne, je hoeft niet te bewijzen dat je een succesvolle vrouw en een geweldige moeder bent. Ik weet het en zelf weet je het ook. En aangezien jij en ik de enige volwassenen zijn die ertoe doen, hoef je echt niet zo enorm je best te doen voor zo'n stomme ijshockeyer.'

Georgeanne keek op van een barbie in hawaïhemd, die ze naast de cakejes zette. 'Ik heb John gezegd dat hij een vriend kon meenemen, dus hij is niet in zijn eentje. Maar ik probeer geen indruk op hem te maken, hoor. Het kan me niets schelen wat hij van me denkt.'

Mae dacht er het hare van. Toch pakte ze een stapel glazen en zette ze op de tafel naast de ijsthee. Al bedoelde ze het misschien niet zo, Georgeanne deed haar uiterste best een goede indruk te maken bij de man die haar zeven jaar eerder had gedumpt op het vliegveld. Mae begreep wel dat Georgeanne graag wilde laten zien hoe succesvol ze was. Al had ze het idee dat Georgeannes brownies in de vorm van hondjes wat te ver gingen.

En wellicht was Georgeannes outfit ook ietwat overdreven voor een picknick in het park. Mae vroeg zich af of ze John Kowalsky wilde laten zien dat ze in alle opzichten de perfecte vrouw was. Haar haren waren aan weerszijden uit haar gezicht weggestoken met twee kammetjes en de gouden ringen in haar oren glansden verleidelijk. Haar donkergroene jurk paste mooi bij haar ogen en haar vingernagels waren in dezelfde kleur als haar teennagels gelakt. Ze had haar sandalen uitgeschopt, maar aan haar rechtervoet glansde nog een gouden teenringetje.

Iets te perfect voor een vrouw die zich naar eigen zeggen niet bezighield met indruk maken op de vader van haar kind.

Mae had zich vanaf het moment dat ze Georgeanne had aangenomen, altijd wat kleurloos gevoeld naast Georgeanne, net als een vuilnisbakje naast een zojuist gecoiffeerde raspoedel. Maar dat gevoel duurde niet lang. Georgeanne kon er niets aan doen dat ze van optutten hield. Net zomin als Mae er wat aan kon doen dat ze het liefst rondliep in een spijkerbroek met T-shirt. Of een afgeknipte spijkerbroek en een hemdje, zoals vandaag.

'Hoe laat is het?' vroeg Georgeanne. Ze schonk twee glazen ijsthee in.

Mae keek op haar grote Mickey Mouse-horloge. 'Kwart voor twaalf.'

'Dan hebben we nog een kwartiertje. Misschien hebben we mazzel en komt hij niet opdagen.'

'Wat heb je tegen Lexie gezegd?' vroeg Mae, die een paar ijsblokjes in haar glas liet vallen.

'Gewoon, dat John met ons komt picknicken.' Georgeanne speurde met haar hand boven haar ogen naar haar dochter.

Mae nam een slok. 'Niet opdagen?'

Georgeanne haalde haar schouders op. 'Je weet maar nooit. Trouwens, ik weet nog niet of John wel voor de rest van zijn leven Lexies vader wil spelen. Ik heb toch het gevoel dat hij dat een beetje zat wordt. Ik hoop alleen dat het niet al te lang duurt, want als hij haar in de steek laat als ze hem al lief vindt, dan breekt hij haar hart. En je weet hoe beschermend ik ben en dat zoiets mijn welbekende humeur kan verpesten. Dan moet ik natuurlijk wraak nemen.'

Mae vond Georgeanne een van de leukste vrouwen die ze kende, behalve wanneer ze haar goede humeur verloor. 'Wat zou je dan doen?'

'Ik heb eraan gedacht om een stel termieten los te laten in zijn woonboot.'

Mae schudde haar hoofd. Ze was loyaal tot en met en Georgeanne en Lexie waren haar familie. 'Te langzaam.'

'Hem aanrijden met mijn auto?'

'Dat begint er meer op te lijken.'

'Mijn mitrailleur meenemen als ik hem aanrijd?'

Mae glimlachte en wilde iets zeggen, maar Lexie kwam op hen afgelopen, met de vlieger achter zich aan. Het meisje liet zich voor haar moeders voeten op het gras storten. Haar knieën waren groen en aan haar sandaaltjes zaten grassprieten.

'Ik kan niet meer,' hijgde ze. Voor de verandering zat haar gezichtje eens niet onder de make-up.

'Je hebt heel erg je best gedaan, lieverd,' zei Georgeanne. 'Wil je een pakje sap?'

'Nee. Wil jij met me mee hollen om mijn vlieger te laten vliegen?'

'Daar hebben we het al over gehad. Je weet dat ik niet kan hardlopen.'

'Ik weet het,' zuchtte Lexie. Ze ging rechtop zitten. 'Dat doet pijn aan je borsten en het ziet er gek uit.' Ze deed haar hoedje weer op en keek naar Mae. 'Kun jij me dan helpen?'

'Dat kan ik wel, maar ik draag geen bcha.'

'Waarom niet?' wilde Lexie weten. 'Mama wel.'

'Nou, mama heeft er echt eentje nodig, tante Mae niet.' Ze bekeek het meisje even en vroeg toen: 'Waar is al die rommel die je altijd op je gezicht smeert?'

Lexie trok een gezicht. 'Het is geen rommel. Dat is mijn make-up en mama zei dat ik een ijsje kreeg als ik het vandaag niet opdeed.'

'Ik heb je verteld dat je van mij een poesje krijgt als je het niet draagt. Je bent veel te jong om een slaaf van de make-upindustrie te zijn.'

'Van mama mag ik geen hondje of poesje of zoiets.'

'Klopt,' zei Georgeanne met een veelzeggende blik op Mae. 'Lexie is nog niet groot genoeg voor een huisdier en ik kan zoiets er niet bij hebben. En dus laten we dit onderwerp nu varen, voordat Lexie er weer helemaal in duikt.' Georgeanne zweeg even en liet haar stem toen dalen. 'Ik denk dat ze nu eindelijk over haar obsessie heen is dat er een jeweetwel komt.'

Mae wist wat ze bedoelde en ze vond dat Georgeanne er verstandig aan deed het woord niet hardop uit te spreken. Het afgelopen halfjaar was Lexie geobsedeerd geweest met het idee dat Georgeanne een broertje of zusje voor haar zou krijgen. Ze had iedereen in haar omgeving gek gemaakt en Mae was opgelucht dat ze niet weer over baby's begon. Het kind had het al jaren alleen maar over huisdieren en was al vanaf haar geboorte een ongeneeslijke hypochonder, al was dat laatste Georgeannes éigen schuld, omdat zij van elk pijntje meteen een ding maakte.

Mae nam nog een slok ijsthee, maar liet het glas langzaam zakken. Er kwamen twee heel grote, heel gespierde mannen op hen aflopen. Ze herkende de man met het witte overhemd en spijkerbroek als John Kowalsky. De andere, die iets kleiner en iets minder gespierd was, had ze nooit eerder gezien.

Grote, sterke mannen intimideerden Mae altijd en dat was niet alleen omdat ze maar een meter zestig lang was en slechts vijfenvijftig kilo woog. Ze kreeg een onrustig gevoel in haar buik en begreep dat als zij al nerveus was, Georgeanne wel helemaal moest flippen. Ze wierp een blik op haar vriendin en zag de angst in haar ogen.

'Lexie, sta eens op en veeg het gras van je jurk,' zei Georgeanne langzaan. Met trillende handen hielp ze haar dochter overeind komen.

Mae had Georgeanne de afgelopen jaren wel vaker nerveus gezien, maar nog nooit zo erg als nu. 'Gaat het wel met je?' fluisterde ze.

Georgeanne knikte en Mae zag dat ze een glimlach op haar gezicht plakte en het knopje 'gastvrouw' omdraaide. 'Hallo, John,' zei Georgeanne dus, toen de beide mannen er waren. 'Ik hoop niet dat je veel moeite had ons te vinden.'

'Nee hoor,' antwoordde hij. Ze stopten vlak voor haar. 'Geen probleem.' Hij had een dure zonnebril op en zijn mond stond strak. Ze keken elkaar aan. Een paar tellen later richtte Georgeanne haar aandacht abrupt op de andere man, die dan wel een stukje korter was, maar nog steeds een meter vijfentachtig lang, schatte Mae. 'En jij bent een vriend van John.'

'Hugh Miner,' stelde hij zich glimlachend voor en hij stak zijn hand uit. Georgeanne nam hem met beide handen aan. Intussen bekeek Mae deze Hugh eens goed. Ze zag direct dat hij een te aardige glimlach had voor een man met zulke diepbruine ogen. En hij was ook veel te groot en te knap. Daarbij was zijn nek te dik. Ze vond hem niet leuk.

'Ik ben blij dat jullie vanmiddag gekomen zijn,' zei Georgeanne hartelijk. Toen liet ze Hughs hand los en stelde de mannen voor aan Mae.

John en Hugh zeiden tegelijkertijd goedendag, en Mae, die niet goed was in het verbergen van haar gevoelens, perste er met moeite een glimlachje uit. Het leek meer op een vreemde tic.

'Dit is meneer Miner, en ken je meneer Kowalsky nog, Lexie?' ging Georgeanne verder.

'Ja. Hallo.'

'Hoi, Lexie. Hoe gaat het met je?' vroeg John.

'Nou,' begon Lexie met een theatrale zucht, 'gisteren heb ik mijn teen gestoten op de veranda en vanochtend mijn elleboog aan de tafel, maar nu voel ik me wel beter.'

John stak zijn handen in zijn broekzakken. Hij keek neer op Lexie en vroeg zich af wat vaders tegen hun kleine meisjes zeiden als ze zoiets overkwam. 'Wat fijn dat je je weer beter voelt.' Hij kon niets anders bedenken en daarom bestudeerde hij haar gewoon, alsof hij haar voor het eerst zag. Nu haar gezichtje niet onder de lagen oogschaduw, rouge en lippenstift zat, kon hij haar pas goed bekijken. Hij zag dat ze sproetjes had op haar rechte neusje. Dat ze een lichte huid had en dat haar wangen rood waren, alsof ze zich zojuist had ingespannen. Haar mond was vol, net als die van Georgeanne, maar haar ogen waren net zo blauw als de zijne, met de volle wimpers die hij van zijn moeder had geërfd.

'Ik heb een vlieger,' verkondigde ze.

Haar donkerbruine haar kwam met grote krullen onder het zonnehoedje uit. 'O ja? Mooi zo,' wist hij uit te brengen. Hij vroeg zich af wat er in vredesnaam met hem aan de hand was. Hij deelde aan de lopende band handtekeningen uit aan allerlei kinderen en sommige teamleden brachten hun kinderen wel eens mee naar een training, en dan zat hij nooit om woorden verlegen, maar om de een of andere reden wist hij niet wat hij tegen zijn eigen kind moest zeggen.

'Nou, wat een heerlijke dag voor een picknick,' hoorde hij Georgeanne jubelen. Lexie draaide zich om. 'We hebben de lunch al klaarstaan. Ik hoop dat jullie honger hebben.'

'Ik sterf van de honger,' bekende Hugh.

'En jij, John?'

Lexie liep naar haar moeder, en John zag dat er groene vlekken op haar kont zaten. 'Wat is er?' vroeg hij.

Georgeanne kwam van de andere kant van de tafel op hem aflopen en keek naar hem op. 'Heb jij honger?'

'Nee.'

'Wil je dan een glas ijsthee?'

'Nee, geen thee.'

'Oké,' zei Georgeanne, maar de glimlach leek van haar gezicht te verdwijnen. 'Lexie, wil jij Mae en Hugh een bord geven, terwijl ik de thee inschenk?'

Zijn antwoord zat Georgeanne kennelijk dwars, maar dat kon hem niets schelen. Hij voelde zich bloednerveus, net zoals vlak voor een wedstrijd. De nabijheid van Lexie boezemde hem een angst in die hij niet begreep.

Hij was in zijn leven de sterkste mannen uit de ijshockeycompetitie tegengekomen. Hij had een keer zijn pols gebroken, en een keer zijn enkel. Daarbij was zijn sleutelbeen finaal in tweeën gebroken geweest en hij had vijf hechtingen gehad in zijn linkerwenkbrauw, zes in de rechterkant van zijn hoofd en veertien aan de binnenkant van zijn mond. En dan waren er nog meer verwondingen die hij zich niet meer kon herinneren. Na elk incident was hij gewoon weer het ijs op gegaan, en was met zijn stick onbevreesd zijn tegenstander tegemoet getreden. Maar met deze tegenstander wist hij zich even geen raad.

'Meneer Wall, wilt u een pakje sap?' vroeg Lexie, die net op de bank klom.

Hij zag haar rug en de achterkant van haar dunne beentjes en voelde een stoot in zijn binnenste. 'Wat voor sap heb je?'

'Cassis of aardbeien.'

'Cassis,' antwoordde hij. Lexie sprong van de bank af en rende naar de koelbox.

'Hé, Wall, je moet ook eens zo'n asperge proeven,' smulde Hugh, die er snel nog een van de schaal pakte.

'Ik ben blij dat jij ze zo lekker vindt.' Georgeanne keek glimlachend naar Hugh. Het was niet zo'n nepglimlach als ze John had gegeven. 'Ik wist niet zeker of de ham wel lekker genoeg was. O, en probeer vooral die minispareribs. Die saus is om je vingers bij op te eten.' Ze keek naar haar vriendin, die aan de andere kant van de tafel stond. 'Vind je niet, Mae?'

De kleine blondine met het chagrijnige gezicht zei schouderophalend: 'Och, ja hoor.'

Georgeanne sperde haar ogen wijd open en staarde naar haar vriendin. Toen richtte ze haar aandacht weer op Hugh. 'Waarom probeer je niet wat van die paté, terwijl ik de kip snijd?' Ze wachtte niet tot hij antwoord gaf, maar draaide zich om en pakte een groot mes beet. 'En terwijl ik daarmee bezig ben, kunnen jullie de diertjes op tafel bewonderen. Ze dragen allemaal zelfontworpen picknickkleding.'

John vouwde zijn armen over elkaar en keek naar het varkentje met de sjaal. Het begon wat vreemd te kriebelen op zijn schedel.

'Lexie en ik dachten dat vandaag een mooie gelegenheid zou zijn om haar zomercollectie voor kleine dieren te tonen.'

'O, nu snap ik het,' zei Mae. Ze griste een krabtaartje van een schaal.

'Dierenmode?' Hugh klonk net zo ongelovig als John eruitzag.

'Ja. Lexie vindt het leuk om kleertjes te maken voor alle diertjes die we in huis hebben. Ik weet dat het vreemd is,' ging Georgeanne verder, 'maar ze heeft het niet van een vreemde. Haar betovergrootmoeder ontwierp kleding voor de vleeshennetjes. Als stedelingen weten jullie misschien niet wat vleeshennetjes zijn. Dat zijn kuikens die niet oud worden, omdat ze... nou ja.' Ze zweeg en maakte een gebaar met het grote mes langs haar keel en een toepasselijk geluid erbij. 'Je begrijpt wat ik bedoel.' Daarna liet ze het mes zakken en haalde haar schouders op. 'Natuurlijk waren het hennetjes, want het zou eeuwig zonde van je tijd zijn om kleertjes te maken voor haantjes, aangezien die zich vreselijk hanig gedragen. In elk geval maakte mijn overgrootmoeder capejes met capuchon voor de hennetjes. En Lexie heeft haar betovergrootmoeders oog voor mode geërfd en geeft een familietraditie door.'

'Meen je dat serieus?' vroeg hij Georgeanne, die inmiddels stukken gesneden kip op bordjes legde.

Deze hield haar rechterhand omhoog. 'Erewoord.'

De kriebel die John al eerder op zijn hoofd had gevoeld schoot nu door zijn hersenpan en hij had een déjà vu. 'O, mijn god.'

Georgeanne keek zijn kant op en op dat moment zag hij haar weer zoals hij haar zeven jaar geleden had gezien: een beeldschone jonge vrouw die uren had lopen zwetsen over gelatinepudding en voetwassende baptisten. Opnieuw zag hij haar spetterende groene ogen en de sensuele mond, haar overheerlijke lichaam, dat destijds alleen zijn eigen zwarte kimono droeg. Ze had hem gek gemaakt van verlangen met haar plagerige blikken en zoete stem. Hoezeer hij het ook haatte, hij was niet immuun voor haar charmes.

'Meneer Wall.'

John voelde een ruk aan zijn broekriem. Naast hem stond Lexie.

'Hier is je pakje sap, meneer Wall.'

'Dank je.' Hij nam het donkerpaarse pakje van haar aan.

'Ik heb het rietje er al in gedaan.'

'Ja, ik zie het.' Hij bracht het rietje naar zijn mond en nam een slok van de donkere, mierzoete vloeistof.

'Lekker hè?'

'Mmm.' Hij had moeite zijn mond niet te vertrekken.

'Dit hebt ik ook meegebracht.'

Ze gaf hem een papieren servetje, dat hij met zijn vrije hand voorzichtig aanpakte. Het was kennelijk in een bepaalde vorm gevouwen.

'Tis een konijn.'

'O, ja, ik zie het,' loog hij.

'Ik hebt een vlieger.'

'O?'

'Ja, maar hij vliegt niet. Mijn mammie draagt een heel grote beha, maar nog steeds kan ze niet rennen.' Ze schudde met een droef gezicht haar hoofd. 'En Mae kant ook niet rennen, want die heeft geeneens een beha aan.'

Het was plotseling doodstil. John keek naar de twee vrouwen aan de andere kant van de tafel. Ze stonden als aan de grond genageld. Mae wilde net een olijf in haar mond stoppen en Georgeanne hield het grote mes omhoog. Er stak een stuk kip aan de punt. Allebei hadden ze ogen als schoteltjes en rode vlekken in hun nek.

John kuchte wat in zijn konijnenservet, om zijn lachen te verbergen, maar zei niets.

Hugh wel. Hij boog voorover en tuurde via Georgeanne naar haar kleinere vriendin. 'Is dat zo, schatje?' vroeg hij grijnzend.

De twee vrouwen lieten allebei tegelijk hun armen zakken. Georgeanne had het ineens heel druk met snijden en Mae keek woest naar Hugh.

Hugh deed net of hij Mae's gezicht niet zag, of misschien kon het hem niets schelen. John, die zijn vriend goed kende, dacht het laatste. 'Ik ben altijd een fan van het feminisme geweest,' ging Hugh verder. 'Sterker nog, ik denk erover lid te worden van de Vrouwenbeweging.'

'Daar mogen mannen geen lid van worden,' deelde Mae hem op afgemeten toon mede.

'Daar vergis je je in.'

'Ik vraag me af of jij een feministe zou herkennen als er eentje in je bil zou bijten.'

De ijshockeyer grijnsde. 'Ik ben nog nooit in mijn bil gebeten door een vrouw. Maar als jij het wilt proberen, mag je je gang gaan.'

Mae sloeg haar armen over elkaar. 'Gezien jouw gebrek aan

goede manieren, de breedte van je nek en je beperkte herseninhoud moet ik concluderen dat je een ijshockeyer bent.'

Hugh keek even naar zijn vriend en lachte toen voluit. Dat soort plaagstoten uitdelen en ze op gepaste wijze weer in ontvangst nemen was een van zijn betere eigenschappen en eentje die John zeer in hem waardeerde. 'Beperkte herseninhoud, die is goed,' grinnikte Hugh, en hij wendde zich weer tot Mae. 'Die is echt goed.'

'Nou, ben je er een?'

'Jazeker. Ik ben de goalkeeper van de Chinooks. En wat doe jij, pitbulls temmen?'

'Augurkje?' Georgeanne pakte een bordje met tafelzuur en hield het Hugh voor. 'Huisgemaakt!'

Weer voelde John iets trekken aan zijn broek. 'Weet jij hoe je een vlieger kunt vliegeren, meneer Wall?'

Hij keek naar Lexies vragende gezicht. Ze had haar ogen dichtgeknepen tegen de zon. 'Ik wil het wel proberen.'

Meteen verscheen er een glimlach op Lexies gezicht en een kuiltje in haar wang. 'Mammie,' riep ze, terwijl ze wegrende. 'Meneer Wall gaat met mijn vlieger vliegeren!'

Georgeanne keek hem snel aan. 'Dat is niet nodig, John.'

'Maar ik wil het graag.' Hij zette het pakje sap op de tafel.

Georgeanne zette het bord met augurken neer en zei gedecideerd: 'Ik kom wel met jullie mee.'

'Nee.' Hij wilde liever alleen zijn met zijn dochter. Dat had hij nodig. 'Lexie en ik kunnen het zelf wel.'

'Maar ik denk niet dat het een goed idee is.'

'Ik wel.'

Ze wierp een snelle blik over haar schouder naar Lexie, die op de grond bezig was met het uit de knoop halen van het vliegertouw. Ze pakte zijn arm beet en trok hem mee van de tafel. 'Goed dan, maar niet te ver.' Ze stopte, ging op haar tenen staan en keek over zijn schouder naar de anderen.

Daarna fluisterde ze iets in zijn oor over Lexie, maar hij hoorde het al niet meer. Ze was zo dichtbij dat hij haar parfum kon ruiken. Zijn aandacht dwaalde af naar haar slanke vingers op zijn bovenarm. Tussen haar dubbele D-cup en zijn borstkas bevond zich maar een flintertje loze ruimte. 'Wat wil je nou?' vroeg hij. Zijn ogen gingen via haar zachte armen naar het kuiltje in haar nek. Ze was nog steeds een flirt.

'Dat heb ik net gezegd.' Ze liet zich zakken en haar hand viel naar beneden.

'Vertel het me dan nog een keer, maar laat je borsten dit keer buiten het gesprek.'

Er verscheen een diepe frons tussen haar wenkbrauwen. 'Mijn wat? Waar heb je het over?'

Ze zag er zo perplex uit dat John haar bijna zou geloven. Maar niet helemaal. 'Als je met me wilt praten, wil je dan niet steeds je lichaam in de strijd gooien. Tenzij je natuurlijk wilt dat ik dat ook doe.'

Ze schudde walgend haar hoofd. 'Je hebt een zieke geest, John Kowalsky. Zorg jij er nou maar voor dat je je ogen uit mijn decolleté kunt houden en je kleren aan, want we hebben iets belangrijkers te bespreken dan jouw belachelijke fantasieën.'

John deinsde achteruit. Hij had geen zieke geest. Tenminste, hij dacht van niet. Hij was er niet zo erg aan toe als sommigen van zijn teamgenoten bijvoorbeeld.

'Ik wil weten of je je belofte nog weet.'

'Welke belofte?'

'Dat je Lexie niet zult vertellen dat je haar vader bent. Dat moet ze van mij horen.'

'Prima,' zei hij en hij schoof zijn zonnebril op zijn neus. 'Maar dan wil ik dat Lexie en ik de tijd krijgen om elkaar te leren kennen. Alleen. Ik ga nu met haar vliegeren en je mag ons de eerste tien minuten niet achternakomen.'

Ze dacht even na en zei toen: 'Lexie is te verlegen. Ze heeft mij nodig.'

John had allang gezien dat Lexie totaal niet verlegen was. 'Hou me niet voor de gek, Georgeanne.'

Ze kneep haar ogen tot spleetjes. 'Als je maar niet uit mijn gezichtsveld verdwijnt.'

'Wat denk je dat ik ga doen, haar kidnappen?'

'Nee,' antwoordde ze, al wist hij dat ze hem net zomin vertrouwde als hij haar. Hij had het gevoel dat dat exact was wat zij dacht.

'We gaan niet te ver weg.' Hij keek even naar de anderen. Hij had Hugh verteld over Georgeanne en Lexie en hij wist dat hij erop kon rekenen dat zijn vriend zijn mond zou houden. 'Ben je er klaar voor, Lexie?'

'Ja.' Ze stond al klaar met haar roze vlieger in haar handen en samen liepen ze weg van de picknicktafel, langs mensen die frisbees gooiden, met kinderen speelden of met honden, naar een uitgestrekt stuk grasveld. Toen Lexie voor de tweede keer met haar voeten en de staart in de knoop kwam, nam John hem van haar over. Haar hoofd reikte amper tot zijn middel en hij voelde zich een reus naast haar. Weer wist hij niet wat hij moest zeggen, daarom zei hij maar niks. Maar dat was ook helemaal niet nodig.

'Vorig jaar, toen ik nog een kleutertje was, zat ik nog in groep twee,' begon zijn dochter, waarna ze elk kind in haar klas benoemde, inclusief hobby's en huisdieren en wat voor soort.

'En Jaimie heb er drie.' Ze stak drie vingers op. 'Dat is niet eerlijk.'

John keek over zijn schouder en zag tot zijn tevredenheid dat ze minstens honderdvijftig meter van hun picknicktafel verwijderd waren. 'Dit is wel een goede plek.'

'Hebt jij honden?'

'Nee. Geen een.' Hij gaf haar de spoel met het touw.

Ze schudde droevig haar hoofd. 'Ik ook niet, maar ik wil graag een dalmatiër,' zei ze geestdriftig. 'Zo'n grote witte met zwarte stippen.'

'Hou het touw goed vast.' Hij hield de roze vlieger boven zijn hoofd en voelde de wind er al aan trekken.

'Hoef ik niet te hollen?'

'Vandaag niet.' Hij bewoog de vlieger naar rechts en de wind trok er nog harder aan. 'Nu moet je naar achteren lopen maar het touw nog niet laten gaan. Pas als ik het zeg.' Ze knikte en zag er zo ernstig uit dat hij bijna in de lach schoot.

Na tien pogingen steeg de vlieger zo'n vijf meter de lucht in. 'Help me,' klonk het paniekerig. Ze keek angstig omhoog. 'Nu gaat ie weer vallen.'

'Nee hoor,' stelde hij haar gerust. Hij ging naast haar staan. 'En als het wel zo is, dan krijgen we hem wel weer omhoog.'

Ze schudde haar hoofd zo hard dat haar zonnehoed op de grond viel. 'Hij gaat weer vallen, ik weet het zeker. Pak jij hem maar!' Ze duwde hem de klos touw in zijn handen.

John ging naast haar op een knie zitten. 'Je kunt het wel,' zei hij en toen ze met haar rug tegen hem aan leunde, stokte de adem hem in de keel. 'Laat het touw maar langzaam vieren.' John keek haar aan, terwijl zij toekeek hoe de vlieger steeds hoger kwam. De uitdrukking op haar gezicht veranderde van angstig in uitgelaten.

'Het lukt, het lukt,' fluisterde ze, en verrukt keek ze hem aan.

Hij voelde haar adem op zijn wang en dat raakte hem diep in zijn ziel. Even daarvoor leek het of zijn hart even stilstond, nu zwol het van trots. Het leek wel of er een ballon achter zijn borstbeen verstopt zat. Die ballon werd zo groot en het gevoel was zo intens dat hij even weg moest kijken. Daarom keek hij maar naar de andere mensen die vliegers oplieten om hen heen. Hij zag meer vaders met hun kinderen. Moeders ook. Gezinnen. Hij was weer een vader. Hoe lang zal het deze keer duren, vroeg zijn cynische onderbewustzijn.

'Het is gelukt, meneer Wall,' zei ze zacht, alsof haar stemverheffing de vlieger weer zou doen dalen.

Hij keek naar zijn kind. 'Ik heet John.'

'Het is gelukt, John.'

'Het is gelukt, meisje.'

Ze glimlachte. 'Ik vind jou aardig.'

'Ik vind jou ook aardig, Lexie.'

Ze keek naar haar vlieger. 'Hebt jij ook kinderen?'

Haar vraag verraste hem en hij wachtte even voordat hij er

antwoord op gaf. 'Ja.' Hij wilde niet tegen haar liegen, maar ze was nog niet klaar voor de hele waarheid. Daarbij had hij George-anne natuurlijk een belofte gedaan. 'Ik had een zoontje, maar die is overleden toen hij nog een baby'tje was.'

'Hoe kwam dat?'

John keek ook omhoog. 'Laat het touw iets vieren.' Toen Lexie had gedaan wat hij haar vroeg, zei hij: 'Hij was te vroeg geboren.'

'O, hoe laat?'

'Wat?' Verbaasd keek hij naar haar gezichtje, dat zo dicht bij het zijne was.

'Hoe laat is ie geboren?'

'Rond vier uur 's ochtends.'

Ze knikte alsof dat alles verklaarde. 'Veel te vroeg. Toen slie-pen de dokters nog. Ik ben laat geboren.'

John glimlachte, onder de indruk van haar logica. Het was een slim kind.

'Hoe heette hij?'

'Toby.' En hij was jouw broer.

'Wat een gekke naam.'

'Ik vind hem mooi,' zei hij, en voor het eerst sinds hij in het park was voelde hij zich ontspannen.

Lexie haalde haar schouders op. 'Ik wil ook een baby, maar mama wil het niet.'

Voorzichtig trok John haar wat dichter tegen zich aan. Alles leek nu op zijn plaats te komen, net als bij een goede actie op het ijs: schaatsen, slaan, scoren. Hij legde zijn handen aan weerszij-den van de spoel van het vliegertouw en ontspande zich. Zijn kin raakte haar hoofd. Hij zei: 'Gelukkig maar, je bent veel te jong om een baby te krijgen.'

Lexie schudde giechelend haar hoofd. 'Ikke niet! Mama, die moet een baby krijgen.'

'Maar dat wil ze dus niet.'

'Nee, omdat ze geen man hebt, maar dan moet ze beter haar best doen.'

'Geen man?'

'Ja, want dan kan ze een baby krijgen. Mama vertelde dat ze mij net als een worteltje uit de tuin heeft getrokken, maar dat kan toch niet. Baby's worden niet in de grond gemaakt.'

'Hoe worden ze dan gemaakt?'

Ze draaide haar hoofdje om en botste tegen zijn kin. 'Weet jij dat niet?'

Dat wist hij al héél lang. 'Leg jij het maar eens uit.'

Ze haalde haar schouders op en keek weer naar de vlieger. 'Nou, dan gaan een vader en een moeder trouwen en dan gaan ze naar huis en op bed liggen. Dan doen ze hun ogen héél goed dicht en dan denken ze héél hard na. En dan komt er een baby in de buik van de moeder.'

John moest erom lachen, hij kon er niets aan doen. 'Weet jouw moeder wel dat jij denkt dat baby'tjes worden gemaakt met telepathie?'

'Watte?'

'Laat maar.' Hij had ergens gelezen dat je al op jonge leeftijd met kinderen over seks moet praten. 'Misschien moet je mama vertellen dat jij allang weet dat kindertjes niet in de tuin groeien.'

Daar dacht ze even over na, maar na een poosje zei ze: 'Nee, mijn mammie vindt het soms fijn om dat te vertellen. Maar ik heb wel gezegd dat de paashaas niet bestaat.'

Hij deed net of hij geschrokken was. 'Geloof jij niet meer in de paashaas?'

'Nee.'

'Waarom niet?'

Ze keek hem meewarig aan. 'Omdat hazen pootjes hebben en geen eieren kunnen verven natuurlijk.'

'O ja... dat is ook zo.' Weer was hij onder de indruk van haar jonge logica. 'Dan ben je vast ook al te groot voor de Kerstman.'

Ze was in shock. 'De Kerstman bestaat echt!'

Het bleek dat haar jonge logica nog geen vraagtekens zette bij vliegende rendieren, een dikke man die door schoorstenen moest of elfjes die driehonderdvierenzestig dagen in het jaar speelgoed maakten. 'Laat het touw van je vlieger wat vieren,' zei hij.

Hij genoot. Hij luisterde wat naar haar onophoudelijke ge-praat en bestudeerde haar uitvoerig. Hij zag hoe haar haartjes in de wind bewogen, hoe ze haar schouders optrok en haar hand voor haar mond sloeg als ze moest lachen. En ze lachte wat af. Haar favoriete onderwerpen waren dieren en baby's. Ze had een boel flair voor toneelspel en het was duidelijk dat ze zich vrese-lijk kon aanstellen.

'Ik heb mijn knie geschaafd,' vertelde ze hem, na een lange lijst van de verwondingen van de afgelopen dagen. Ze trok haar jurk op en stak een been naar voren. Daarna wees ze op een knal-groene pleister. 'En mijn teen,' voegde ze eraan toe, wijzend op de roze pleister die zichtbaar was onder het transparante plastic van haar waterschoen. 'Bij Amy gestoten. Heb jij ook pijntjes?'

'Pijntjes? Ehm…' Hij moest even nadenken, maar kwam ten slotte met: 'Ik heb me vanochtend gesneden bij het scheren.'

Haar ogen werden zo groot als schoteltjes en ze keek vol ont-zag naar zijn kin. 'Mijn mama hebt wel een pleistertje. Ze heeft genoeg pleistertjes in haar tas. Ik kan er wel eentje voor je halen.'

Hij zag zichzelf al met een roze pleister op zijn kin. 'Nee hoor, dat is niet nodig.' Nu vielen hem nog andere eigenaardigheden op. Zoals het feit dat ze 'hebt' zei, in plaats van 'heeft'. Hij richt-te al zijn aandacht op haar en deed net of zij de enige twee aan-wezigen waren in het park. Maar dat was natuurlijk niet zo, en al spoedig kwamen er twee jongens op hen aflopen. Het waren pubers van een jaar of dertien, met afzakkende broeken, grote T-shirts en petjes op hun hoofd.

'Bent u toevallig John Kowalsky?'

'Dat klopt.' Hij stond op. Meestal vond hij zo'n vraag niet erg, vooral niet als het kinderen waren. Maar vandaag had hij liever gehad dat hij met rust werd gelaten. Hij had beter moeten weten. Na het laatste seizoen waren de Chinooks populairder dan ooit in de staat Washington. En hij al helemaal, zeker sinds hij had meegedaan aan de reclamecampagne voor zuivel. Hij was door zijn teamgenoten behoorlijk afgezeken vanwege die melksnor, en al wist hij het goed te verbergen, hij voelde zich een enorme sukkel als hij langs zo'n groot reclamebord reed met zichzelf erop. Tegelijkertijd wist John al heel lang dat je dat hele gedoe rondom bekend zijn niet al te serieus moest nemen.

'We hebben jullie zien spelen tegen de Chicago Black Hawks,' zei een van de jongens, die een afbeelding van een snowboarder op zijn T-shirt droeg. 'En die manier waarop je die tegenstander bodycheckte was echt vet.'

John wist zich die actie nog goed te herinneren. Hij had er een paar strafminuten en een enorme blauwe plek aan overgehouden. Die overigens best pijn deed, maar dat hoorde nou eenmaal bij het spelletje, bij zijn beroep.

'Ik ben blij dat je het leuk vond.' Hij bekeek de jongens eens goed. De verering die uit hun ogen sprak maakte hem ongemakkelijk. Dat was altijd al zo geweest. 'Spelen jullie ook ijshockey?'

'Alleen maar op straat, met skates,' antwoordde een van hen.

'Waar?' Hij pakte Lexies hand beet, zodat ze zich niet buitengesloten voelde.

'Bij de school voor ons huis. Daar komen we met een boel jongens bij elkaar om te spelen.'

En terwijl de jongens hem van alles vertelden over hun spel, zag hij een meisje hun kant op komen. Ze had een skinny jeans aan, die zo strak zat dat het er pijnlijk uitzag. Haar truitje was uiterst kort, zodat je haar navelpiercing al van verre zag glinsteren. Dit was een rink bunny; die herkende je al van mijlenver. Hij had er al zoveel gezien, in hotellobby's, buiten de kleedruimtes, wachtend bij de teambus. Het waren jonge vrouwen, maar ook oude, die er alles aan deden om met hem en zijn collega's in contact te komen. Je zag het aan de manier waarop ze liepen en hun haar bewogen. Je zag het aan de vastberaden blik in hun ogen.

Hij hoopte dat deze jonge vrouw hun voorbij zou lopen.

Maar dat deed ze niet.

'David, je moeder roept je,' zei ze, terwijl ze naast de twee jongens ging staan.

'Zeg maar dat ik eraan kom.'

'Ze wil dat je nu komt.'

'Shit!'

'Leuk jullie ontmoet te hebben, jongens.' John stak zijn hand uit. 'Als jullie weer eens bij een wedstrijd zijn, moeten jullie maar even naar de kleedkamers komen. Dan zal ik jullie aan een paar andere jongens voorstellen.'

'Echt?'

'Vet!'

Toen de jongens wegliepen, bleef het meisje staan. John liet Lexies hand los en keek naar beneden. 'Het is tijd om je vlieger binnen te halen,' zei hij. 'Je mama wil vast weten of het gelukt is.'

'Ben jij John Kowalsky?'

Hij keek op. 'Dat klopt,' antwoordde hij, maar op een toon die aangaf dat hij niet geïnteresseerd was in haar gezelschap. Ze was best knap, maar te mager, en haar haren waren zo geblondeerd dat het leek alsof ze te lang in de zon had gelegen. Haar lichtblauwe ogen waren koel en berekenend en hij vroeg zich af hoe hard ze haar best zou doen om hem te krijgen waar ze hem wilde.

'Nou, John,' zei ze zo verleidelijk mogelijk glimlachend. 'Ik ben Connie.' Haar blik nam hem van top tot teen op. 'Jij ziet er lekker uit in die spijkerbroek.'

Die tekst had hij vaker gehoord, hij was benieuwd wat erop zou volgen. Hij verspilde nu kostbare tijd met Lexie.

'Maar ik denk dat ik er nog veel lekkerder in uitzie. Waarom trek jij hem niet uit?'

Nu wist John het weer. Die was echt niet origineel. De eerste keer dat hij deze versiertruc had gehoord was hij amper twintig en had hij net een contract getekend met Toronto. Waarschijnlijk was hij er destijds wel in gestonken. 'Ik denk dat we allebei beter onze broek aan kunnen houden,' zei hij. Wel vroeg hij zich af waarom toch alleen zijn eigen geslacht ervan beschuldigd werd goedkope versiertrucs te hanteren. De teksten die hij soms van vrouwen hoorde waren net zo erg.

'Oké, dan kruip ik er zo wel in.' Ze streek met een roodgelakte vingernagel langs de band van zijn broek.

John stak al een hand uit om haar vingers tegen te houden, maar Lexie was hem voor. Ze sloeg de hand van de vrouw weg en ging tussen hen in staan.

'Dat mág niet,' zei Lexie, en ze keek de jonge vrouw boos aan. 'Als je daaraan zit krijg je straf.'

Connies glimlach verdween langzaam en ze keek naar beneden. 'Is die van jou?'

John grinnikte zacht om Lexies boze gezicht. Hij kon zichzelf uitstekend verdedigen, vooral tijdens zware wedstrijden. Maar dat een klein meisjes zo voor hem in de bres sprong, had hij nog nooit meegemaakt. 'Haar moeder is een vriendin van mij,' zei hij glimlachend.

Ze keek weer naar John en wierp haar lange haren over haar schouder. 'Waarom stuur je haar dan niet terug naar haar moeder, dan kunnen jij en ik samen een ritje maken in mijn auto. Ik heb een heel ruime achterbank.'

Een vluggertje op een achterbank was niet iets waar hij voor warmliep. 'Nee, dank je.'

'Ik kan dingen die geen vrouw ooit met je heeft gedaan.'

Daar twijfelde John aan. Hij had alles wel zo beetje een keer gedaan. En soms zelfs twee keer, voor de zekerheid. Hij legde zijn hand op Lexies schouder en dacht na over de beste manier om Connie weg te sturen. Nu zijn dochter erbij stond kon hij zich niet alles permitteren.

Maar Georgeanne kwam eraan en dat bespaarde hem de moeite. 'Ik hoop niet dat ik jullie stoor?' zei ze met die zachte, warme stem van haar.

Hij draaide zich om naar Georgeanne, sloeg een arm om haar middel en trok haar dicht tegen zich aan. Glimlachend keek hij in haar verblufte gezicht. 'Ik wist dat je niet lang weg zou blijven.'

'John?' vroeg ze ademloos.

In plaats van haar vraag te beantwoorden, tilde hij zijn hand van Lexies schouder en wees naar het meisje. 'Georgie, lieverd, dit is Connie.'

Connie bekeek Georgeanne eens heel goed en draaide zich toen schouderophalend om. 'Het had heel leuk kunnen zijn,' voegde ze John nog over haar schouder toe.

Terwijl Connie wegliep, zag John de mond van Georgeanne verstrakken. Ze zag eruit alsof ze hem een klap wilde verkopen.

'Heb je drugs gebruikt, of zo?'

John glimlachte en fluisterde in haar oor: 'We zijn vrienden, weet je nog? Ik doe gewoon mijn best.'

'Zit je altijd met je tengels aan je vrienden?'

Dit keer lachte John hardop. Om haar, om de hele situatie, maar vooral om zichzelf. 'Alleen die met groene ogen en een brutale mond. Denk daar maar aan.'

Hoofdstuk 10

Die avond, na de picknick, was Georgeanne uitgeput. De ontmoeting met John was haar niet in de koude kleren gaan zitten en Mae had haar totaal niet geholpen. In plaats van haar te ondersteunen, had Mae haar tijd vooral besteed aan het beledigen van Hugh Miner, die daar op zijn beurt veel plezier aan had beleefd. Hij had enorm gesmuld van de picknick, hard gelachen om Mae en haar trefzeker teruggeplaagd, zozeer dat Georgeanne zich even afvroeg of de man zijn leven wel zeker was.

Nu had Georgeanne ernstige behoefte aan een warm bad, een gezichtsmasker en een flinke scrub. Maar dat moest wachten; eerst moest ze praten met Charles. Als zij nog een toekomst met hem wilde, dan zou ze hem de waarheid over John moeten vertellen. Dan moest ze hem vertellen over Lexies vader, en wel vanavond. Ze zag er niet bepaald naar uit, maar liever nu dan nog later.

Toen de deurbel ging en ze Charles had binnengelaten vroeg hij direct: 'Waar is Lexie?' Hij zag er ontspannen uit, droeg een grijze broek en een lichtgekleurde polo. Zijn grijze slapen gaven hem een waardige uitstraling.

'Die ligt al in bed.'

Op Charles' gezicht verscheen een glimlach en hij legde zijn handen aan weerszijden van Georgeannes gezicht. Hij gaf haar een lange, voorzichtige kus. Een kus die meer beloofde dan alleen een nacht vol passie.

Toen ze klaar waren keek Charles haar vorsend aan. 'Je klonk nogal bezorgd aan de telefoon.'

'Dat klopt,' begon ze. Ze pakte zijn hand beet en trok hem met zich mee naar de bank. 'Weet je nog dat ik je vertelde dat Lexies vader dood is?'

'Jazeker, zijn F-16 is tijdens de Golfoorlog neergehaald.'

'Nou, ik heb dat verhaal iets mooier... eigenlijk heel veel mooier gemaakt dan het is.' Ze haalde diep adem en vertelde hem alles over haar geschiedenis met John. Hoe ze hem zeven jaar geleden had ontmoet en alles wat had geleid tot de picknick van die middag. Toen ze uitverteld was, keek Charles niet bepaald vrolijk. Ze was bang dat ze hun relatie in gevaar had gebracht. 'Dat had je me de eerste keer ook kunnen vertellen.'

'Misschien, maar ik was er zo aan gewend erover te liegen, dat ik er nooit meer aan gedacht heb de waarheid te vertellen. En toen John zich ineens weer meldde, dacht ik dat hij het al snel zat zou worden om vader te zijn, zodat ik het Lexie of anderen niet hoefde te vertellen.'

'Maar nu denk je niet meer dat hij Lexie zat wordt?'

'Inderdaad. In het park had hij vandaag zoveel aandacht voor haar. En hij heeft een afspraak gemaakt om volgende week met haar naar het museum te gaan.' Ze schudde haar hoofd. 'Ik denk niet dat hij uit haar leven vertrekt.'

'En wat doet dat met jou, dat hij niet weggaat?'

'Met mij?' Verrast keek ze hem aan.

'Hij speelt daardoor ook weer een rol in jouw leven, als je hem regelmatig ziet.'

'Klopt. Net zo goed als jouw ex-vrouw een rol speelt in jouw leven.'

Hij keek weg. 'Dat is niet te vergelijken.'

'Waarom niet?'

Er verscheen een flauwe glimlach om zijn lippen. 'Omdat ik Margaret absoluut niet aantrekkelijk vind.'

Hij was niet boos, hij was jaloers, precies zoals Mae had voorspeld.

'En John Kowalsky,' ging hij verder, 'is een aantrekkelijke vent.'

'Net als jij.'

Hij pakte haar hand. 'Als ik moet concurreren met die ijshockeyer, dan moet je dat eerlijk zeggen.'

'Stel je niet aan.' Georgeanne lachte om dat idiote idee. 'John en ik haten elkaar. Op mijn leuk-meter, die loopt van een tot tien, staat hij op min dertig. Ik vind hem ongeveer net zo aantrekkelijk als ontstoken tandvlees.'

Hij glimlachte opgelucht en trok haar dicht tegen zich aan. 'Jij verwoordt het weer op je eigen, grappige manier. Dat is een van die dingen die ik zo leuk vind aan je.'

Georgeanne legde haar hoofd op zijn schouder en slaakte een zucht. 'Ik was al bang dat we geen vrienden meer waren.'

'Is dat wat ik voor je ben? Een vriend?'

Ze keek hem weer aan. 'Nee.'

'Mooi zo. Ik wil meer zijn dan alleen een vriend.' Zijn lippen streken langs haar voorhoofd. 'Ik zou veel van je kunnen houden.'

Georgeanne glimlachte en liet haar hand van zijn borstkas naar zijn hals gaan. 'Ik zou misschien ook wel van jou kunnen houden.' Ze gaf hem een kus. Charles was precies het type man waar ze behoefte aan had. Betrouwbaar en veilig. Vanwege hun carrières en drukke privélevens hadden ze niet veel tijd om samen door te brengen. Georgeanne werkte in de weekends en als ze een vrije avond had, dan bracht ze die door met Lexie. Charles werkte meestal niet in het weekend of in de avonduren, en vanwege hun schema's ontmoetten ze elkaar voornamelijk rond lunchtijd. Misschien werd het tijd dat te veranderen. Moesten ze elkaar eens bij het ontbijt ontmoeten. Alleen. In een hotelkamer bijvoorbeeld.

Georgeanne sloot de deur van haar kantoor, waarmee ze het lawaai van de mixers en ander keukengerei en het geklets van haar medewerkers kon buitensluiten. Net als haar huis was het kantoor dat ze met Mae deelde opgesierd met bloemetjes en kant. En met foto's. De meeste waren van Lexie, sommige van Mae en Georgeanne samen, tijdens een aantal gelegenheden die ze hadden gecaterd. Drie foto's waren van Ray. Zo waren er twee waarop de overleden broer van Mae als travestiet te zien was en eentje waarop hij er redelijk normaal uitzag, met een spijkerbroek en een knalroze truitje. Georgeanne wist dat Mae haar tweelingbroer vreselijk miste en dagelijks aan hem dacht, maar ze wist ook dat Mae's pijn minder was geworden. Zij en Lexie hadden de lege plek in Mae's leven opgevuld, terwijl Mae voor hen een zuster en een tante was geworden. Nu waren ze elkaars familie.

Georgeanne liep naar het raam en trok een rolgordijn omhoog, zodat het zonlicht naar binnen kon schijnen. Ze legde een contract met een ellenlange wensenlijst op haar bureau en ging in haar stoel zitten. Mae zou later die middag terugkomen en Georgeanne had nog een uur voor haar lunchafspraak met Charles. Ze liep het lijstje na en las het nog een keer om er zeker van te zijn dat ze niets had overgeslagen. Haar ogen gleden langzaam naar de onderkant van de eerste pagina en ze wilde het blad omslaan, maar ze sneed haar vinger aan het papier. Zonder erbij na te denken zoog ze aan haar duim, om het bloeden te stelpen. Als deze klant haar verjaardag wilde vieren met een middeleeuws feestje, dan moest ze daar behoorlijk voor betalen. Als ze haar tuin wilde laten omtoveren in een middeleeuwse markt, zou dat een hoop werk met zich meebrengen en een boel geld kosten.

Georgeanne haalde haar duim weer uit haar mond en zuchtte diep terwijl ze de menuopties langsliep. Meestal was dat een kolfje naar haar hand. Ze genoot ervan om leuke dingen en spannende thema's te bedenken. Ze vond het heerlijk om feesten te organiseren, maar het meest genoot ze ervan als alles geregeld was en de hele rimram in hun bestelbus klaarstond voor vertrek.

Vandaag was echter een uitzondering. Ze was moe en had geen zin om een diner te bedenken voor honderd mensen. Ze hoopte dat ze meer zin had als het eenmaal zover was, in september. Misschien liep haar leven dan ook wat soepeler. Want de afgelopen twee weken, sinds John weer in haar leven was gekomen, leek het wel alsof ze de controle compleet was kwijtgeraakt. Na de picknick en zijn uitje met Lexie naar het museum had hij hen beiden meegenomen naar het zeeaquarium en naar Lexies favoriete restaurant. Beide gebeurtenissen had ze nogal spannend gevonden; in het zeeaquarium werd Georgeanne tenminste nog beziggehouden door de haaien en zeeotters, maar in het restaurant was het anders.

Terwijl ze wachtten op hun hamburgers, gebracht door een speelgoedtreintje, vond ze het heel moeilijk beleefde conversatie te voeren. Het voelde alsof ze op eieren liep. Ze kon alleen even ademhalen als ijshockeyfans aan tafel kwamen vragen om Johns handtekening.

Als er al spanning was tussen Georgeanne en John, dan leek Lexie daar geen last van te hebben. Lexie vond haar vader meteen lief, maar dat verbaasde Georgeanne niets. Ze was vriendelijk, spontaan en hield echt van mensen. Ze was open en lachte gemakkelijk. Ze ging er gewoon van uit dat iedereen haar het liefste meisje van de hele wereld vond. John was het kennelijk met haar eens. Hij luisterde aandachtig naar haar verhalen over honden en katten en lachte om al haar grapjes, ook al waren ze slecht en helemaal niet grappig.

Georgeanne legde het contract terzijde en pakte de rekening van de elektricien die de afgelopen twee dagen de ventilatie in de keuken had gerepareerd. Ze probeerde niet al te veel na te denken over de hele toestand. Lexie ging niet anders om met John dan met Charles. Maar toch was dit anders. John was Lexies vader en ergens vond Georgeanne dat eng. Zij hadden een verstandhouding waar zij geen deel van uitmaakte. Een relatie die ze niet zou kennen, nooit zou begrijpen en alleen van een afstandje kon bestuderen. John was de enige man die de hechte band met haar dochter kon verstoren.

Er werd geklopt en de deur zwaaide open. Georgeanne keek op en zag de chef van vandaag haar hoofd om de deur steken. Sarah was een slimme studente en een begenadigd patisseriechef. 'Er is mannelijk bezoek voor je.'

Georgeanne herkende de opgewonden blik in Sarahs ogen. De

afgelopen twee weken had ze dat al vaker gezien bij andere vrouwen. Meestal volgde er gegiechel op, geknipper met wimpers en geflirt. De deur ging helemaal open en achter Sarah stond de man die ervoor zorgde dat vrouwen zich zo aanstelden. De man was gekleed in een smoking maar leek zich desondanks geheel op zijn gemak te voelen.

'Hallo, John,' begroette ze hem. Ze stond op en hij liep het kantoor binnen. De kleine, vrouwelijk ingerichte ruimte was meteen gevuld met zijn grote, mannelijke gestalte. Hij had een zwarte das losjes om zijn hals en het bovenste knoopje van het gesteven smokinghemd met smalle plooitjes was ook open. 'Wat kan ik voor je doen?'

'Ik was in de buurt en wilde even langskomen,' antwoordde hij terwijl hij zijn smokingjasje uittrok.

'Heb je mij nog nodig?' vroeg Sarah vanuit de deuropening.

Georgeanne liep op haar af. 'Ga zitten, John,' zei ze over haar schouder. Ze keek naar de keuken, naar haar medewerkers, die niet eens hun best deden hun nieuwsgierigheid te verbergen. 'Nee hoor, dank je wel,' zei ze, waarna ze de deur sloot. Ze draaide zich om en keurde Johns uitmonstering vakkundig. Hij hield nonchalant zijn jasje over zijn schouder met twee vingers van een hand. Over het spierwitte overhemd liepen zwarte bretels in een Y langs zijn rug naar beneden. Hij zag eruit om op te vreten.

'Wie is dit?' vroeg hij, met een porseleinen fotolijstje in zijn hand. Daarop zag Ray eruit om op te vreten, maar dan met een pruik op en een rode jurk aan. En hoewel Georgeanne Ray uiteraard nooit had mogen ontmoeten, was ze jaloers op de vakkundigheid waarmee hij zijn eyeliner had aangebracht, evenals zijn flair voor drama. Er waren maar weinig vrouwen, of mannen, die zo'n vlammende kleur rood konden dragen en er nog goed in uitzagen ook.

'Dat is Mae's tweelingbroer,' antwoordde ze en ze ging weer achter haar bureau zitten. Ze had verwacht dat hij iets flauws of bevooroordeelds zou zeggen, maar dat deed hij niet. Hij tilde slechts een wenkbrauw op en zette het lijstje weer terug.

Opnieuw viel het Georgeanne op hoezeer hij in deze omgeving uit de toon viel. Hij paste er gewoon niet. Hij was te groot, te mannelijk en veel te knap. 'Ga je soms trouwen?' zei ze bij wijze van grapje.

Hij keek nog eens goed om zich heen en wierp toen het jasje over zijn stoelleuning. 'Jezus, nee! Dit is niet míjn apenpakje.' Hij ging zitten. 'Ik was op het Pioneer Square, voor een interview,' legde hij uit, waarna hij zijn handen in zijn broekzakken stak.

Pioneer Square was ongeveer tien kilometer verderop. Niet exact in de buurt. 'Mooi apenpakje. Van wie is het dan wel?'

'Weet ik niet. Geleend door de stylist van het tijdschrift, denk ik.'

'Welk tijdschrift?'

'De *GQ*. Ze wilden wat foto's van me maken bij de waterval daar.' Hij zei het zo losjes dat Georgeanne zich afvroeg of het valse bescheidenheid was.

'We hadden pauze, dus kwam ik even langs. Heb je tijd?'

'Eventjes.' Ze keek op de klok. 'Ik moet om drie uur een partij cateren.'

Hij hield zijn hoofd schuin. 'Hoeveel partijen cateren jullie in een week?'

Waarom wilde hij dat weten? 'Hangt ervan af,' antwoordde ze ontwijkend. 'Hoezo?'

John wees om zich heen. 'Jullie lijken goed te boeren.'

Ze vertrouwde hem voor geen meter. Hij wilde iets van haar. 'Verbaast je dat?'

Hij keek haar recht aan. 'Weet ik niet. Ik had je gewoon nooit gezien als zakenvrouw. Ik dacht altijd dat je terug was gegaan naar Texas en dat je daar met een rijke man was getrouwd.'

Zijn weinig flatteuze opmerking stoorde haar, maar ze begreep hem wel. 'Nu weet je dat het niet zo gegaan is. Ik ben hier gebleven en heb geholpen deze zaak op te bouwen.' Omdat ze het niet kon laten er een beetje over op te scheppen, voegde ze eraan toe: 'We doen heel goede zaken.'

'Dat zie ik.'

Georgeanne staarde naar de man tegenover haar. Hij zag eruit als John. Hij had dezelfde glimlach, hetzelfde litteken in zijn wenkbrauw, alleen zijn gedrag was anders. Hij was bijna… tja, aardig. Waar was die kerel die altijd kwaad naar haar keek en haar zo graag op de kast joeg? 'Ben je daarom hier? Om over mijn zaak te praten?'

'Nee, ik wilde je iets vragen.'

'Wat?'

'Ga je wel eens op vakantie?'

'Natuurlijk.' Ze was wantrouwig over de wijze waarop dit gesprek verliep. Dacht hij soms dat ze Lexie nooit mee op vakantie nam? Afgelopen zomer waren ze nog naar Texas gevlogen om tante Lolly op te zoeken. 'Juli is altijd een rustige maand in de catering. Mae en ik sluiten de zaak dan een paar weken.'

'Welke weken?'

'De twee middelste.'

Hij hield zijn hoofd schuin en keek haar in de ogen. 'Dan wil ik dat Lexie een paar dagen met me meekomt naar Cannon Beach.'

'Ligt dat niet in Oregon?'

'Inderdaad. Ik heb daar een huis.'

'Nee,' antwoordde ze direct. 'Dan kan ze niet mee.'

'Waarom niet?'

'Omdat ze jou nog niet goed genoeg kent.'

Hij fronste. 'Maar jij komt natuurlijk met haar mee.'

Georgeanne geloofde haar oren niet. Ze zette haar beide handen op het bureau en boog zich voorover. 'Jij wilt dat ik bij jou kom logeren? In jouw huis?'

'Precies.'

Dat was een onmogelijk idee. 'Ben jij helemaal gestoord?'

Hij haalde zijn schouders op. 'Vast wel.'

'Ik moet werken.'

'Je zeg net dat je volgende maand twee weken dicht bent!'

'Klopt.'

'Zeg dan ja.'

'Geen sprake van.'

'Waarom niet?'

'Waarom niet?' herhaalde ze zijn vraag. Ze was verbaasd dat hij haar nog een keer wilde uitnodigen voor een verblijf in een strandhuis, al was het dit keer op een andere plek. 'John, je vindt mij niet eens aardig.'

'Ik heb nooit beweerd dat ik jou niet aardig vind.'

'Dat hoef je ook niet te zeggen. De manier waarop je naar me kijkt zegt al genoeg.'

Hij fronste zijn wenkbrauwen. 'Hoe kijk ik dan naar jou?'

Ze leunde achterover. 'Zoals je nu kijkt, maar dan bozer. Alsof ik iets vreselijks heb gedaan, uit mijn neus eten bijvoorbeeld.'

Hij glimlachte. 'Zo erg?'

'Ja, zo erg.'

'En als ik nou beloof dat ik niet meer boos naar je kijk?'

'Ik geloof niet dat je je aan die belofte kunt houden. Je bent nou eenmaal iemand die vaak chagrijnig kijkt.'

Hij haalde een hand tevoorschijn en wees verbaasd naar zichzelf. 'Maar ik ben zo'n makkelijk mens.'

Georgeanne rolde met haar ogen. 'En Elvis leeft nog en woont in Nebraska op een bontfarm.'

John grinnikte. 'Oké, meestal ben ik een makkelijk mens. Maar je moet toegeven dat de situatie tussen ons nogal ongebruikelijk is.'

'Dat klopt,' gaf ze toe, hoewel ze twijfelde of men hem ooit zou vergelijken met een lieve, aardige jongen.

John steunde met beide armen op zijn knieën. 'Dit is belangrijk voor me, Georgeanne. Ik heb maar weinig tijd voordat ik weer naar trainingkamp ga. Ik wil ergens met Lexie zijn waar mensen niet de hele tijd achter me aan lopen.'

'Herkennen de mensen jou niet in Oregon?'

'Amper, en als ze me herkennen geeft het niet, want mensen in Oregon vinden ijshockeyers uit een andere staat niet interessant. Dat is ook mijn reden om daar naartoe te gaan; ik wil mijn volledige aandacht aan Lexie kunnen geven, zonder gestoord te worden. Dat lukt hier niet. Jij bent al vaker met me op stap geweest, je weet hoe het is.'

Dat was geen opscheppen, maar slechts een feit. 'Ik kan me wel voorstellen dat het irritant is als mensen je de hele tijd om een handtekening komen vragen.'

Hij haalde een schouder op. 'Meestal vind ik het niet erg. Behalve wanneer ik sta te pissen en ik mijn handen vol heb.'

Handen, meervoud. Wat een ego! Ze wilde er niet om lachen. 'Je moet wel heel trouwe fans hebben als ze je volgen tot in de wc's.'

'Ze kennen mij helemaal niet. Ze zijn fan van de publieke persoon die ze overal zien afgebeeld. Ik ben maar een gewone jongen die ijshockey speelt om zijn kostje te verdienen, in plaats van achter de vuilniswagen te lopen.' Er speelde een meewarig glimlachje om zijn lippen. 'Als ze me echt zouden kennen, zouden ze me ook niet leuk vinden, net als jij.'

Ik heb nooit beweerd dat ik jou niet aardig vind. Die zin bleef tussen hen in hangen, onuitgesproken. Eigenlijk moest Georgeanne tactvol zijn en zoiets uitspreken. Ze kon hem zeggen dat ze hem aardig vond – net zo makkelijk. Leugentjes om bestwil waren haar met de paplepel ingegoten. Maar nu ze zo in zijn blauwe ogen keek, wist ze niet zeker of ze zin had om te liegen. Zoals hij daar zat, de droom van elke vrouw, met zijn charmante praatjes en zijn glimlach, wist ze niet zeker of ze hem echt nog zo vreselijk vond. Op haar leuk-meter was hij gestegen van min dertig naar min tien. Dat was al een hele verbetering. 'Ik vind jou minder erg dan dit sneetje in mijn duim,' gaf ze toe en ze stak haar duim op. 'Maar minder leuk dan een *bad hair day*.'

Hij staarde haar een paar tellen doodstil aan. 'Dus ik bevind me ergens tussen een snee in je vinger en een raar kapsel.'

'Zo is het.'

'Daar kan ik mee leven.'

Georgeanne wist niet goed wat ze moest zeggen; hij deed wel heel soepel. Maar toen ging gelukkig haar telefoon. 'Momentje,' zei ze en ze nam op. 'Crane Catering, met Georgeanne Howard.' De mannenstem aan de andere kant wond er geen doekjes om.

'Nee,' zei ze als antwoord op diens impertinente vraag. 'Wij leveren geen strippers bij onze taarten.'

John grinnikte zachtjes. Hij stond op en bekeek op zijn gemak het kantoor. Eerst liep hij naar de boekenkast. Zijn manchetknopen glinsterden in het zonlicht. Hij pakte een van Georgeannes minst favoriete foto's van de kast voor het raam, die achter een plant verstopt stond. Mae had hem genomen toen Georgeanne acht maanden zwanger was.

'Ik weet zeker,' zei ze tegen de onbekende man, 'dat u ons verwart met iemand anders.' Maar de man bleef aandringen dat Crane Catering bij het vrijgezellenfeest van een vriend was geweest. Toen hij wat intieme details wilde opdissen, was Georgeanne genoodzaakt duidelijkheid te verschaffen. 'Ik weet honderd procent zeker dat we geen topless serveersters leveren voor zwembadfeestjes.' Ze bestudeerde Johns gezicht, maar zag niets in zijn uitdrukking wat erop duidde dat hij haar had gehoord. Integendeel, hij tuurde ingespannen naar de foto van een zwangere Georgeanne die hij had gevonden. Ze zag eruit als een circustent in die zwangerschapsjurk.

Toen ze eindelijk had opgehangen, liep ze naar hem toe. 'Dat is een vreselijke foto,' zei ze toen ze naast hem stond.

'Wat was je dik.'

'Dank je.' Ze wilde de foto uit zijn handen grissen, maar hij trok hem weg.

'Ik bedoel niet dík dik, maar zo… zwanger.'

'Ik was ook heel erg zwanger.' Ze reikte weer naar de foto. 'Wil je hem geven alsjeblieft?'

'Waar had jij trek in?'

'Waar heb je het over?'

'Zwangere vrouwen hebben toch altijd trek in de vreemdste dingen, augurken met slagroom en zo.'

'Sushi.'

Hij trok een vies gezicht. 'Jij houdt van sushi?'

'Niet meer. Ik heb het zo vaak gegeten dat ik het niet meer kan zien en de geur van rauwe vis kan ik niet meer velen. Net zoals zoenen. Ik had elke avond om halftien dringend zoenen nodig.'

Hij keek naar haar mond. 'Van wie?'

Ze kreeg een raar gevoel in haar buik. Een heel gevaarlijk gevoel. 'Chocoladezoenen.'

'Rauwe vis en chocola, mmm.' Hij bleef nog enige tijd naar haar mond kijken en richtte zich toen weer op de foto. 'Hoeveel woog Lexie toen ze was geboren?'

'Vier kilo en twee ons.'

Hij sperde zijn ogen open en glimlachte even alsof hij trots was op zichzelf. 'Zo hé, da's niet mals!'

'Dat zei Mae ook toen ze Lexie wogen.' Ze reikte weer naar de foto en dit keer lukte het haar deze te pakken te krijgen.

Hij keek haar aan en strekte zijn hand uit. 'Ik was nog niet klaar met kijken.'

Georgeanne verborg de foto achter haar rug. 'Jawel hoor.'

Hij liet zijn handen zakken. 'Pas maar op dat ik jou niet bodycheck.'

'Dat zou je nooit doen.'

'O, jawel,' zei hij zacht, 'dat is mijn vak en ik ben een professional.'

Het was heel lang geleden dat Georgeanne zo had geflirt. Ze deed een paar passen naar achteren. 'Ik weet niet eens hoe ijshockeyers dat doen. Zitten jullie dan ook aan elkaar?'

'Nee.' Hij hield zijn hoofd een tikje schuin en keek haar met half geloken ogen aan. 'Maar voor jou wil ik de regels wel veranderen.'

Georgeanne botste tegen het bureau. Het leek ineens of het kantoor een stuk kleiner was en de blik in zijn ogen liet haar hart als een razende tekeergaan.

'Kom op, geef eens terug.'

Voordat ze wist hoe het precies gebeurde, verdwenen zeven jaar zelfbeheersing als sneeuw voor de zon. Ze deed haar mond open en daar klonk haar verleidelijkste stem. 'Zo vriendelijk heb ik jou nog nooit iets horen vragen.'

John grijnsde. 'En, werkt het?'

Glimlachend schudde ze haar hoofd.

'Moet ik je dan echt bodychecken?'

'Nee, dat werkt ook niet.'

Zijn diepe, volle lach vulde haar kantoor. Zijn ogen lachten mee. Wat was het toch een intrigerende en aantrekkelijke man. Dit was de John die haar zeven jaar geleden zo had betoverd dat ze voor hem uit de kleren ging, waarna hij haar sneller dan het geluid had gedumpt. 'Wachten de mensen van dat tijdschrift niet op je?'

Zonder zijn ogen van haar af te wenden, stak hij zijn arm op en duwde zijn manchet naar boven. Hij draaide zijn pols om en wierp snel een blik op zijn gouden horloge. 'Gooi je me eruit?' Met zijn blik op haar gericht reikte hij naar zijn smokingjasje. 'Denk nog maar eens na over Oregon.'

'Daar hoef ik niet over na te denken.' Ze ging gewoon niet. Punt.

De deur zwaaide open en opeens stond Charles in het kantoor. Daarmee was het gesprek afgerond en was de spanning uit de lucht. Met opgetrokken wenkbrauwen keek hij van Georgeanne naar John en weer terug. 'Hallo...' zei hij.

Georgeanne ging rechtop staan. 'Ik dacht dat we pas om twaalf uur hadden afgesproken?' Ze zette de foto terug op haar bureau.

'Ik was eerder klaar en het leek me leuk jou vast op te pikken.' Hij keek weer naar John en toen gebeurde er iets tussen de twee mannen. Een soort oerdrift, non-verbale communicatie, iets wat zij niet begreep, passeerde tussen beide mannen. Georgeanne verbrak snel de stilte en stelde hen aan elkaar voor.

'Georgeanne heeft me verteld dat jij Lexies vader bent.' Charles deed zijn best de lucht te klaren.

'Dat klopt.' John was tien jaar jonger dan Charles. Hij was lang en gespierd. Een knappe man met een aantrekkelijk lichaam. Maar met een geest zo verdorven als een puberjongen.

Charles was iets langer dan Georgeanne en eerder mager dan gespierd. Hij was gedistingeerd, zoals een politicus. Hij gebruikte zijn gezonde verstand. 'Lexie is een heerlijk kind.'

'Dat is ze zeker.'

Charles sloeg bezitterig een arm om Georgeannes middel en trok haar tegen zich aan. 'Georgeanne is een fantastische moeder en een ongelooflijke vrouw.' Hij drukte haar nog dichter tegen zich aan. 'En nog een geweldige chef ook.'

'Ja, dat weet ik nog.'

Charles fronste zijn wenkbrauwen. 'Verder heeft ze niets nodig.'

'Van wie?' vroeg John.

'Van jou.'

John keek van Charles naar Georgeanne. Er verscheen een begrijpend glimlachje op zijn gezicht. 'Heb je nog wel eens behoefte aan zoenen 's avonds laat, pop?'

Ze had ineens de behoefte hem een klap te verkopen. Hij probeerde opzettelijk Charles te provoceren. En Charles... daar had ze ook niets aan. 'Niet meer,' zei ze.

'Misschien komt dat omdat je met de verkeerde zoent.' Hij trok zijn jasje aan en trok zijn manchetten eronder vandaan.

'Of misschien krijg ik genoeg zoenen.'

Hij wierp een sceptische blik op Charles en keek nog even naar Georgeanne. 'Tot ziens,' riep hij over zijn schouder. En toen was hij verdwenen.

Ze wachtte even en keek vervolgens naar Charles. 'Waar sloeg dat op? Wat was dat tussen jullie twee?'

Hij zweeg even en trok toen zijn wenkbrauwen weer omlaag. 'Dat was kijken wie het verste kon pissen.'

Georgeanne had hem nog niet eerder zo'n vulgair woord horen gebruiken. Ze wilde niet dat hij het idee had dat hij moest concurreren met John. Deze twee mannen bevonden zich allebei in een andere categorie. John was grof en zei vieze woorden alsof het normaal was. Charles was beleefd en gedroeg zich keurig. John was een straatvechter. Tijdens een wedstrijdje pissen had Charles geen schijn van kans tegen een man die twee handen moest gebruiken bij een pisbak.

'Het spijt me dat ik het zo moet zeggen.'

'Het is al goed. John brengt het slechtste naar boven in ieder mens.'

'Wat moest hij eigenlijk?'

'Over Lexie praten.'

'En verder?'

'Dat was het.'

'Waarom had hij het dan over zoenen?'

'Hij zat me uit te dagen. En dat doet hij graag. Laat je niet gek maken.' Ze sloeg haar armen om hem heen om zowel hem als zichzelf gerust te stellen. 'Ik wil het niet over John hebben. Ik wil het over ons hebben. Ik dacht dat we dit weekend de meisjes maar eens in moesten laden om naar de walvissen te kijken bij San Juan. Ik weet dat het iets is voor toeristen, daarom heb ik het nog nooit gedaan, maar eigenlijk wil ik daar al een tijdje naartoe. Wat denk je ervan?'

Hij gaf haar een kus en glimlachte. 'Ik vind je geweldig en ik wil alles wat jij ook wilt.'

'Alles?'

'Ja.'

'Dan gaan we nu lunchen, ik heb ontzettende trek.' Ze pakte zijn hand beet en trok hem mee. Pas toen ze de deur achter zich dichttrok, zag ze dat de foto van haarzelf waarop ze eruitzag als een circustent verdwenen was.

Hoofdstuk 11

Voor het eerst in zeven jaar was Mae eigenlijk blij dat haar tweelingbroer dood was. Veel van zijn vrienden waren verhuisd of waren dat van plan. En Ray kon er nooit tegen als hij in de steek werd gelaten, ook al had de persoon die het deed geen andere keuze.

Mae zette haar zonnebril op en liep door de lobby van het ziekenhuis. Als Ray nog zou leven, had hij moeten aanzien dat zijn vriend en minnaar, Stan, in het ziekenhuis lag omdat hij in elkaar was geslagen. Dat had Ray zeker niet aangekund. Mae wel. Mae was altijd al sterker geweest dan haar tweelingbroer.

Mae nam een diepe teug van de koele ochtendlucht om de ziekenhuisgeur uit haar longen te verdrijven. Ze sloeg rechts af, op weg naar het huis dat ze deelde met haar kat, Sokkie.

'Hé, Mae.'

Ze wierp een blik over haar schouder en keek recht in de grijns van Hugh Miner. Hij droeg een baseballpet, waaronder zijn lange blonde haar omhoog krulde. Over zijn schouder droeg hij drie ijshockeysticks. Het was vreemd hem hier tegen te komen. Mae woonde in een wijk met een grote hoeveelheid homo's en lesbiennes. Aangezien Mae haar hele leven een huis had gedeeld met een homo, was het voor haar de gewoonste zaak van de wereld. Bijkomend voordeel van wonen in deze wijk was dat ze al van mijlenver kon voelen wat iemands seksuele voorkeur was. En de eerste keer dat ze Hugh Miner had ontmoet, had ze binnen een tel geweten dat hij honderd procent hetero was. 'Wat doe jij hier?' vroeg ze.

'Ik breng mijn oude sticks naar het ziekenhuis.'

'Waarom?'

'Voor een veiling.'

Nu draaide ze zich helemaal om. 'Betalen mensen geld voor jouw ouwe sticks?'

'Reken maar.' Zijn grijns werd nog breder en hij zwol van trots. 'Ik ben een heel goede goalkeeper.'

Ze schudde haar hoofd. 'Jij bent ook alleen maar met jezelf bezig.'

'Dat zeg je alsof dat iets slechts is. Sommige vrouwen vinden dat juist leuk aan mij.'

Mae had niets met zijn type – groot, knap en blij met zichzelf. 'Sommige vrouwen zijn wanhopig.'

Hij grinnikte. 'En wat doe jij verder vandaag, behalve het zonnestraaltje uithangen?'

'Naar huis lopen.'

De grijns verdween. 'Woon jij hier in de buurt?'

'Jazeker.'

'Ben je dan lesbisch, meisje?'

Ineens zag ze Georgeanne voor zich, huilend van het lachen om die opmerking. 'Is dat zo belangrijk dan?'

Hij haalde zijn schouders op. 'Ik zou het jammer vinden, maar het verklaart wel waarom je zo bits doet tegen mij.'

Normaal gesproken deed Mae nooit bits tegen mannen. Ze was dol op mannen. Alleen niet op van die atletische types. 'Dat ik bits tegen je doe betekent toch niet dat ik lesbisch ben?'

'Maar ben je het nou, of niet?'

Ze aarzelde. 'Nee.'

'Gelukkig.' Hij kon weer glimlachen. 'Ga je mee ergens een kopje koffie of een biertje drinken?'

Mae lachte humorloos. 'Doe even normaal, man,' mompelde ze, waarna ze naar de stoeprand liep. Ze keek links en rechts en wilde net oversteken, toen Hugh nog wat riep.

'Sorry, liefje,' hoorde ze achter zich, alsof Hugh antwoord gaf op een vraag die ze had gesteld. 'Maar ik doe niet aan sm.'

Mae draaide zich om naar hem. Hij liep achterwaarts het ziekenhuis in, wijzend met zijn sticks naar haar. 'Maar als je het heel lief vraagt en iets stouts aantrekt, neem ik je misschien mee naar dat filmhuis op First Avenue. Daar draait een oude *Emmanuelle* en ik weet dat je dol bent op dat soort films.'

'Wat een ziek mannetje,' mompelde ze, en toen stak ze de straat over. Gelukkig was ze Hugh snel vergeten. Ze had wel betere dingen te doen dan nadenken over een brutale sportman met een stierennek. Zoals ervoor zorgen dat haar vrienden niet allemaal vertrokken uit de wijk, zoals Stan van plan was. Vorige week had ze nog afscheid moeten nemen van Armando 'Mandy' Ruiz. Ze wist niet eens dat hij van plan was te vertrekken, maar die dag was hij ineens bezig met het inpakken van zijn auto. Hij wilde zijn geluk beproeven in Los Angeles, wilde naar de glitter en glamour van die filmstad, waar hij hoopte op een carrière op het witte doek.

Gelukkig had ze haar familie nog, Georgeanne en Lexie. Daar moest ze het voorlopig mee doen.

John deed zijn voordeur open en nam Georgeannes verschijning in één goedkeurende blik op. Het was tien uur 's ochtends en ze zag er fris en perfect gekleed en gekapt uit. Haar donkere haren had ze in een losse knot achter op haar hoofd gedraaid en ze droeg diamanten knopjes in haar oren. Daaronder droeg ze een strakke colbert en rok in krijtstreep, een outfit die haar decolleté en lange benen goed verborg. 'Heb je ze bij je?' vroeg hij, en hij deed een stap opzij om haar binnen te laten. Toen ze hem gepasseerd was, snoof hij snel onder zijn arm. Viel mee, maar misschien had hij even moeten douchen na het joggen. Of snel iets anders aantrekken dan zijn joggingbroek en oude grijze T-shirt.

'Ja, ik heb er een paar bij me.' Georgeanne stapte de woonkamer binnen en hij sloot de deur achter haar. 'Als jij je maar aan jouw deel van de afspraak houdt.'

'Eerst wil ik zien wat je bij je hebt.' Ze zocht in haar aktetas en hij liet zijn blik nogmaals keurend langs haar verschijning gaan. Haar strenge haardracht en het nette pak maakten haar bijna seksloos – bijna. Want haar ogen waren net iets te groen, haar mond net iets te vol en te rood. En haar lijf... tja, er was weinig wat ze kon doen om haar ronde vormen en haar borsten te verbergen. Alleen door naar haar te kijken kreeg hij al ondeugende gedachten.

'Hier.' Ze stak hem een fotolijstje toe.

Hij nam de foto van Lexie aan en liep naar de bank. Het was een schoolfoto en Lexies glimlach zag er veel te gemaakt uit. 'Hoe zijn haar cijfers op school?' vroeg hij.

'Ze krijgen nog geen cijfers in de onderbouw.'

Hij ging zitten, maar nam niet de moeite zijn benen bij elkaar te brengen. 'Hoe weet je dan hoe ze het doet op school?'

'Ze heeft er bijna drie jaar op zitten. Ze kan al wat lezen en schrijft haar naam al goed, gelukkig. Ik was namelijk bang dat ze daar moeite mee zou hebben.'

Toen ze naast hem kwam zitten, vroeg hij: 'Hoczo?'

Georgeanne vertrok haar mond in een glimlach. 'Zomaar.'

Ze loog, maar hij had geen zin de discussie met haar aan te gaan – nog niet tenminste. 'Ik haat het als je zo doet.'

'Wat doet?'

'Glimlachen als je het niet meent.'

'Jammer dan. Er zijn zoveel dingen van jou die ik niet leuk vind.'

'Zoals?'

'Zoals die vreselijke foto uit ons kantoor pikken en als onderpand gebruiken. Ik houd er niet van om gechanteerd te worden.'

Hij was helemaal niet van plan geweest haar te chanteren. Hij had de foto meegenomen omdat hij hem leuk vond. Dat was de enige reden. Hij vond het leuk haar mooie gezichtje te bekijken met die zwangere buik eronder, waarin zijn baby groeide. Als hij daarnaar keek, zwol zijn borst op van trots, zozeer dat hij bijna stikte van het mannelijke eergevoel, of zoiets. 'Georgie, Georgie,' zuchtte hij. 'Ik dacht dat we gisteren aan de telefoon die hele kwestie hadden opgehelderd. Zoals ik al zei, ik heb die foto van je geleend,' loog hij. Hij was natuurlijk nooit van plan geweest hem terug te geven, maar toen ze hem had opgebeld en tegen hem begon te schreeuwen, had hij besloten om er gebruik van te maken.

'En nu geef je mij de foto die je gestolen hebt.'

John schudde zijn hoofd. 'Niet voordat je er iets voor in de plaats geeft. Iets wat net zo kostbaar is. Deze is zo geposeerd.' Daarna zette hij de bewuste foto op de salontafel. 'Wat heb je nog meer in de aanbieding?'

Ze gaf hem een foto die was gemaakt in zo'n studio in een winkelcentrum. Hij staarde naar zijn meisje; ze zag eruit als een hoertje, met enorm veel make-up, lange glitteroorbellen en een dikke paarse boa. Hij fronste en gooide de foto op tafel. 'Deze niet.'

'Het is haar eigen favoriet.'

'Dan denk ik er nog even over na. Wat heb je nog meer?'

Zij fronste op haar beurt en groef diep in haar tas. Aan de zij-kant van haar rok verscheen een split en daar verscheen haar bovenbeen, zodat hij een glimp opving van haar naakte dij boven een vleeskleurige kous met een blauwe kousenband. Godskolere. 'Waar moet jij naartoe dat je er zo bij loopt?'

Ze ging weer rechtop zitten. De split ging dicht en de voor-stelling was voorbij.

'Ik heb een afspraak met een klant.' Ze gaf hem nog een foto, maar hij keek er niet eens naar.

'Weet je zeker dat het geen man is met wie je hebt afgesproken?'

'Charles?'

'Zijn er meer mannen in je leven dan?'

'Nee, er zijn er niet meer, en ik weet zeker dat ik niet met hem heb afgesproken.'

John geloofde haar niet. Vrouwen droegen dat soort onder-goed niet zomaar, alleen als ze van plan waren het aan iemand te showen. 'Wil je koffie?' Hij stond snel op, voordat zijn fanta-sie met hem aan de haal ging.

'Graag.' Georgeanne volgde hem naar de keuken. Het geluid van haar hakken op de hardhouten vloer echode in de strak in-gerichte ruimte.

'Charles mag mij niet, weet je,' deelde John mee, terwijl hij twee kopjes onder het espressoapparaat zette.

'Weet ik, maar ik dacht eigenlijk dat jij hem ook niet mocht.'

'Nee, dat klopt,' zei hij, al had hij geen hekel aan de man persoonlijk. Het was dan wel een echte eikel, maar dat was zijn voornaamste bezwaar niet. John vond de gedachte dat er een andere man in Georgeannes leven was gewoon onaangenaam – punt.

'Hoe serieus is jouw relatie met hem?'

'Dat gaat je niks aan.'

Misschien niet, maar hij wilde het toch graag weten. Hij overhandigde haar een kopje koffie. 'Melk of suiker?'

'Heb je zoetstof?'

'Ja hoor.' Hij groef in een keukenla naar wat zakjes en een lepel. 'Zolang jouw vriend mijn dochter ziet, heb ik recht op dat soort informatie.'

Georgeannes lange vingers scheurden het zakje open en ze schudde de inhoud in haar koffie, waarna ze deze omroerde. Haar nagels waren lang en perfect gelakt. Het zonlicht dat door het raam boven het aanrecht naar binnen scheen reflecteerde in de diamanten oorknopjes. 'Lexie heeft Charles twee keer gezien en lijkt hem wel aardig te vinden. Hij heeft een dochter van tien en die twee spelen graag samen.' Ze legde de lepel in de gootsteen en nam voorzichtig een slok. 'Dat is geloof ik alles wat je moet weten.'

'Als Lexie hem pas twee keer heeft ontmoet, dan ken je hem nog niet zo heel lang.'

'Nee, niet heel lang.' Ze tuitte haar lippen en blies in haar koffie. John leunde met een heup tegen het aanrecht en keek naar haar terwijl ze nog een slok nam. Hij durfde te wedden dat ze nog niet met hem naar bed was geweest. Dat zou verklaren waarom de man zo vijandig deed tegen John. 'Wat zal hij zeggen als hij erachter komt dat jij en Lexie met me meegaan naar Cannon Beach?'

Hij had de afgelopen nacht liggen nadenken hoe hij haar zover kon krijgen dat ze meeging. Hij zou op haar gemoed spelen; ze was tenslotte heel gevoelig. Alles wat zij voelde kon je rechtstreeks in die groene ogen zien. En hoewel ze haar gevoelens probeerde te verbergen achter een neutrale uitdrukking, kon John haar heel goed lezen. Hij was al zijn hele leven bezig om de gezichten van keiharde, stoere mannen te bestuderen. Mannen die hun emoties de baas bleven terwijl ze de strijdbijl opgroeven. Georgeanne had geen schijn van kans. Hij zou beginnen met haar moederinstinct. Als dat niet werkte zou hij gaan improviseren. 'Lexie moet meer tijd met mij doorbrengen; we moeten samen een relatie opbouwen. Ik weet maar weinig over kleine meisjes,' biechtte hij op. 'Maar ik heb een boek, van een of andere psycholoog, die schrijft dat de relatie die een meisje met haar vader heeft bepalend is voor de verdere relaties met mannen in haar leven. Dus als de vader van een meisje niet in de buurt is of een ontzettende, eh, eikel, dan kan ze behoorlijk verneu... eh, gestoord worden.'

Georgeanne keek John een paar tellen zwijgend aan en zette toen zachtjes haar mok op het aanrecht. Uit persoonlijke ervaring wist ze dat hij gelijk had. Zij was zelf een tijdlang behoorlijk gestoord geweest. Maar het feit dat hij gelijk had, wilde niet zeggen dat ze met hem een vakantie zou doorbrengen. 'Lexie kan jou hier ook leren kennen. Met zijn drieën daar zijn zou rampzalig kunnen aflopen.'

'Jij bent niet bang voor ons drieën, maar voor ons tweeën.' Hij wees naar haar en toen naar hemzelf. 'Jij en ik.'

'Jij en ik kunnen het samen niet goed vinden.'

Hij vouwde zijn armen voor zijn brede borstkas en daardoor zakte de boord van het versleten T-shirt omlaag. Ze kon zijn sleutelbeen en de kuil onder aan zijn hals goed zien. 'Ik denk dat jij bang bent dat we het samen veel te goed hebben. Jij bent bang dat je bij mij in bed belandt.'

'Doe niet zo bespottelijk.' Ze rolde met haar ogen. 'Ik mag jou niet eens graag en ik voel me totaal niet tot je aangetrokken.'

'Daar geloof ik niks van.'

'Kan me niet schelen wat jij wel of niet gelooft.'

'Jij bent bang dat jij, zodra we alleen zijn, de verleiding om bij mij in bed te springen niet kunt weerstaan.'

Nu moest Georgeanne lachen. John was rijk en knap. Hij was een bekende sportman en had een getraind lijf. Toch was ze totaal niet bezorgd dat ze bij hem in bed zou springen. Zelfs niet als hij de laatste man op aarde was en hij een pistool op haar gericht had. 'Jij moet eens niet zo arrogant doen.'

'Volgens mij heb ik gelijk.'

'Volgens mij niet.' Hoofdschuddend verliet ze de keuken. 'Je ziet ze vliegen.'

'Maar je hoeft je geen zorgen te maken,' ging hij verder. 'Ik ben toch immuun voor jou.'

Georgeanne reikte naar haar koffertje en zette het op de bank.

'Je bent mooi en God weet dat je een lichaam hebt waar de paus van gaat kwijlen, maar mij maak je niet gek.'

Zijn mededeling deed haar toch meer pijn dan ze wilde toegeven. Het liefst wilde ze dat hij haar elke keer weer om op te vreten vond. Dat hij zichzelf wel voor zijn hoofd kon slaan omdat hij haar had gedumpt. Ze trok een wenkbrauw op alsof ze hem niet geloofde en wees naar de salontafel. 'Welke foto's kies je nu?'

'Laat ze allemaal maar hier.'

'Ook goed.' Ze had thuis nog kopieën. 'Maar dan krijg ik de foto die je van mij gestolen hebt.'

'Zo meteen.' Hij pakte haar arm beet en keek haar diep in de ogen. 'Ik probeer je uit te leggen dat je veilig bent in mijn huis. Al ruk je alle kleren van je lijf en loop je hier naakt rond, ik zou met gemak van je af kunnen blijven.'

Ze voelde haar vroegere, verleidelijke ik weer naar boven komen. Alsof ze haar eer moest redden. De oude Georgeanne die overal onzeker over was, behalve over haar effect op mannen. 'Schatje, als ik al mijn kleren uittrok, zouden je ogen uit hun kassen rollen en kreeg je last van je hart. Dan zou ik je mond-op-mondbeademing moeten geven.'

'Daar vergis je je in, Georgie. Het spijt me dat ik het zeggen moet, maar ik kan jouw charmes gewoon weerstaan.' Hij liet haar arm los en ze voelde zich nog meer in haar eer aangetast. 'Je zou me zelfs in de houdgreep kunnen nemen en me tongzoenen, maar ik zou er niet op reageren.'

'Probeer je nu mij of jezelf te overtuigen?'

Hij gaf haar een veelbetekenende blik. 'Ik constateer slechts een feit.'

'Ja ja. Nou, dit is ook een feit.' Ze gaf hem eenzelfde monsterende blik, beginnend bij zijn kuiten, via zijn gespierde bovenbenen, zijn middel, zijn brede borstkas en dito schouders naar zijn knappe gezicht. Hij zag er mannelijk en ietwat bezweet uit. 'Ik zoen nog liever een dooie vis.'

'Georgie, ik heb je vriendje ontmoet. Je zoent ook met een dooie vis.'

'Beter dan met zo'n domme sporter als jij.'

Hij kneep zijn ogen tot spleetjes. 'Weet je het zeker?'

Tevreden glimlachend omdat ze hem op de kast had gekregen zei ze: 'Absoluut.'

Voordat ze wist wat er gebeurde, had John een arm om haar middel geslagen en haar tegen zich aan getrokken. Zijn vingers verdwenen in haar opgestoken haar. 'Mondje open en aah zeggen,' zei hij, waarna zijn mond hard op de hare terechtkwam. Haar mond opende zich vol verbazing en van schrik hingen haar armen weerloos naar beneden. Zijn blauwe ogen keken recht in de hare, toen werd zijn zoen zachter en ze voelde het puntje van zijn tong lichtjes over haar bovenlip strijken. Hij likte haar mondhoek en zoog zachtjes aan haar lippen. Haar blik vertroebelde en hij trok haar nog dichter tegen zich aan. Er liep een warme rilling langs haar ruggengraat en haar nekhaartjes stonden rechtovereind. Zijn hete, natte mond voelde goed en voordat ze er erg in had, zoende ze hem terug. Ze tastte met haar tong naar de zijne en verloor zich bijna in hun zoen. En toen, net zo plotseling als het was begonnen, duwde hij haar van zich af.

'Zie je wel?' zei hij, na een diepe ademteug. 'Niets.'

Georgeanne knipperde met haar ogen en keek hem verdwaasd aan. Hij stond daar heel koeltjes terwijl ze zijn mond nog op de hare kon voelen. Hij had haar gezoend en zij had het toegestaan.

'Er is geen reden waarom wij tweetjes niet een week lang in één huis kunnen verblijven.' Hij veegde met zijn duim over zijn onderlip, om haar lippenstift weg te vegen. 'Tenzij die zoen je natuurlijk toch iets deed.'

'Nee hoor, helemaal niets,' probeerde ze hem en zichzelf te overtuigen. Ze glimlachte overdreven. Maar ze had wel degelijk wat gevoeld. Ze voelde het nog steeds. Iets warms en kriebeligs in haar buik. Hij had haar gezoend en zij had het toegelaten en ze begreep niet waarom. Ze griste haar aktetas van de bank en liep snel de deur uit, voordat ze zou gaan gillen en zichzelf voor schut zou zetten. Maar misschien was het al te laat. Dat ze had gereageerd op Johns zoen was natuurlijk niet verstandig geweest.

Terwijl ze terugliep naar haar auto, realiseerde ze zich dat ze zo onverwacht het huis uit was gestormd dat ze was vergeten de foto mee te nemen die hij van haar had gestolen. Nou, ze ging hem niet halen. Niet nu in elk geval. En ze ging niet met hem mee naar Oregon. Onder geen enkele voorwaarde. Echt niet.

John stond op het dek dat uitkeek over Lake Union. Hij had haar gezoend. Aangeraakt. En nu had hij er spijt van. Hij had haar ook gezegd dat het hem niets deed, maar als ze de moeite had genomen om dat na te gaan, dan had ze geweten dat hij had gelogen.

Hij wist niet waarom hij haar had gezoend, behalve misschien om haar ervan te verzekeren dat ze veilig zou zijn in zijn huis in Oregon. Of misschien omdat ze hem had gezegd dat ze liever een dooie vis zoende. Maar vooral omdat ze zo heerlijk was en sexy en die blauwe kanten kousenbanden droeg en hij dolgraag wilde weten hoe ze smaakte. Gewoon, even een snelle zoen. Om te testen. Dat was alles wat hij had gewild. Maar hij had er meer voor teruggekregen. Hij werd er ongelooflijk opgewonden van en voelde zijn kruis bonzen. Dus nu zat hij met een pijnlijke stijve zonder een leuke manier om daar een einde aan te maken.

John schopte zijn schoenen uit en dook in het koude water om af te koelen. Die fout zou hij niet nog een keer maken. Niet zoenen. Niet aanraken. Niet denken aan een naakte Georgeanne.

Hoofdstuk 12

Georgeanne was helemaal niet van plan geweest om in te gaan op Johns verzoek. Echt niet. Ze wilde juist helemaal niet mee naar Oregon. En ze was ook vastbesloten geweest aan haar beslissing vast te houden, als Lexie niet ineens enorme belangstelling aan de dag had gelegd voor haar fictieve vader Anthony.

Het was begonnen op de dag na hun zeiltocht naar San Juan. Misschien had de aanwezigheid van Charles en zijn dochter Amber haar nieuwsgierigheid gewekt. Misschien had het te maken met haar leeftijd. Want Lexie had er wel vaker naar gevraagd, maar nu wilde Georgeanne antwoord geven zonder het mooier te maken dan het was. Het eind van het liedje was dat ze John had opgebeld om te zeggen dat ze naar Oregon zou komen. Als Lexie een goede verstandhouding met haar vader nodig had, dan moest ze tijd doorbrengen met John, voordat ze haar kon vertellen dat hij haar vader was.

Maar nu ze in de auto zat, op weg naar Cannon Beach, hoopte ze maar dat ze geen stomme fout maakte. John had haar beloofd dat hij haar niet gek zou maken, maar ze geloofde hem eigenlijk niet.

'Ik zal me gedragen,' had hij beloofd.

Ja. Tuurlijk. En olifanten nestelen in eikenbomen.

Ze keek opzij naar haar dochter, die in het autozitje vastzat. Ze zat zorgvuldig een kleurplaat in te kleuren, met haar zwarte smiley-pet achterstevoren op en een blauwe zonnebril op. Het was zaterdag, dus waren haar lipjes knalrood geverfd. Maar goddank hielden ze eindelijk stil.

De reis was aangenaam begonnen, totdat Lexie was begonnen

met zingen... en zingen... en zingen. Ze had alle liedjes die ze kende, en dat waren er niet zoveel, zo'n honderd keer achter elkaar gezongen, wel een uur achter elkaar. De finale was 'Deep in the Heart of Texas', waarbij ze na elk refrein enthousiast geklapt had, zoals een trotse Texaan betaamt. Jammer alleen dat ze het lied maar bleef herhalen.

Net op het moment dat Georgeanne zat uit te rekenen over hoeveel jaar ze Lexie met een gerust hart kon afzetten bij een college, hield ze op met zingen. Georgeanne had zich een vreselijke moeder gevoeld omdat ze haar enige kind zo bruusk uit het nest had geduwd, al was het alleen mentaal gebeurd.

Toen begon het vragenuurtje. 'Zijn we er al? Hoe lang duurt het nog? Waar zijn we nu? Heb je mijn dekentje ingepakt?' Ze had zich ook afgevraagd of er in Johns huis wel een kamertje voor haar was, en of er genoeg wc's waren. Ze kon zich ineens niet meer herinneren of ze haar plaknagels wel ingepakt had en maakte zich zorgen of ze wel genoeg barbies had meegenomen voor vijf dagen. En ze hadden wel strandspullen bij zich, maar wat als het elke dag zou regenen? En zouden er ook andere kinderen in de buurt wonen om mee te spelen?

Eindelijk reed Georgeanne door Cannon Beach. Het deed haar denken aan zovele andere artistieke kustplaatsjes aan de noordwestkust van Amerika. Met atelierwoningen van kunstenaars, leuke winkeltjes en kroegjes aan de hoofdstraat. Gevels die in pasteltinten waren geschilderd en zeemotieven droegen. Tussen de huizen hingen wimpels en vlaggen te wapperen in de zeewind. Het was volop vakantieseizoen en het stikte van de toeristen.

Ze keek op de klok op het dashboard. Ze was altijd erg stipt en kwam meestal keurig op tijd, maar nu was ze een halfuur te vroeg. Ze was ergens onderweg iets harder op het gaspedaal gaan trappen. Vast ergens tussen de herkenningsmelodie van *Dora* en de honderdvijfentachtigste keer 'We zijn er bijna'. Het had haar niets kunnen schelen als ze was aangehouden door een agent voor een bekeuring. Ze had het heerlijk gevonden om een praatje te maken met een andere volwassene.

Ze keek op het kaartje dat ze had uitgeprint en reed langs oude huizen en grote hotels. Aan het einde van de hoofdstraat moest ze rechtsaf, wist ze. Verderop in de straat zag ze Johns donkergroene Range Rover al staan op de oprit van een witte bungalow met een dak van houten shingles. Oude pijnbomen en acacia's in de tuin gaven een aangename schaduw op de veranda, die lichtgrijs was geschilderd. Ze lieten de bagage in de auto achter en liepen hand in hand naar de voordeur. Bij elke stap ging Georgeannes hart sneller kloppen. Bij elke stap groeide haar bezorgdheid dat ze een grote fout maakte.

Ze drukte op de bel en klopte een paar keer aan. Niemand deed open. Ze keek nog een keer op het kaartje, om er zeker van te zijn dat ze zich niet had vergist. Maar Google Maps vergiste zich nooit.

'Misschien doet ie een dutje,' stelde Lexie voor. 'Dan kunnen we wel naar binnen gaan en hem wakker maken.'

'Ja, misschien.' Georgeanne keek nog eens naar het huisnummer. Daarna opende ze de brievenbus. Ze hoopte dat John geen nieuwsgierige buren had. Ze haalde er een envelop uit tevoorschijn, geadresseerd aan John.

'Denk je dat hij het vergeten is?', vroeg Lexie.

'Ik hoop het niet,' antwoordde Georgeanne. Ze draaide de deurknop om en opende de voordeur. En als hij het nou vergeten was? Stel dat hij in zijn bed lag te slapen? Of onder de douche stond? Ze wist dat ze te vroeg was, stel nou dat hij nog in bed lag – met een of andere vrouw...

'John!' riep ze. Ze stapte de gang in en haar voeten zakten tot hun enkels in de dikke, lichtgekleurde vloerbedekking. Met Lexie vlak achter haar liep Georgeanne de woonkamer in. Ze zag meteen dat het geen bungalow was, zoals je van de voorkant gezien zou denken. Links in de woonkamer liep een trap naar beneden, terwijl aan haar rechterkant een tweede trap naar de vide boven de eethoek liep. Het huis lag op een heuvel en keek uit over het strand en de zee. De hele achterwand bestond uit grote ruiten die in blond hout waren gevat. Boven de woonkamer gaven drie grote dakvensters extra licht.

'Wauw,' fluisterde Lexie, diep onder de indruk. Langzaam draaide ze een rondje. 'Is John rijk?'

'Zo te zien wel, hè.' De inrichting was modern en bestond voornamelijk uit lichtgekleurd hout en staal. Er stond een diepblauwe hoekbank bij een open haard aan de linkerkant. Daarboven hing een grote foto van Johns grootvader, grijnzend met een enorme vis in zijn hand. Het was lang geleden dat Georgeanne en Ernie elkaar gezien hadden, maar ze herkende hem direct.

'Ik vraag me af of John daarbeneden is.' Lexie liep naar een van de schuifdeuren aan de zeekant. 'Of misschien heeft hij zijn been gebroken en kan hij niet meer lopen.'

Samen liepen ze naar buiten en keken uit over een veranda die helemaal rondom het huis liep en waarvandaan een trap naar het strand beneden leidde. Verderop lag Haystack Rock. Zeemeeuwen hingen in de lucht boven de met groen bedekte rots. Hun voortdurende gekrijs mengde zich met het geluid van de branding.

'John!' riep Lexie nu luid. 'Waar ben je?'

Georgeanne deed de schuifdeur open en rook meteen de frisse zeelucht. Ze liep naar buiten, haalde diep adem en liet haar longen langzaam leeglopen. Misschien zou een weekje in zo'n prachtig huis op zo'n mooie plek helemaal niet zo gek zijn. Als John maar niet al te veel zijn best deed om te klimmen op haar leukmeter en haar niet meer zoende, was deze logeerpartij misschien best aangenaam.

Onder haar voeten, door de zolen van haar espadrilles, voelde Georgeanne een zwaar gedreun. Het waren voetstappen die de trap op kwamen. Ineens kreeg ze een wee gevoel in haar buik. Toen kwam John stukje bij beetje in beeld. Eerst zagen ze zijn kruin, toen de witte snoertjes van zijn oordopjes, daarna de onderste helft van zijn gezicht, dat hij al een aantal dagen niet geschoren had. Vervolgens kwamen zijn brede schouders en gespierde borstkas in beeld. Hij droeg een hemdje dat kort was afgeknipt, met een heggenschaar of zo. Georgeanne vroeg zich af waarom hij in vredesnaam de moeite had genomen het aan te trekken. Zijn ontblote buik zag er strak uit, met donkere haartjes

die rond zijn navel liepen en daaronder verdwenen in zijn donkerblauwe short. Zijn gespierde dijbenen en kuiten waren lang en
bruin.

'Wat zijn jullie vroeg,' hoorde ze hem hijgend zeggen. Ze keek
op en zag hem de oordopjes uit zijn oren trekken. Hij keek op
zijn sportieve horloge, dat omgekeerd aan zijn pols prijkte. 'Als
ik dat geweten had, was ik hier wel geweest.'

'Sorry,' zei ze. Het kostte haar moeite niet te blozen. Kom op
zeg, ze was volwassen. Ze kon toch wel tegen de aanblik van een
bezwete, halfnaakte John Kowalsky. Ze moest gewoon aan hem
denken als een bad hair day. Dwars en irritant. 'Ik heb iets harder op het gaspedaal getrapt dan de bedoeling was,' legde ze uit.

'Hoe lang zijn jullie er al?' Hij reikte naar een witte handdoek
die over de leuning hing. Hij droogde zijn gezicht en haren af
alsof hij net onder de douche vandaan kwam. Zijn hele hoofd
verdween in de witte badstof.

'Een paar minuutjes.'

'Ja, we dachten dat je misschien gevallen was,' zei Lexie, maar
haar aandacht ging alweer naar Johns buik. Tot die tijd had ze
nog nooit een blote man van dichtbij gezien. Ze staarde dus
nieuwsgierig naar al die huid en haren en kwam zelfs dichterbij om hem eens goed te bekijken. 'Ik dacht dat je een been gebroken had en niet meer kon lopen.'

Hij stak zijn hoofd onder de handdoek uit. 'En had je al een
pleister voor me gepakt?' vroeg hij met een glimlach. Hij hing de
handdoek om zijn nek.

Ze schudde haar hoofd. 'Jij heb haar op je buik, John. Heel
veel haar!' Toen draaide ze zich om naar de trap en het strand
dat zich daaronder uitstrekte.

Hij keek naar beneden en streek over zijn buik. 'Dat valt toch
wel mee. Ik ken mannen die veel meer lichaamshaar hebben. Ik
heb gelukkig geen haren op mijn rug.'

Georgeanne zag hoe hij over zijn onderbuik streek, hoe zijn
vingers door de korte haartjes gingen, en er schoot ineens een
herinnering naar boven. Hoe zij dat zeven jaar geleden bij hem

had gedaan. Hoe zij zijn ongelooflijk sexy en mannelijke lichaam met haar eigen handen had betast.

'Waar kijk je naar, Georgeanne?'

Betrapt wendde ze haar blik af. Nu kon ze op een paar manieren reageren: liegen of schuldig kijken. Ze keek hem strak aan. 'Ik keek naar je schoenen.'

Hij grinnikte zacht. 'Nietes, je keek naar mijn six-pack.'

Maar ze kon het ook gewoon toegeven. 'Het was een lange rit.' Ze haalde haar schouders op. 'Ik ga onze bagage uit de auto halen.'

John liep met haar mee. 'Ik help je even.'

'Graag.'

Hij schoof de deur open. 'Graag gedaan,' zei hij met een arrogant glimlachje.

'Hé, John!' brulde Lexie ineens, en ze haalde haar moeder in. 'Ik hebt mijn skates meegenomen. En raad eens?'

'Wat?'

'Mammie heeft Barbie-kniebeschermers voor me gekocht.'

'Van Barbie?' Hij deed de voordeur open. 'Gaaf.'

'En raad nog eens?'

'Wat?'

'Ik heb een nieuwe zonnebril.' Ze haalde de blauwe bril van haar neus en hield hem in de lucht. 'Zie je wel?'

John draaide zich om. 'Zo, echt vet.' Hij hield halt en bekeek haar gezicht eens goed. 'Ga je nu de hele tijd die rommel op je gezicht dragen als je hier bent?'

Ze knikte. 'Op zaterdag en zondag mag ik dat.'

Hij liep naar Georgeannes auto en zei: 'Misschien kun je, omdat je op vakantie bent, wel eens zonder make-up rondlopen.'

'Echt niet. Ik vind het mooi. Het is mijn allerliefste ding.'

'Ik dacht dat honden en katten jouw allerliefste ding waren.'

'Maar make-up is mijn allerliefste ding om óp te doen.'

Hij zuchtte diep en pakte de twee koffers en tas met speelgoed van de achterbank. 'Is dat alles?' vroeg hij.

Georgeanne opende glimlachend de achterbak.

'Jezus,' vloekte John. Hij staarde ongelovig naar drie koffers, twee gele regenjassen, een grote paraplu en een barbiehuis. 'Heb je je hele huis ingepakt?'

'Dit is al minder dan de helft van wat er oorspronkelijk mee moest,' zei ze verontschuldigend. Ze pakte de jassen en paraplu. 'Wil je alsjeblieft niet vloeken waar Lexie bij is?'

'Deed ik dat?' vroeg John met een ongelovige uitdrukking.

Georgeanne knikte streng.

Lexie giechelde en pakte het barbiehuis.

Met zijn drieën liepen ze het huis door en de trap af naar de benedenverdieping. Hij wees hun de logeerkamer, waar hij ze achterliet zodat hij de rest van de bagage kon halen. Toen alles binnen was, leidde hij ze rond over de benedenverdieping. Behalve hun kamer was er nog een oefenruimte met allerlei toestellen, twee badkamers, twee wc's en zijn eigen slaapkamer.

'Ik ga even douchen,' meldde hij na afloop, terwijl Lexie alle sanitaire vertrekken aan een grondige inspectie onderwierp. 'Als ik klaar ben, kunnen we samen naar de poeltjes bij de rotsen gaan kijken.'

'Wij gaan wel vast vooruit,' stelde Georgeanne voor, die graag alle zon wilde meepikken op deze korte vakantie.

'Ook goed. Hebben jullie handdoeken nodig?'

Georgeanne was dan wel geen padvinder geweest, ze ging meestal goed voorbereid op pad. Dus had ze ook handdoeken meegenomen. Toen John hen alleen liet, gingen Lexie en zij zich verkleden. Lexie trok haar roze met paarse gestreepte bikini aan en een DON'T MESS WITH TEXAS-T-shirt. Georgeanne trok een korte broek aan en een geel met oranje halterhemdje. Omdat ze zich toch wat bloot voelde, deed ze er nog een dunne witte blouse overheen, zonder hem vast te knopen. De stof viel gelukkig tot over haar billen. Beiden trokken tot slot hun stevige sandalen aan, waarna Georgeanne de zonnebrand en de handdoeken pakte en ze het huis verlieten.

Tegen de tijd dat John hen vond op het strand, had Lexie al een halve zee-egelschaal gevonden, een schelp en het klauwtje van een krab. Ze stopte alles in haar roze emmertje en bestudeerde met Georgeanne net een zeeanemoon die in een poeltje tussen de rotsen zat.

'Raak maar eens aan,' moedigde Georgeanne haar aan. 'Het plakt alleen een beetje.'

Lexie schudde haar hoofd. 'Ik weet dat het plakt, maar ik vind het eng.'

'Ze bijten niet, hoor,' hoorden ze John achter hen.

Georgeanne keek naar hem op en stond op. Hij had zich niet alleen gedoucht maar ook geschoren en droeg een beige korte broek en een olijfkleurig T-shirt. Hij zag er fris en nonchalant uit, maar nog steeds te knap en sensueel om er echt fatsoenlijk bij te kunnen lopen. 'Ik denk dat ze bang is dat de anemoon haar vinger niet loslaat.'

'Nietes,' beweerde Lexie hoofdschuddend. Ze stond op en wees naar de grote Haystack Rock. 'Daar wil ik naartoe.'

Met zijn drieën liepen ze naar de grote rotsformatie. John hielp Lexie om van de ene rots naar de andere te springen. En als het iets te zwaar werd voor haar kleine beentjes, nam hij haar op zijn schouders alsof het niets was.

Lexie greep met beide handen Johns hoofd beet en haar emmertje kwam tegen Johns rechterhand aan. Ze kraaide het uit van de pret en toen ze zich veilig genoeg voelde liet ze Johns hoofd los. 'Kijk, mammie, zonder handen!'

John en Georgeanne keken elkaar lachend aan. 'Dat hoort elke moeder graag,' zei Georgeanne.

Toen ze waren uitgelachen en verder liepen langs de branding, bleef Johns glimlach op zijn gezicht. 'Ik dacht al dat je alleen jurken of rokken droeg,' zei hij met zijn handen aan Lexies enkels.

Ze was niet verbaasd. Hij was nou eenmaal het type man dat daarop lette. 'Ik draag ook niet vaak een broek.'

'Waarom niet?'

Georgeanne had geen zin om antwoord te geven op die vraag. Maar Lexie vond het geen enkel probleem haar persoonlijke geheim te verklappen. 'Omdat ze een dikke kont heeft!'

John keek omhoog naar Lexie, met zijn ogen dichtgeknepen tegen de zon. 'Echt waar?'

Lexie knikte. 'Dat zegt ze altijd.'

Georgeanne voelde haar gezicht rood worden. 'Laten we hier niet over praten.'

John tilde aan de achterkant haar blouse omhoog en hield zijn hoofd opzij om beter te kunnen kijken. 'Ziet er niet dik uit,' zei hij, alsof hij over het weer babbelde. 'Ziet er zelfs prima uit, vind ik.'

Georgeanne schaamde zich een beetje maar zijn complimentje veroorzaakte toch een vreemd gevoel in haar onderbuik. Ze sloeg zijn hand weg en trok haar blouse omlaag. 'Nou, toch is het zo,' zei ze, en toen ging ze voor John en Lexie uit lopen. Ze wist nog goed wat er zeven jaar geleden was gebeurd toen hij haar gek had gemaakt met zijn charmante complimentjes. Elk meisje uit de zuidelijke staten is graag een heuse schoonheidskoningin en hij deed zo zijn best, dat ze zich bijna Miss Texas was gaan voelen. Ze was gretig in zijn bed beland. Maar nu, op dit strand, moest ze niet vergeten dat hij ondanks zijn charmes ook heel naar kon doen.

Toen ze de rotsformatie hadden bereikt, zette John Lexie weer met beide benen op de grond en gingen ze op onderzoek uit. Het was een heerlijke dag en het zag eruit alsof de zon voorlopig nog niet wegging.

Georgeanne keek van een afstandje toe terwijl John en Lexie samen dingen ontdekten. Een oranje met paarse zeester, mosselen en nog meer plakkerige anemonen. Hun donkere hoofden raakten niet uitgepraat boven elke getijdenpoel. Het gaf haar de tijd om te wennen aan deze nieuwe persoon in het leven van haar dochter.

'Die is verdwaald,' zei Lexie, terwijl Georgeanne op een gegeven moment naast haar knielde.

'Wie?' vroeg ze.

Lexie wees naar een zwart met bruin visje dat eenzaam in het poeltje rondzwom. 'Het is een babyvisje en het is zijn moeder kwijt.'

'Ik geloof niet dat het een baby'tje is,' zei John sussend. 'Ik denk dat het gewoon een klein soort vis is.'

Ze schudde haar hoofd. 'Nee, John. Het is een babyvisje.'

'Weet je, zodra het weer vloed wordt, komt zijn moeder hem zoeken,' probeerde Georgeanne op haar beurt haar dochter te sussen, voordat Lexie helemaal over haar toeren raakte. Ze was nou eenmaal erg gevoelig voor weesjes.

'Nee,' zei Lexie vastberaden en haar kin begon al te trillen. 'Want zijn moeder is ook verdwaald.'

Omdat Lexie door één ouder werd grootgebracht en geen andere familieleden kende dan Mae, dacht Georgeanne altijd goed na voordat ze films voor Lexie uitkoos. Tijdens haar laatste verjaardagsfeestje hadden ze naar *Babe* gekeken. Domme fout. Lexie had de week erna alleen maar kunnen huilen. 'Zijn moeder is niet kwijt. Als het vloed wordt, komt ze hem halen.'

'Nietes, mammie, moeders laten hun kindjes nooit in de steek, behalve als ze verdwaald zijn. En nu kan het visje nooit meer naar huis.' Ze liet haar hoofd op haar knie vallen. 'En zonder zijn moeder gaat ie dood.' Ze snikte dramatisch en er drupte een traan in het zand.

Georgeanne keek over Lexies hoofd heen naar John. Hij had een wanhopige blik in zijn ogen. Kennelijk verwachtte hij dat zij het zou oplossen. 'Ik weet zeker dat zijn vader nog rondzwemt om hem te zoeken.'

Maar Lexie geloofde er niets van. 'Vaders zorgen niet voor babyvisjes.'

'Tuurlijk wel,' sprak John gedecideerd. 'Als het mijn babyvisje was geweest, dan zwom ik nu rond op zoek naar mijn kind.'

Lexie keek een paar tellen nadenkend naar John. 'Zou je echt net zo lang zoeken tot je hem gevonden had?'

'Absoluut.' Hij keek even naar Georgeanne en toen weer naar Lexie. 'Als ik wist dat ik een baby had, dan zou ik er altijd naar blijven zoeken.'

Lexie snoof en staarde weer naar het poeltje. 'En als ie nou doodgaat voor het vloed wordt?'

'Hmm.' John pakte Lexies emmertje, gooide haar schelpen eruit en viste het visje er voorzichtig mee uit het poeltje.

'Wat doe je?' vroeg Lexie. Ze stonden alle drie op.

'Ik ga het visje naar zijn vader brengen,' zei hij en hij liep naar de branding. 'Blijf jij maar hier, bij je moeder.'

Georgeanne en Lexie bleven samen op de rots staan en zagen John door de golven lopen. Deze sloegen tegen zijn benen en ze hoorden dat hij zijn adem inhield toen het water zijn broek bereikte. Hij keek zoekend om zich heen en even later liet hij voorzichtig het emmertje in de zee leeglopen.

'Denk je dat hij de vadervis gevonden heeft?' vroeg Lexie benauwd.

Georgeanne keek naar de grote man met het kleine roze emmertje. 'Ik weet het honderd procent zeker.'

Toen hij kwam teruglopen had hij een brede glimlach op zijn gezicht. John 'The Wall' Kowalsky, een stevige, stoere ijshockeyer, was de grote held van een klein meisje en had een wanhopig babyvisje herenigd met zijn vader, én hij was ineens een stuk gestegen op Georgeannes leuk-meter.

'Heb je hem gevonden?' Lexie sprong van de rots en waadde tot haar knieën door het water.

'Jazeker, en tjonge, die was blij om zijn kind weer te zien.'

'Hoe wist je dan dat het zijn vader was?'

John gaf Lexie haar emmer terug en pakte haar handje vast. 'Nou, ze leken op elkaar.'

'O ja.' Ze knikte. 'En wat deed ie toen ze mekaar zagen?'

Hij stopte voor de rots waar Georgeanne op stond en keek haar aan. 'Nou, hij maakte een luchtsprongetje en toen zwom hij om het visje heen om te zien of het helemaal in orde was.'

'Dat heb ik gezien.'

John lachte en er verschenen lachrimpeltjes bij zijn ogen. 'Echt? Helemaal hiervandaan?'

'Ja. En nu ga ik mijn handdoek halen want ik heb het koud,' verkondigde ze, en ze holde terug naar het strand.

Georgeanne keek hem glimlachend aan. 'Hoe voelt het om een held te zijn?' vroeg ze.

John pakte Georgeannes middel vast en tilde haar met gemak

van de rots. Ze pakte zijn schouders beet en liet haar voeten in het koude water zakken. De golven spoelden om haar benen en de wind woei door haar donkere haren. 'Ben ik jouw held?' vroeg hij, met een lage, zachte stem. Heel gevaarlijk.

'Nee.' Ze liet zijn schouders los en deed een stapje achteruit. Hij was zo groot en sterk, en toch kon hij lief en zorgzaam zijn voor Lexie. Hij deed het allemaal met zoveel gemak. Als ze niet oppaste zou ze hun gedeelde, pijnlijke verleden nog vergeten. 'Ik vind jou niet leuk, weet je nog?'

'Tuurlijk.' Zijn glimlach verraadde dat hij haar totaal niet geloofde. 'Weet je nog toen we samen op het strand van Copalis waren?'

Ze keek naar het strand en zag Lexie in haar handdoek gewikkeld op het strand zitten. 'Nou, en?'

'Toen zei je ook dat je me haatte, en kijk eens wat er toen gebeurde?' Samen liepen ze door de branding terug naar het strand.

'Dan is het maar goed dat je mijn charmes gewoon kunt weerstaan.'

Vanuit een ooghoek keek hij naar haar borsten. 'Ja, da's maar goed ook.'

Toen ze met zijn drieën weer bij het huis waren, stond John erop in zijn eentje de lunch te bereiden. Aan zijn eettafel genoten ze van een garnalencocktail, een fruitsalade en broodjes krabsalade. Toen Georgeanne en Lexie later meehielpen met opruimen, ontdekte Georgeanne een tas van een plaatselijke delicatessenwinkel verstopt onder het aanrecht.

Tegen vier uur 's middags was Georgeanne behoorlijk moe. Op de veranda vond ze een ligstoel en daar ging ze op liggen, met Lexie op haar schoot. John ging in de stoel naast haar zitten en zo staarden ze gezamenlijk intens tevreden naar de zee. Ze hoefde nergens heen en ze hoefde niets te doen. Ze genoot van de kalmte. Hoewel ze niet kon zeggen dat de man naast haar heel ontspannend werkte – daarvoor was John te aanwezig, zowel in lichaam als in geest, en daarbij was de geschiedenis die ze deelden te pijnlijk – deed dit strandhuis haar alle moeilijke momenten die ze met hem gekend had een beetje vergeten.

De rustgevende strandgeluiden en het zomerbriesje maakten haar slaperig en toen Georgeanne na een hele tijd weer wakker werd, was ze alleen. Er lag een mooie deken met schelpmotieven op haar schoot. Ze schoof hem opzij, stond op en rekte zich uit. Ze hoorde stemmen op het strand en keek over de reling. Maar John en Lexie waren niet op het strand. Toen ze haar hand terugtrok, bleef er een splinter in haar middelvinger zitten. Dat deed even pijn, maar ze had nu iets anders aan haar hoofd.

Georgeanne dacht heus niet dat John hun dochter ergens mee naartoe zou nemen zonder dat eerst tegen haar te zeggen. Toch was hij niet het type man dat per se om haar toestemming zou vragen. Als hij weg was gegaan met haar dochter, dan, vond een ongeruste Georgeanne, had ze het recht hem te vermoorden. Gelukkig was dat niet nodig. Ze vond hen beiden in de sportruimte beneden in het huis.

John zat op zijn fitnessfiets in de hoek rustig te trappen en te praten met Lexie. Deze lag op de grond met haar voet rustend op haar andere knie.

'Waarom moet je zo snel fietsen?' vroeg Lexie.

'Dat is goed voor mijn uithoudingsvermogen,' antwoordde hij boven het zachte gesnor van de fiets uit. Georgeanne nam het er even van en liet haar blik in alle rust over zijn sterke bovenbeenspieren en kuiten gaan.

'Wat is uit… dinges… vermogen?'

'Dat betekent dat je iets lang vol kunt houden. Dan kan ik in de wedstrijd die jonge gasten flink op hun flikker geven.'

Lexie hield geschrokken haar adem in. 'Nu deed je het weer!'

'Wat?'

'Een lelijk woord gebruiken.'

'Echt?'

'Ja.'

'Sorry, ik zal erop letten.'

'Dat zei je de vorige keer ook al,' mopperde Lexie vanaf de vloer.

Hij glimlachte. 'Ik zal beter mijn best doen, coach.'

Lexie was even stil, toen zei ze peinzend: 'Weet je...'

'Nou?'

'Mijn moeder heeft ook zo'n fiets.' Ze wees naar Johns apparaat. 'Alleen rijdt ze er nooit op.'

Georgeannes fitnessapparaat was zeker niet hetzelfde als dat van John. Het was lang zo duur niet. Ze reed er inderdaad niet meer op, daarin had Lexie gelijk. Eerlijk gezegd had ze er nooit echt op gezeten. 'Hé,' zei ze, terwijl ze de kamer binnenstapte, 'ik gebruik die fiets zo vaak. Het is een geweldige plek om mijn kleren aan op te hangen.'

Lexie draaide haar hoofd om en zei met een brede grijns: 'We zijn aan het trainen. Ik mocht eerst en nu is John.'

John zag haar nu ook staan en stopte met fietsen. 'Ik zie het,' zei Georgeanne. Ineens wilde ze dat ze haar krullen even had geborsteld voordat ze hen was gaan zoeken. Nu zag ze eruit als een enge heks.

John genoot van haar nog slaperige aanblik. Ook haar stem klonk anders. 'Lekker geslapen?'

'Ik wist niet dat ik zo moe was.' Ze ging met haar vingers door haar haren en schudde haar hoofd.

'Nou, het is ook behoorlijk vermoeiend om alle vragen en opdrachten van een bepaalde jongedame bij te benen,' zei hij. Hij vroeg zich af of ze nou met opzet zo met haar krullen heen en weer zwaaide.

'Dat kun je wel zeggen.' Georgeanne liep op Lexie af en stak een hand uit om haar te helpen opstaan. 'Ga je mee, dan laten we John even verder trainen.'

'Ik ben klaar, hoor.' Hij stapte van de fiets af en moest zijn uiterste best doen om niet naar haar decolleté te staren. Hij wilde echt niet dat ze hem betrapte terwijl hij als een perverse puber haar lichaam bekeek. Ze was de moeder van zijn kind en hoewel ze zich er nooit over uitsprak, wist hij dat ze geen hoge dunk van hem had. Maar misschien had hij dat wel verdiend. Of niet. 'Eigenlijk was dit helemaal niet nodig vandaag, maar Lexie en ik verveelden ons een beetje zonder jou. Het was de fiets of het barbiehuis.'

'Ik zie jou nog niet met de barbies in de weer.'

'Ik ook niet.' Hij had een probleem, hoe hard hij ook zijn best deed: dat hemdje dat ze droeg maakte het hem heel erg moeilijk. 'Lexie en ik hadden het erover dat we op zoek moesten naar oesters, vanavond.'

'Oesters?' Georgeanne keek verbaasd naar Lexie. 'Maar die vind je helemaal niet lekker.'

'Tuurlijk wel. John zegt van wel.'

Georgeanne ging er niet tegenin, maar toen ze een uur later in het visrestaurant zaten en Lexie een blik op de oesters wierp die John wilde bestellen, rimpelde ze in afschuw haar neusje. 'Dat is vies,' zei ze, ten overvloede. Daarom bestelden ze voor haar vissticks en frietjes.

Daarna was Georgeanne aan de beurt en John leunde op zijn gemak achterover om te zien hoe ze haar zuidelijke charmes en brede glimlach op de serveerster botvierde.

'Ik weet dat je het heel druk hebt en weet uit ervaring dat je een ondankbare en hectische baan hebt, maar jij ziet er aardig uit en ik hoop dat ik wat kleinigheden mag veranderen aan wat ik bestel, niet veel hoor,' begon ze, haar stem vol compassie voor de vrouw met de 'ondankbare baan'. Toen ze klaar was had ze zalm besteld met een citroensaus die niet op het menu stond, waren de nieuwe aardappeltjes vervangen door rijst 'met wat groene kruiden' en een apart bakje salade, want 'salade moet je niet van een warm bord eten'. John had verwacht dat de vrouw tegen Georgeanne zou zeggen dat ze de pot op kon, maar dat deed ze niet. Ze leek zelfs blij te zijn met de aanpassingen van Georgeanne.

Vergeleken bij de bestelling van zijn vrouwelijke disgenoten was Johns menu uiterst simpel. Twee dozijn oesters. Niets anders. Zodra de serveerster was verdwenen bekeek John zijn tafeldames eens goed. Allebei droegen ze lichte zomerjurkjes. Dat van Georgeanne paste bij haar groene ogen, dat van Lexie bij het blauw van haar oogschaduw. Hij probeerde er niet al te boos over te doen, maar hij vond het vreselijk, al die make-up op het gezicht van zijn kleine meid. Hij schaamde zich er zelfs een beetje voor en hij was blij dat ze in hun eigen hoekje zaten.

'Ga je die echt opeten?' vroeg Lexie toen hun borden arriveerden. Ze boog zich gefascineerd en gruwend tegelijkertijd over tafel.

'Jazeker.' Hij reikte naar een geopende oester en zette de schelp aan zijn lippen. 'Mmm,' zei hij, waarna hij de oester naar binnen slurpte.

Lexie gilde en ook Georgeanne keek wat bedenkelijk. Ze richtte haar aandacht snel op haar bordje met zalm.

De rest van de maaltijd ging prima. Ze hadden het gezellig, zonder de spanning die gebruikelijk was tussen hen beiden. Maar toen de serveerster de rekening naast John neerlegde, wilde Georgeanne die wegpakken en legde hij zijn hand over de hare. Hij keek naar haar en zag dat ze woest was.

'Ik wil graag betalen,' zei ze.

'Laten we hier nou niet moeilijk over doen,' waarschuwde hij haar met een kneepje in haar hand. Hij wilde best de strijd met haar aangaan, maar niet hier.

Ze bond in en liet hem betalen, maar haar blik sprak boekdelen.

Op de weg terug viel Lexie in slaap op de achterbank van Johns Range Rover. Hij droeg haar naar binnen en voelde haar warme ademhaling in zijn hals. Hij had haar nog wel langer willen vasthouden, maar deed het niet. En toen Georgeanne haar klaarmaakte voor bed, had hij ook langer willen blijven, maar dat voelde een beetje vreemd en dus verliet hij hun slaapkamer.

Georgeanne merkte dat hij wegging toen ze Lexies schoenen en kleren uittrok. Toen het meisje onder de dekens lag, ging ze op zoek naar John. Ze had een pincet nodig voor de splinter en wilde ook met hem praten over het geld dat hij aan haar en Lexie uitgaf. Dat zat haar dwars; ze kon het zelf uitstekend betalen.

Ze trof hem aan voor de grote glazen pui. Hij stond met zijn handen in zijn zakken naar de ondergaande zon te kijken. De oranje bal aan de horizon zette ook hem in vuur en vlam.

'Ik wil even met je praten,' zei ze terwijl ze op hem afliep, al had ze geen trek in de zoveelste discussie.

'Ik weet wat je wilt zeggen en als jij je er beter door voelt en niet meer zo boos naar me kijkt, mag jij de volgende keer betalen.'

'O.' Ze was verbluft. Ze had al gewonnen voordat ze was begonnen. 'Hoe wist je dat ik daarover wilde beginnen?'

'Omdat je al boos naar me keek toen die serveerster de rekening naast mijn bord neerlegde. Heel even leek het alsof je er een partijtje om wilde knokken in die tent.'

Daar had ze inderdaad even aan gedacht. 'Ik zou nooit in het openbaar vechten.'

'Goed om te horen.' In het halve schemerdonker zag ze zijn mondhoek opkrullen. 'Want ik zou nog terugvechten ook, én winnen.'

'Misschien,' zei ze aarzelend. 'Heb jij een pincet voor me?'

'Wat wil je ermee doen, je wenkbrauwen epileren?'

'Nee, ik heb een splinter in mijn vinger.'

John liep naar de eettafel en deed een lamp aan. 'Laat eens zien.'

Georgeanne bleef staan waar ze stond. 'Het stelt niets voor, hoor.'

'Laat eens zien,' herhaalde hij zijn verzoek.

Zuchtend liep ze zijn kant op. Ze stak haar hand uit en liet hem haar middelvinger zien.

'Het ziet er niet zo erg uit,' kondigde hij aan.

Ze boog zich voorover. Ze botste bijna tegen zijn hoofd. 'Het is een heel grote.'

Hij fronste zijn voorhoofd. 'Ik ben zo terug.' Hij verliet de kamer en keerde even later terug met een pincet. 'Ga zitten.'

'Ik kan het zelf wel.'

'Dat weet ik.' Hij draaide een stoel achterstevoren en ging erop zitten. 'Maar ik krijg hem er makkelijker uit, omdat ik twee handen kan gebruiken.' Hij legde zijn beide armen over de rugleuning en gebaarde naar een tweede stoel. 'Ik beloof je dat ik je geen pijn zal doen.'

Voorzichtig ging ze zitten en stak haar hand naar hem uit. Ze hield opzettelijk een zekere afstand tussen hen beiden. John schoof met zijn stoel juist naar voren om deze afstand te overbruggen. Nu raakten haar knieën de rand van zijn stoel en moest ze ze bij elkaar houden, anders zou ze zijn benen aanraken. Ze leunde zo ver mogelijk naar achteren. Hij pakte haar hand vast en duwde tegen haar vinger.

'Au.' Ze wilde hem terugtrekken, maar hij hield haar stevig vast.

Hij keek even op. 'Dat deed toch geen pijn, Georgie.'

'Jawel!'

Hij zei niets, maar boog zich weer over haar hand en ging aan de slag met de pincet.

'Au.'

Ditmaal keek hij haar in de ogen en zei: 'Aansteller.'

'Eikel.'

Lachend schudde hij zijn hoofd. 'Als jij niet zo'n meisje-meisje was, dan vond je dit ook niet erg.'

'Een meisje-meisje? Wat is dat?'

'Kijk maar in de spiegel.'

Dat zei haar nog niets. Ze probeerde haar hand weer terug te trekken.

'Ontspan je nou gewoon,' zei hij terwijl hij verder peuterde. 'Je kijkt alsof je zo uit je stoel gaat springen. Wat denk je dat ik ga doen, je neersteken met een pincet?'

'Nee.'

'Ontspan je even, hij is er bijna uit.'

Ontspan je even? Hij zat zo dichtbij dat er voor haar bijna geen plaats meer was. Ze werd ingesloten door John, die ingespannen met haar vinger bezig was en helemaal over haar heen gebogen zat. Ze voelde zijn lichaamswarmte door zijn spijkerbroek en haar dunne katoenen jurkje. Daarbij vond ze hem zo overweldigend dat ze onmogelijk kon ontspannen met hem zo dicht in de buurt. Ze keek om zich heen om zichzelf af te leiden. Haar blik werd getrokken naar het portret van opa Ernie en zijn grote blauwe vis. Ze had hem destijds een vriendelijke oude heer gevonden. Ze vroeg zich af hoe het met hem ging en wat hij van het bestaan van Lexie vond.

Toen ze deze vraag aan John stelde, antwoordde hij zonder op te kijken: 'Ik heb het mijn opa en mijn moeder nog niet verteld.'

Georgeanne was stomverbaasd. Zeven jaar geleden had het geleken of hij en Ernie zo'n goede band hadden. 'Waarom niet?'

'Omdat ze me alle twee al tijden op de huid zitten om weer te trouwen en een gezin te stichten. Als ze over Lexie horen, dan zijn ze hier sneller dan het licht vanwege haar. Maar ik heb eerst zelf tijd nodig om Lexie te leren kennen. En trouwens, we hadden toch afgesproken dat we ermee zouden wachten om het haar te vertellen? Met mijn moeder en Ernie in de buurt, die haar de hele tijd aangapen, wordt dat onmogelijk.'

... *weer te trouwen?* Georgeanne had de rest van wat hij zei nauwelijks opgenomen. 'Ben jij getrouwd geweest?'

'Ja.'

'Wanneer?'

Hij liet haar hand los en legde de pincet op tafel. 'Voordat ik jou tegenkwam.'

Georgeanne keek naar haar vinger. De splinter was eruit. 'De eerste keer of de tweede keer?'

'Allebei de keren.' Hij greep de rugleuning van zijn stoel beet en leunde achterover.

Georgeanne snapte er niets meer van. 'Beide keren?'

'Ja. Maar eigenlijk telt mijn tweede huwelijk niet mee.'

Nu was ze helemaal van slag. Haar mond viel open. 'Ben jij twee keer getrouwd geweest?!' Ze stak twee vingers in de lucht.

Zijn wenkbrauwen zakten over zijn ogen en zijn mond verstrakte. 'Dat is toch niet zoveel?'

Voor Georgeanne, die nooit getrouwd was geweest, was het echter heel veel.

'Wat ik al zei, de tweede keer telde niet. Ik was net zo lang getrouwd als de tijd die ik nodig had om weer te scheiden.'

'Wauw. Ik wist niet eens dat je ooit getrouwd was geweest.'

Ze had allerlei vragen over die twee vrouwen van de vader van haar kind. Van de man die haar hart had gebroken. En omdat ze het niet kon uitstaan dat ze van niets wist, vroeg ze: 'En waar zijn deze vrouwen nu?'

'Linda, mijn eerste vrouw, is overleden.'

'O, jeetje,' was het enige wat ze kon uitbrengen. 'Hoe kwam dat?'

Hij staarde haar langdurig aan. Uiteindelijk zei hij: 'Gewoon,' waarmee het onderwerp was gesloten. 'En ik heb geen idee waar DeeDee Delight is. Ik was stomdronken toen ik met haar trouwde. En ook toen ik van haar scheidde, trouwens.'

DeeDee Delight! Ze keek hem verbijsterd aan. Godsammekrake! Ze móést het vragen... Ze kon er niets aan doen. 'Was die DeeDee een... een artieste?'

'Een stripper,' verbeterde hij haar droogjes.

En al had ze dat zelf al bedacht, het was toch een schok om hem dat te horen zeggen. 'Echt waar! Hoe zag ze eruit?'

'Weet ik niet meer.'

'O,' zei ze, razend nieuwsgierig. 'Ik ben nog nooit getrouwd geweest, maar dat zou ik geloof ik nog wel weten. Dan was je echt héél erg dronken.'

'Zei ik toch al,' zei hij met een diepe zucht. 'Maar maak je geen zorgen. Nu drink ik niet meer.'

'Ben je dan een alcoholist?' Ze flapte het er zomaar uit. 'O, sorry. Zo'n persoonlijke vraag hoef je natuurlijk niet te beantwoorden.'

'Geeft niets. Waarschijnlijk wel,' antwoordde hij, openhartiger dan ze had verwacht. 'Ik ben nooit naar een afkickkliniek geweest, maar ik dronk veel te veel en ik begon het te merken. Ik raakte de controle helemaal kwijt.'

'Was het moeilijk om af te kicken?'

Hij haalde zijn schouders op. 'Het was niet makkelijk, maar

om mezelf beter te voelen, zowel fysiek als mentaal, heb ik wel meer op moeten geven.'

'Zoals?'

Hij grijnsde. 'Alcohol, bepaalde vrouwen en stijldansen.' Hij boog zich weer op zijn stoelleuning. 'En nu jij mijn intiemste geheim weet, brandt mij ook een vraag op de lippen.'

'Welke?'

'Toen ik jou zeven jaar geleden afzette en een ticket voor je had gekocht, dacht ik dat je geen geld meer had. Hoe kon je dan overleven of een zaak beginnen?'

'Ik had geluk.' Ze zweeg even. 'Ik ging af op een advertentie van Crane Catering.' En toen lichtte ze, omdat hij zo eerlijk was geweest – en omdat zij nooit iets zou doen wat gelijkstond aan trouwen met een stripper – nog een klein tipje van de sluier op, iets wat alleen Mae wist. 'Ik droeg natuurlijk een diamanten ring. Die was tienduizend dollar waard.'

Hij knipperde niet eens met zijn ogen. 'Van Virgil?'

'Hij heeft hem aan mij gegeven, hij was van mij.'

Er verscheen een voorzichtige glimlach om zijn lippen, eentje die van alles kon betekenen. 'Hij wilde hem niet terug?'

Georgeanne sloeg haar armen over elkaar en hield haar hoofd schuin. 'Tuurlijk wel, en ik was echt van plan hem terug te geven, maar ja, hij bracht al mijn kleren naar het Leger des Heils.'

'Natuurlijk, die lagen in zijn achterbak.'

'Precies. Toen ik wegholde, had ik alleen mijn tas met mijn make-up en wat ondergoed bij me. En die stomme roze jurk.'

'Ja, die roze jurk kan ik me nog herinneren.'

'Ik belde op voor mijn spullen, maar hij wilde niet eens aan de lijn komen. Hij liet zijn huishoudster zeggen dat ik de ring op zijn kantoor moest afgeven. Die huishoudster was niet aardig tegen me, maar ze vertelde me wel wat hij met mijn spullen had gedaan.' Georgeanne was er niet bepaald trots op dat ze de ring had verkocht, maar het was deels Virgils schuld. 'Ik moest al mijn kleren terugkopen, voor vijf dollar per stuk, en ik had geen cent te makken.'

'Dus verkocht je de ring.'

'Aan een juwelier die hem dolgraag wilde hebben voor de helft van wat hij eigenlijk waard was. Toen ik Mae ontmoette, liep de zaak niet zo goed. Ik heb haar een boel voorgeschoten om alle crediteurs af te kunnen lossen. Ik vind dat die ring mij aardig op weg geholpen heeft, maar ik heb me in het zweet gewerkt om zo ver te kunnen komen als ik nu ben.'

'Ik veroordeel je ook niet, Georgie.'

Ze realiseerde zich niet dat ze zo defensief had geklonken. 'Sommige mensen zouden dat wel doen, al wisten ze de waarheid.'

Er verschenen lachrimpeltjes bij zijn ogen. 'En wie ben ik om jou te veroordelen? Jezus, ik ben met DeeDee Delight getrouwd.'

'Da's waar,' lachte Georgeanne. 'Weet Virgil al over Lexie?'

'Nee.'

'Wat zal hij doen als hij erachter komt?'

'Virgil is een scherp zakenman en ik ben een kostbare speler. Ik denk niet dat hij iets zal doen. Bovendien, het is al zeven jaar geleden. Al zal ik niet beweren dat hij blij zal reageren als ik hem vertel over Lexie. Maar in principe werken we goed samen. Daarbij, hij is nu gelukkig getrouwd.'

Natuurlijk, dat wist ze. De kranten hadden vol gestaan met berichten over zijn huwelijk met Caroline Foster-Duffy, de directeur van het Seattle Art Museum. Georgeanne hoopte dat John gelijk had en dat Virgil gelukkig was. Ze droeg hem geen kwaad hart toe.

'Wil je me nog iets uitleggen?'

'Nee, ik heb al antwoord gegeven op een vraag. Nu mag jij weer.'

John schudde zijn hoofd. 'Ik heb jou verteld over DeeDee én over mijn drankprobleem. Ik sta dus voor.'

'Goed dan. Wat wil je weten?'

'Die dag dat je Lexies foto's kwam brengen, zei je dat je opgelucht was dat ze het goed deed op school. Wat bedoelde je daarmee?'

Ze had helemaal geen zin om over haar dyslexie te praten met John Kowalsky.

'Is dat omdat je mij maar een domme sportman vindt?' Hij keek haar oprecht vragend aan.

Zijn vraag verbaasde haar. Hij zag er kalm uit, alsof haar antwoord hem niet uitmaakte. Maar ze had het gevoel dat het hem wel degelijk meer interesseerde dan hij wilde laten zien. 'Het spijt me dat ik je dom noemde. Ik weet hoe het voelt als mensen over je oordelen vanwege je uiterlijk of je acties.' Heel wat mensen hadden last van dyslexie, al kende ze alleen beroemdheden die er last van hadden: Cher, Tom Cruise en Einstein. Maar dat maakte het niet makkelijker om zoiets te vertellen aan een man als John. 'Mijn bezorgheid over Lexies schoolcarrière had niets met jou te maken. Ik had het zelf nogal moeilijk op school. Vooral met lezen.'

Er verscheen een diepe frons op zijn voorhoofd, maar hij zei niets.

'Maar je had me bij ballet moeten zien!' ging ze verder, met een luchtigheid in haar stem die ze eigenlijk niet voelde. 'En ik was misschien wel de slechtste ballerina die zich ooit aan een *grand jeté* waagde, maar ik geloof wel dat ik een van de charmantste was. Wat dat betreft haalde ik topscores.'

Hij schudde zijn hoofd en de rimpels in zijn voorhoofd verdwenen. 'Daar twijfel ik geen moment aan.'

Georgeanne lachte en liet haar reserves wat varen. 'Andere kinderen oefenden hun rekentafels, maar ik bestudeerde gedekte tafels. Ik wist precies waar alles hoorde, van garnalenvorkjes tot vingerkommetjes. En ik bewonderde zilvercassettes, terwijl andere kinderen cassettebandjes opnamen. Ik had geen enkel probleem met onderscheid maken tussen een pièce de milieu en een gewone fruitmand, maar bij woorden als "deur", "kleur" of "geur" brak het angstzweet me uit.'

Er ging een lichtje bij hem op. 'Ben je dyslectisch?'

Georgeanne ging rechtop zitten. 'Ja.' Ze wist dat ze zich niet hoefde te schamen. Toch voegde ze eraan toe: 'Inmiddels kan ik ermee omgaan. De meesten denken dat mensen die daar last van hebben niet kunnen lezen, maar dat is niet waar. We hebben het er alleen maar moeilijker mee. Ik lees en schrijf zoals de meesten, maar rekenen zal nooit mijn sterkste kant zijn.'

Hij staarde haar aan. 'Maar toen je jong was, had je er wel last van.'

'Zeker.'

'Ben je getest?'

'Ja. In groep vier ben ik getest door een of andere dokter. Ik weet het niet meer precies.' Ze schoof haar stoel naar achteren en stond op. Ze voelde zich niet op haar gemak, omdat John haar dwong haar probleem uit te spreken, alsof hij er wat mee te maken had. Tegelijkertijd voelde ze een bekende bitterheid opkomen jegens de dokter die haar jonge leven zo had beïnvloed. 'Hij zei tegen mijn grootmoeder dat ik een hersenafwijking had, wat natuurlijk wel enigszins waar was, maar heel verkeerd overkwam en niet specifiek genoeg was als diagnose. In die tijd dachten ze nog dat dyslexie hetzelfde was als achterlijkheid.' Ze haalde haar schouders op, alsof het niets was, en lachte geforceerd. 'De dokter zei dat ik nooit echt slim zou worden. Dus groeide ik op met de gedachte dat ik dom zou blijven en voelde me heel eenzaam.'

Met moeite stond John op. Hij schoof zijn stoel opzij en zijn ogen waren tot spleetjes samengeknepen. 'En niemand heeft die dokter gezegd dat ie kon oppleuren?'

'Nou, ik... ik...' stotterde Georgeanne, verbluft vanwege zijn boosheid. 'Ik kan me niet voorstellen dat mijn grootmoeder dat woord zou gebruiken. Ze was tenslotte lid van de baptistenkerk.'

'Is ze niet met je naar een andere dokter geweest? Ben je nooit door iemand anders getest? Bijles gehad? Iets van hulp?'

'Nee.' Ze deed me op etiquetteles, dacht ze.

'Waarom niet?'

'Ze dacht dat er niets aan kon worden gedaan. Het was halverwege de jaren tachtig en toen was er lang niet zoveel informatie over te vinden; er was geen internet. Tegenwoordig worden er ook nog wel eens verkeerde diagnoses gesteld.'

'Nou, dat zou niet mogen gebeuren.' Hij keek haar aan; uit zijn uitdrukking sprak nog steeds boosheid. Dat begreep ze niet, wat kon het hem schelen? Dit was een kant van John die ze niet kende. Een die was gevuld met iets wat op medelijden leek. Deze man die voor haar stond, die zo op John leek, verwarde haar. 'Ik geloof dat ik maar naar bed ga,' zei ze zacht.

Hij deed zijn mond open, maar het bleef bij 'Welterusten.' Daarna liet hij haar gaan.

Maar Georgeanne rustte helemaal niet wel. Ze lag lange tijd in haar bed naar het plafond te staren, luisterend naar Lexies ademhaling naast haar. Zo lag ze te malen over Johns boze reactie, en haar verwarring werd alleen maar groter.

Ze dacht aan zijn twee huwelijken, vooral aan dat met Linda. Na zoveel jaren kon hij nog steeds niet over haar dood spreken. Georgeanne vroeg zich af wat voor soort vrouw zoveel liefde in een man als John kon oproepen. En ze vroeg zich af of er ooit een vrouw kon zijn die Linda's plek in Johns hart kon innemen.

Hoe meer ze erover nadacht, des te meer ze zich realiseerde dat ze hoopte dat die niet bestond. Dat was niet aardig van haar, maar zo dacht ze er nu eenmaal over. Ze wilde gewoon niet dat John gelukkig zou worden met een of andere magere blondine. Ze wilde dat hij eeuwig spijt zou houden van de dag dat hij haar afzette bij het vliegveld. Ze wilde dat hij zich zijn leven lang de haren uit het hoofd zou trekken. Niet dat ze ooit weer wat met hem zou krijgen; daar moest ze natuurlijk niet aan denken. Ze wilde alleen dat hij daaronder zou lijden. En dan zou ze hem, heel misschien, als hij er een hele tijd onder geleden had, vergeven.

Misschien.

Hoofdstuk 13

Georgeanne kon kiezen tussen een tochtje op een mountainbike door de duinen, de botsautootjes op de kermis of skaten over de boulevard. Geen van die drie keuzes vond ze geweldig – sterker nog, ze vond het alle drie verschrikkelijk – maar omdat ze toch moest kiezen, ging ze voor de skates. Niet omdat ze het zo goed kon. De laatste keer dat ze het had geprobeerd, was ze zo hard gevallen dat ze zich had moeten verbijten tegen de pijn in haar stuitje. En ondertussen schaatsten kleine kinderen haar zonder pardon voorbij.

Die ervaring stond haar nog levendig voor de geest, daarom had ze bijna voor de botsautootjes gekozen. Totdat ze de boulevard eens goed had bekeken. Het was een heel brede straat, die echt langs het strand liep, met een stenen muurtje ernaast. Ze zag direct de bankjes die om de 250 meter stonden, en toen had ze haar keuze snel gemaakt.

Met een frisse zeewind in het gezicht, die haar paardenstaart deed opwaaien, zat Georgeanne nu gelukzalig op een stenen bankje, met haar armen over de rugleuning geslagen en haar ene been over het andere, met de skate aan haar voet wippend op het ritme van de branding. Ze sloeg vast een vreemd figuur in haar mouwloze witzijden blouse met een lijfje met veters aan de voorkant, haar paars met witte tulen rokje en haar gehuurde skates. Maar alles was beter dan een figuur slaan door op haar kont te vallen.

Zo zat ze tevreden vanaf haar plekje te kijken naar John die Lexie les gaf. Thuis reed Lexie de hele buurt door op haar roze Barbie-rolschaatsen. Maar als de vier wieltjes achter elkaar stonden, was het knap lastig je evenwicht te bewaren. Georgeanne was dankbaar dat iemand die een stuk sportiever was dan zijzelf haar daarbij hielp. En het verraste haar dat ze zich niet in de steek gelaten voelde, maar juist opgelucht was dat dit klusje haar bespaard werd.

Eerst stond Lexie nog vreselijk te wiebelen, maar John hield haar tussen zijn benen, met zijn schaatsen aan weerszijden van de hare, en pakte haar armen stevig vast. Hij zette zich af en zo bewogen ze zich voort. Georgeanne kon niet horen wat hij tegen Lexie zei, maar ze zag haar dochter bevestigend knikken en haar voeten in hetzelfde ritme bewegen als die van John.

Nu hij op de schaatsen stond, zag John er helemaal groot uit. Lexies achterhoofd reikte amper tot Johns broekband. Lexie, die een fluorescerend roze short droeg en een Hello Kitty-shirt, zag er heel klein en smalletjes uit tussen haar vaders grote schaatsen.

Ze schaatsten verder weg en Georgeanne keek naar de toeristen die over de boulevard slenterden. Zoals een jong stel dat een kinderwagen duwde. Georgeanne vroeg zich voor de zoveelste keer af hoe het was om een echtgenoot te hebben, om een gewoon gezin te hebben. Hoewel ze het uitstekend rooide in haar eentje, leek het haar wel wat, een man die haar zorgen met haar deelde.

Ze dacht aan Charles en voelde zich schuldig. Ze had hem wel verteld over hun vakantieplannen, maar één belangrijk detail had ze niet vermeld: John. Charles had haar nog gebeld en haar een veilige reis toegewenst, de avond voor hun vertrek. Ze had het hem kunnen vertellen, maar deed het niet. Ze had het hem elk moment kunnen vertellen. Maar hij zou het niet leuk hebben gevonden en dat kon ze hem niet kwalijk nemen.

Er zweefde een groepje schreeuwende zeemeeuwen boven haar hoofd. Haar aandacht verplaatste zich van haar problemen met Charles naar kinderen die broodkorsten wierpen over de muur van de boulevard. Georgeanne keek een tijdje naar de vogels en de mensen, toen ze John en Lexie weer zag. John kwam achterwaarts naar haar toe schaatsen en ze had zo goed zicht op zijn gespierde kuiten en bovenbenen met daarboven zijn stevige bil-partij. Toen kruiste hij zijn benen en ineens schaatste hij met zijn gezicht naar haar toe, zodat Georgeanne weer zicht had op haar dochter. Ze schoot in de lach. Lexie had een frons op haar voor-hoofd van pure concentratie. Vader en dochter schaatsten haar langzaam voorbij. John wierp een blik op Georgeanne en ineens viel het haar op hoeveel de twee op elkaar leken. Ze had altijd al gedacht dat Lexie meer op haar vader leek dan op haarzelf, maar nu ze allebei zo geconcentreerd keken waren de overeen-komsten nog opvallender.

'Ik dacht dat jij ging oefenen,' riep hij tegen haar.

Dat had ze hem wijsgemaakt. 'O, dat heb ik al gedaan,' loog ze.

'Kom op dan,' gebaarde hij met zijn hoofd.

'Ik moet nog meer oefenen. Gaan jullie maar zonder mij door.'

Lexie keek nu ook naar haar moeder. 'Kijk mammie, hoe goed het gaat.'

'Ik zie het.' Zodra ze uit zicht waren, ging Georgeanne weer lekker mensen kijken. Ze hoopte dat ze als ze weer bij haar wa-ren het schaatsen zat zouden zijn, zodat ze de schaatsen terug konden brengen om eens lekker te gaan shoppen.

Maar haar hoop vervloog toen Lexie voorbij kwam schaatsen alsof ze nooit anders had gedaan.

'Niet te ver, hoor,' riep John haar achterna. Hij kwam naast Georgeanne op de bank zitten. 'Ze doet het goed voor een kind van haar leeftijd,' zei hij met een brede glimlach, alsof hij ook trots was op zichzelf.

'Ze pikt dingen altijd heel snel op. Ze liep al voordat ze negen maanden was.'

Hij keek naar zijn voeten. 'Ik geloof dat ik dat ook deed.'

'Echt? Ik was bang dat ze kromme pootjes zou overhouden van dat vroege lopen, maar ze was met geen mogelijkheid tegen te houden. Trouwens, Mae zei dat die onzin over O-benen oude-wijvenpraat was.'

Ze vielen even stil en keken gezamenlijk naar hun dochter.

Ze viel op haar billen, maar stond op en was alweer vertrokken.

'Wauw, dat is voor het eerst,' zei ze, verrast dat Lexie niet met ogen vol tranen op haar af was komen schaatsen.

'Wat?'

'Dat ze niet begint te gillen om een pleistertje.'

'Ze vertelde me dat ze vandaag een grote meid zou zijn.'

'Hmm.' Georgeanne volgde de vorderingen van haar dochter. Misschien had Mae wel gelijk en was Lexie een betere toneelspeelster dan haar moeder wilde geloven.

John stootte haar aan. 'Ben je er klaar voor?'

'Waarvoor?' vroeg ze, al had ze een naar voorgevoel.

'Om te gaan schaatsen.'

Zuchtend zette ze haar voeten naast elkaar en draaide zich naar hem om. Haar rokje raakte zijn been aan. 'John, ik zal maar open kaart spelen. Ik haat schaatsen.'

'Waarom heb je het dan gekozen?'

'Vanwege dit bankje. Ik hoopte dat ik hier gewoon kon blijven zitten.'

Hij stond op en strekte zijn hand uit. 'Kom op.'

Ze keek van zijn uitnodigende hand naar zijn gezicht en schudde haar hoofd.

'Angsthaas.'

'Al laat je me uren marineren in rode wijn en serveer je me met chocoladesaus, ik ga niet schaatsen.'

John moest lachen en er verschenen weer lachrimpels bij zijn ooghoeken. 'Ik heb beloofd mijn beste beentje voor te zetten, nu is het jouw beurt om de ene schaats voor de andere te zetten.'

'Nee, dank je.'

'Kom op, Georgie, ik help je wel.'

'Ik heb meer hulp nodig dan jij kunt bieden.'

'Vijf minuutjes maar. Binnen een paar minuten schaats je als de beste.'

'Nee, echt niet.'

'Je kunt hier niet blijven zitten, Georgie.'

'Waarom niet?'

'Dan ga je je vervelen.' Hij haalde zijn schouders op en zei toen: 'Anders maakt Lexie zich zorgen om je.'

'Lexie maakt zich geen zorgen om mij.'

'Echt wel. Ze zei zelf dat ze het zielig vond dat jij hier zo alleen zat.'

Hij loog. Net als elke andere zesjarige was Lexie vooral met zichzelf bezig en maakte ze zich geen zorgen om haar moeder. 'Alleen als je belooft dat ik na vijf minuten weer terug mag naar mijn veilige bankje,' stelde Georgeanne voor, in de hoop dat hij haar daarna met rust zou laten.

'Beloofd, en ik beloof ook dat ik je niet zal laten vallen.'

Georgeanne zuchtte nog eens diep en legde toen haar hand in de zijne en de andere op de stenen muur. 'Ik ben totaal niet sportief, hoor,' waarschuwde ze hem.

'Nou, je andere talenten maken alles goed.'

Ze wilde hem net vragen wat hij daarmee bedoelde, toen hij haar ineens van achteren beetpakte.

'Behalve een paar goede schaatsen,' zei hij vlak bij haar linkeroor, 'is het belangrijkste van schaatsen je balans.'

Georgeanne voelde zijn adem tegen haar hals en raakte daar zo door verward dat haar huid ervan tintelde. 'Waar houd ik mijn handen?' vroeg ze.

Het duurde lang voor hij antwoord gaf en net op het moment dat ze de vraag opnieuw wilde stellen, zei hij: 'Waar je maar wilt.'

Ze balde haar handen tot vuisten en hield ze langs haar lichaam.

'Je moet wel ontspannen,' zei hij, terwijl ze langzaam de boulevard af gingen. 'Je bent nu net een totempaal op wieltjes.'

'Ik kan er niks aan doen.' Ze kwam met haar rug tegen zijn borst aan. Hij hield haar nog steviger vast.

'Tuurlijk wel. Ten eerste moet je je knieën wat buigen en je gewicht boven je voeten verdelen. Dan afzetten met één voet.'

'Zijn de vijf minuten nog niet om?'

'Nee.'

'Ik ga vallen.'

'Ik zorg ervoor dat je niet valt.'

Georgeanne keek even op en zag Lexie ver voor hen uit schaatsen, toen keek ze snel weer naar beneden. 'Weet je het zeker?'

'Uiteraard. Dit is mijn vak, weet je nog wel?'

'Oké.' Heel voorzichtig boog ze haar knieën.

'Goed zo, en nu afzetten,' instrueerde hij haar, maar toen ze dat deed gingen haar voeten allebei een andere kant op. John sloeg een arm om haar middel en met zijn andere hand pakte hij haar elders beet om haar tegen te houden. Voor ze er erg in had, had hij haar stevig tegen zich aan gedrukt. Ze vroeg zich af of hij in de gaten had wat hij had vastgepakt.

Maar John had wel degelijk in de gaten dat hij een van Georgeannes grote, zachte borsten beethad. En vanaf dat moment was zijn hele zelfbeheersing naar de filistijnen. Tot dan had hij zijn lichamelijke respons op dat verleidelijke wezen redelijk goed kunnen controleren. Maar nu, voor het eerst sinds hij haar de ochtend ervoor op zijn veranda had zien staan, was hij zijn controle volledig kwijt.

'Gaat het?' wist hij eruit te persen, en voorzichtig haalde hij zijn hand van haar borst.

'Ja.'

Hij had zichzelf wijsgemaakt dat het voor hem geen probleem zou zijn als Georgeanne in zijn buurt zou zijn. Dat hij zich heus wel vijf dagen in haar nabijheid kon ophouden. Maar hij had zich vergist. Hij had haar op dat bankje moeten laten zitten. 'Ik wilde je niet vastpakken bij je... eh, je...' En nu had ze haar achterwerk tegen hem aan gedrukt, vlak in de buurt van zijn kruis, en daardoor werd hij overspoeld door hevige lustgevoelens. Hij liet zijn hoofd zakken en snoof de warme, zoete geur van haar hals op. Jezus christus, hij vroeg zich af of ze daar net zo lekker zou smaken als ze rook. John sloot zijn ogen en liet zich even gaan.

'Ik denk dat de vijf minuten nu wel voorbij zijn.'

Hij kreeg weer enigszins de controle terug en verplaatste zijn handen zodat er meer ruimte tussen hen beiden kwam. Daarbij probeerde hij het verlangen dat hij nog steeds voelde te onderdrukken. Hij sprak zichzelf toe en zei dat intiem worden met Georgeanne nu geen goed idee was. Jammer dat zijn lichaam niet luisterde.

Sinds hij haar gisteren op het strand had aangetroffen in dat haltertopje en korte broek, had hij zichzelf er meermaals aan moeten herinneren dat hij vooral níét aan haar lange benen en decolleté moest denken. Hoewel hij nooit van zichzelf had gedacht dat hij dat zou doen, bleef hij zichzelf eraan herinneren wie ze was en wat ze hem had onthouden. Maar sinds gisteravond leek dat er niet langer toe te doen.

Gisteravond had hij verder kunnen kijken dan haar mooie gezicht en prachtige lijf. Hij had de pijn gezien die ze trachtte te verbergen achter haar glimlach. Ze had hem verteld over tafelzilver en dyslexie en over opgroeien als je denkt dat je achterlijk bent en je verloren voelt. Ze had het allemaal verteld alsof het niet zo erg was. Maar dat was het wel. Het was verschrikkelijk.

Hij had verder kunnen kijken dan haar beeldschone ogen en weelderige borsten en een vrouw gezien die zijn respect verdiende. De moeder van zijn kind. Maar ook de hoofdrolspeelster in zijn wildste fantasieën en erotische dromen.

'Ik help je wel terug naar het bankje.' Hij draaide hen beiden om en hielp haar terugschaatsen. Hij had bedacht dat hij haar moest benaderen als het zusje van zijn beste vriend, maar die benadering hielp niet. Daarna besloot hij haar te zien als zijn eigen zusje, maar na een paar uur shoppen en slenteren gaf hij het op haar als het zusje van wie dan ook te zien. Het werkte gewoon niet.

In plaats daarvan concentreerde hij zich op zijn dochter. Lexie en haar voortdurende praatjes waren precies de afleiding die hij nodig had. Ze was als een emmertje koud water en al haar vragen gaven hem precies de juiste verstrooiing om niet te hoeven denken aan Georgeanne, naakt in zijn bed.

Als hij naar Lexie keek en haar opwinding en onschuld zag, dan was hij verrast dat hij zo'n perfect mensje had gemaakt. Als hij haar optilde en op zijn schouders zette, dan zwol zijn hart op van trots. En als ze lachte wist hij dat het alles waard was. Met haar om zich heen kon hij de fysieke pijn die hij leed vanwege zijn verlangen naar haar moeder wel verdragen.

Tijdens de rit terug naar huis leidde hij zichzelf af door te luisteren naar Lexie die hardop aan het zingen was. Hij luisterde geduldig naar dezelfde suffe grapjes die ze hem twee weken geleden al had verteld. En na thuiskomst was ze hem in één klap vergeten toen ze in zijn badkuip sprong. Al had hij de hele tijd nog zo geduldig naar haar geluisterd, een badkuip vol schuimend water en een barbiepop was nu het enige waar ze behoefte aan had.

John pakte een tijdschrift over ijshockey en ging aan de tafel zitten. Hij probeerde een column te lezen, maar Georgeanne leidde hem af. Ze stond in de keuken groenten te snijden. Ze had haar haren los gedaan en droeg geen schoenen. Hij probeerde al zijn aandacht te richten op een artikel over een speler die hij goed kende, maar toch kon hij zich er niet op concentreren. Hij hoorde alleen het geluid van Georgeannes hakmes.

Hij gaf het maar op. 'Wat doe je?' vroeg hij haar.

Ze keek over haar schouder naar hem en legde het mes neer. 'Ik dacht aan een lekkere salade bij de kreeftjes die we hebben gekocht.'

'Ik wil geen lekkere salade.'

'O, wat wil je dan?'

Hij keek van haar groene ogen naar haar mond. Iets wat nog lekkerder is, dacht hij. Ze had lipgloss opgedaan. Zijn blik daalde af naar haar hals, haar borsten en verder naar beneden, naar haar voeten. John had nooit gedacht dat hij voeten sexy zou vinden. Sterker nog, hij had nooit veel om voeten gegeven, maar die van haar, met dat gouden ringetje om haar middelste teen, veroorzaakten een onrustig gevoel in zijn onderbuik. Ze deed hem denken aan een haremmeisje.

'John?'

Hij liep naar haar toe en keek weer naar haar gezicht.

'Wat wil je?'

Een haremmeisje met groene kattenogen en een voluptueuze

mond vroeg hem wat hij wilde. Na die keer op zijn woonboot wist hij wel beter dan haar te zoenen.

Godverdomme, wat kon het hem ook schelen, dacht hij toen hij voor haar stond. Hij kon toch wel stoppen voordat ze te ver zouden gaan. Dat had hij eerder gedaan en met Lexie in de badkamer konden ze toch niet tot het uiterste gaan.

John streelde met zijn hand langs haar jukbeen. 'Ik zal je laten zien wat ik wil,' zei hij en hij liet zijn mond op de hare neerdalen. Hij zag dat ze haar ogen opensperde. Hij veegde langs haar lippen met zijn mond, gaf haar voldoende ruimte om zich los te maken. 'Dit is wat ik wil.'

Haar lippen weken uiteen met een diepe, diepe zucht en haar ogen gingen langzaam dicht. Ze was zacht en zoet en smaakte naar kersen. Hij wilde haar. Hij wilde passie. Hij begroef zijn vingers in haar krullen, hield haar hoofd schuin en gaf zich over aan de zoen. Deze werd roekeloos en wild. Hij zoende haar mond, voelde haar verlangen en het zijne. Voelde haar handen op hem, op zijn schouders, zijn nek en zijn hoofd, toen ze zijn tong dieper haar mond in zoog. Hij was machteloos tegen zijn lichamelijke verlangen naar haar. Hij voelde de bekende pijn in zijn kruis die alleen zij kon wegnemen. Hij reikte naar de veter die haar blouse dichthield en trok deze met een ruk los, pakte haar vast bij haar schouders en rukte zich los. Haar mooie ogen keken hem zwoel aan en haar lippen waren nat en opgezwollen van hun zoen. Hij liet zijn eigen omfloerste blik van haar gezicht naar haar borsten gaan. Nu haar blouse zo ver openstond en haar decolleté slechts bedekt was door een paar veters, wist hij dat ze gevaarlijk dicht bij het punt waren aanbeland waarop ze niet meer terug konden. Maar ze waren er nog niet helemaal. Ze hadden nog wel wat speelruimte.

Hij pakte haar volle borsten met beide handen beet en begroef zijn gezicht ertussen. Ze voelde warm aan en rook heerlijk. Hij hoorde de adem stokken in haar keel toen hij het kanten randje van haar beha zoende. Hij ademde diep in en sloot zijn ogen, denkend aan alle dingen die hij met haar wilde doen. Dingen die ze al eerder hadden gedaan. Hij liet zijn tong over haar warme huid gaan en beloofde zichzelf dat hij zou stoppen als hij hier klaar was.

'John, we moeten stoppen,' hijgde ze, al deed ze geen poging om afstand te nemen. Evenmin liet ze zijn gezicht los.

Hij wist dat ze gelijk had, al was het maar vanwege het kind in het bad. Het zou stom zijn nu verder te gaan.

Hij kuste daarom voor de laatste keer de ronding van haar borsten en, al wilde hij haar het liefste hier ter plekke op de grond nemen, liet haar met pijn in het hart gaan. Hij zag haar gezicht en had zich bijna alsnog overgegeven aan zijn opwinding. Ze keek geschrokken, maar ook als een vrouw die hem nu het liefst al zijn kleren van het lijf had gerukt.

'Godsammekrake,' zei ze zacht, waarna ze haar blouse met trillende vingers bij elkaar trok.

Dat heerlijke accent van haar deed hem weer denken aan het meisje dat hij zeven jaar geleden had meegenomen. Hij dacht weer aan hoe ze destijds tussen zijn lakens had gelegen. 'Volgens mij vind je me nu leuker dan een bad hair day.'

Ze sloeg haar ogen neer en knoopte haar blouse weer dicht. 'Ik ga even bij Lexie kijken,' zei ze, waarna ze bijna rennend de keuken verliet.

Hij keek haar na. Zijn huid voelde strak aan en hij had een stijve waar je spijkers mee in de muur kon slaan. De seksuele frustratie maakte hem onrustig en hij bedacht dat hij drie keuzes had. Hij kon haar achternagaan en alsnog ontkleden, zichzelf bevredigen, of de frustratie er in zijn sportruimte uit trainen. Hij koos voor de laatste en gezondste optie.

Het duurde wel dertig minuten op de loopband voordat ze uit zijn hoofd was; voordat hij de geur van haar huid en het gevoel van haar borsten kon vergeten. Daarna ging hij nog een halfuur fietsen en wat gewichten heffen.

Vergeleken met andere ijshockeyers was hij al oud. Hij was een veteraan, wat inhield dat hij beter moest spelen dan zijn collega's die vijfentwintig waren óf te horen krijgen dat hij te oud was en te langzaam. Sportjournalisten en de mensen achter de schermen verwonderden zich altijd over dit soort veteranen. Als hij slecht had geslapen, als hij een keer zacht sloeg of als zijn pass niet aankwam, dan riep iedereen meteen dat hij zijn geld niet waard was. Dat was nooit het geval geweest toen hij nog jong was, maar tegenwoordig wel.

Misschien waren sommige dingen die over hem gezegd werden wel waar. Misschien was hij wel langzamer geworden, maar dat compenseerde hij met een pure fysieke kracht. Hij wist al jaren dat hij, als hij wilde overleven, zich zou moeten aanpassen of wegwezen. Hij was nog steeds een fanatieke verdediger, maar hakte er tegenwoordig niet meer alleen als een botte boer op los, hij speelde nu meer een tactisch spelletje.

Het afgelopen seizoen had hij overleefd met slechts een paar blessures. Nu was hij in topconditie, slechts een paar weken verwijderd van het trainingskamp. Hij was gezond en fit en klaar om het ijs op te gaan.

Hij was klaar voor de Stanley Cup.

John bleef werken aan zijn beenspieren tot deze dreigden te verzuren en daarna deed hij nog vijftig sit-ups. Na het douchen trok hij een spijkerbroek aan en een wit T-shirt voordat hij zich weer bij de dames boven voegde.

Daar trof hij Georgeanne en Lexie gezamenlijk op een ligstoel aan, starend naar de branding. John en Georgeanne deden er nagenoeg het zwijgen toe, terwijl hij de barbecue aandeed. Gelukkig vulde Lexie de ongemakkelijke stilte. Tijdens het eten keek Georgeanne amper zijn kant op en na afloop sprong ze op om de tafel af te ruimen. Als zij zo gretig was om hem te ontlopen, dan moest hij dat maar laten gaan.

'Hebt jij spelletjes, John?' vroeg Lexie met haar kin in haar handen. Ze droeg een vlecht in haar natte haar en een paarse nachtjapon. '"Wie ben ik?" of zo?'

'Nee.'

'Speelkaarten?'

'Zou kunnen.'

'Wil je een potje pesten?'

Dat klonk als een welkome afleiding. 'Tuurlijk.' Hij stond op en ging op zoek naar een spel kaarten, maar kon niets vinden. 'Ik geloof niet dat ik ze heb,' moest hij tegen een teleurgestelde Lexie zeggen.

'O. Wil je dan met mijn barbies spelen?'

Hij castreerde zichzelf nog liever.

'Lexie,' riep Georgeanne vanuit de keuken, 'ik geloof niet dat John graag met barbies speelt.'

'Alsjeblieft,' smeekte Lexie. 'Dan mag jij de mooiste kleertjes kiezen.'

Hij keek naar haar lieve gezichtje met de grote blauwe ogen en hoorde zichzelf antwoorden: 'Oké, maar dan wil ik Ken zijn.'

Lexie sprong op van haar stoel en rende de kamer uit. 'Ik hebt geen Ken want die is zijn benen kwijt!' riep ze over haar schouder.

Hij wierp snel een blik op Georgeanne, die hem in de deuropening met een theedoek over haar schouder een medelijdende blik toewierp. In elk geval ontweek ze hem niet meer.

'Doe jij ook mee?' vroeg hij, hopende dat Georgeanne mee zou spelen, zodat hij er zelf na een tijdje mee op kon houden.

Ze lachte geluidloos en liep naar de bank. 'Echt niet. Jij mag de mooiste kleertjes uitkiezen.'

'Dan mag jij dat doen,' beloofde hij.

'Sorry, stoere man.' Ze pakte een tijdschrift en ging op de bank zitten. 'Je moet het alleen zien te rooien.'

Lexie keerde terug met een tas vol poppen en spulletjes en hij kreeg het donkerbruine vermoeden dat het spel wel even kon duren.

'Jij mag deze met de mooie haren,' zei Lexie, die hem een blote pop toewierp; daarna keerde ze de hele tas om.

John ging in kleermakerszit op de grond zitten en bekeek zijn pop. Als jongetje had hij graag zo'n barbiepop aangeraakt, maar hij durfde nooit in de buurt van de meisjes te komen. Nu hij haar van dichtbij kon bestuderen, viel hem op dat ze een mager kontje had en dat haar knieën vreemde geluiden maakten.

Hij gaf zich over en begon in een stapel kleertjes te graven. Hij koos een tijgerprintpakje met bijpassende legging. 'Mag ik er een tas bij?' vroeg hij aan Lexie, die bezig was een schoonheidssalon in te richten.

'Nee, maar wel laarzen.' Ze zocht in haar spulletjes naar het bijbehorende schoeisel.

Hij keek er aandachtig naar. 'Precies wat elke vrouw wil dragen. Een paar hoerige laarzen.'

'Wat is dat, hoerig?'

'Doet er niet toe,' zei Georgeanne snel vanaf de bank.

Met poppen spelen was iets nieuws voor John. Hij had geen zusje, vrouwelijk familielid of buurmeisje van zijn leeftijd gehad. Als kind had hij wel met poppen gespeeld, maar dat waren action-figuren. Hij had toch liever gehockeyd. Hij trok het pakje over de barbies harde borsten, zonder tepels, en pakte de legging. Terwijl hij zo bezig was overpeinsde hij een paar dingen. Ten eerste was het bijzonder lastig een legging over een paar rubberen benen te schuiven en, ten tweede zou Barbie, als ze in het echt zou bestaan, niet het type vrouw zijn dat hij graag zou uit- of aankleden. Ze was te mager en hard en ze had rare voeten. En er was nog iets anders. 'Eh, Georgeanne?'

'Hmm?'

Hij draaide zijn hoofd naar haar om. 'Dit ga je niet doorvertellen, hè?'

Ze liet het tijdschrift een stukje zakken. 'Wat?'

'Dit,' zei hij, wijzend op het barbiehuis. 'Zoiets zou mijn reputatie als ongelooflijke klootzak behoorlijke schade kunnen toebrengen. O, sorry,' corrigeerde hij zichzelf meteen. 'Dit zou mijn leven tot een hel maken.'

Haar gegrinnik was aanstekelijk en hij moest zelf ook lachen. Hij kon zich wel voorstellen dat hij er heel stom uitzag, zo tussen de poppenkleertjes, terwijl hij bezig was een stel laarsjes over twee poppenbeentjes te schuiven. Maar ineens hield Georgeanne op met lachen. Ze stond op, legde haar tijdschrift op de tafel en liep weg. 'Ik ga douchen.'

'Wil je nu een permanentje?' vroeg Lexie.

Johns blik volgde Georgeannes heupwiegende tred naar de trap.

'Moet ik echt een permanentje?' vroeg hij snel aan Lexie.

'Ja.'

John hupte met zijn barbie op de hoerige laarsjes naar een roze stoel. Hij was er zelf nooit geweest, maar had wel vriendinnen gehad die veel geld spendeerden aan schoonheidssalons. 'Ik wil ook graag mijn nagels laten doen,' zei hij, waarna hij bovendien vroeg om een Brazilian wax en een gezichtsmaskertje.

Lexie moest erom lachen en vond hem grappig. Ineens was het spelen met barbies niet meer zo vervelend.

Het duurde tot tien uur tot Lexie echt omviel. Uitgeput liet ze zich door John naar bed dragen. Door met haar en de barbies te spelen had hij heel wat punten bij zijn dochter gescoord.

Op elk ander moment zou Georgeanne beledigd zijn geweest door Lexies aanhankelijkheid aan John, maar die avond was ze zelf met andere dingen bezig. Andere problemen. Grote problemen. Na hun zoen in de keuken was John op haar leuk-meter niet alleen bad hair day gepasseerd, maar ook wenkbrauwen epileren. En alsof dat niet genoeg was, was hij op de grond met poppen gaan spelen met een zesjarig meisje. Eerst vond ze het er gek uitzien. Zo'n grote, gespierde man met kolenschoppen van handen die zich bezighield met tasjes en laarsjes. Een macho ijshockeyer die zich zorgen maakte om zijn reputatie. Maar ineens vond ze het helemaal niet meer grappig. Het zag er namelijk uit alsof het zo hoorde, dat hij een barbie een legging aandeed. Het zag eruit alsof hij de vader was, en zij de moeder; alsof ze een gezin waren. Maar dat waren ze niet. En toen ze elkaar hadden aangekeken omdat zij zo had moeten lachen, had ze een steek in haar hart gekregen.

En dat was helemaal niet grappig. Totaal niet, vond ze toen ze de veranda op liep. Ze kon amper de golven nog zien, maar ze hoorde ze wel. Het was kouder geworden en ze was blij dat ze een spijkerrok had aangetrokken en een blauwe katoenen trui met lange mouwen. Nu had ze nog koude voeten en ze stond te bedenken waar ze haar schoenen had gelaten. Ze sloeg haar armen om haar bovenlijf en staarde naar de lucht. Ze had nooit veel begrepen van astronomie, maar ze vond het heerlijk om naar de sterren te kijken.

Achter haar ging de deur open en dicht en ze voelde ineens iets warms om haar schouder. 'Dank je wel,' fluisterde ze en ze trok de warme wollen omslagdoek dichter om zich heen.

'Graag gedaan. Ik denk dat Lexie al sliep voor ik het licht had uitgedaan,' zei John, terwijl hij naast haar kwam staan.

'Dat is meestal zo. Dat vind ik altijd een zegen. Ik hou zielsveel van Lexie, maar vind het ook heerlijk als ze slaapt.' Ze schudde haar hoofd. 'Dat klinkt niet best.'

Hij grinnikte zacht. 'Nee hoor. Ik snap wel dat je er doodmoe van kunt worden. Ik heb ineens heel veel respect voor ouders.'

Ze keek op naar zijn gezicht. De lampen in het huis veroorzaakten langgerekte banen licht op de houten veranda en wierpen schaduwen op zijn profiel. Hij droeg een donkerblauw fleece jasje dat zachtjes bewoog door de zeebries.

'Hoe was jij als kind?' vroeg ze nieuwsgierig. Lexie leek niet zoveel op haar als andere mensen haar wilden doen geloven.

'Behoorlijk druk. Ik geloof dat mijn grootvader zijn grijze haren aan mij te danken heeft.'

Ze ging met haar rug tegen de reling staan. 'Gisteren had je het over je moeder en Ernie. En je vader dan?'

John haalde zijn schouders op. 'Ik kan me hem niet meer herinneren. Hij is omgekomen bij een auto-ongeluk toen ik vijf was. Mijn moeder had twee banen en daarom ben ik grotendeels opgevoed door mijn opa en oma. Oma Dorothy is overleden toen ik drieëntwintig was.'

'Dan zijn we allebei opgevoed door onze grootmoeders.'

Hij keek opzij; nu kon ze eindelijk zijn gezicht goed zien. 'En je moeder?'

Jaren geleden had ze gelogen over haar verleden, had ze het opnieuw geconstrueerd, het mooier gemaakt. Dat wist hij kennelijk niet meer. Nu stond ze zo sterk in haar schoenen dat ze geen zin meer had om te liegen. 'Mijn moeder wilde mij niet.'

'Wilde jou niet?' Zijn wenkbrauwen schoten de lucht in. 'Hoezo?'

Ze haalde haar schouders op en draaide zich half om zodat ze zicht had op het zwarte silhouet van Haystack Rock tegen de nog zwartere zee. 'Ze was niet getrouwd en ik denk...' Ze zweeg even. 'Om je de waarheid te zeggen, ik weet het niet. Vorig jaar pas heb ik ontdekt dat ze liever een abortus wilde. Dat vertelde mijn tante. Mijn grootmoeder heeft haar schijnbaar tegengehouden. Toen ik geboren was in het ziekenhuis, nam mijn grootmoeder me in huis. Ik geloof dat mijn moeder me niet eens heeft willen zien voordat ze het dorp ontvluchtte.'

'Meen je dat?' vroeg hij ongelovig.

'Natuurlijk.' Georgeanne rilde en trok de doek steviger om haar heen. 'Ik wist altijd zeker dat ze terug zou komen en ik probeerde altijd zo braaf te zijn dat ze me wel wilde hebben. Maar ze is me nooit komen halen. Ze heeft me zelfs nooit opgebeld.' Ze trok haar schouders op en wreef over haar armen. 'Maar mijn grootmoeder heeft haar best gedaan, hoor. Clarissa June hield veel van me en heeft heel goed voor me gezorgd. In haar ogen was dat klaarstomen voor het huwelijk. Ze wilde me koste wat het kost uithuwelijken voordat ze zou overlijden en dat heeft tot heel wat vreemde taferelen geleid. Zo ging ik op het laatst niet meer mee naar de supermarkt met haar.' Georgeanne dacht glimlachend terug aan die tijd. 'Want dan wilde ze me koppelen aan de bedrijfsleider of de jongens die je zakken boodschappen naar de auto dragen. Maar eigenlijk had ze haar zinnen gezet op de slager, Cletus J. Krebbs. Ze was zelf namelijk opgegroeid op een varkensfokkerij en was dol op een goed stuk varkensvlees. Toen ze hoorde dat hij al getrouwd was, was ze zeer teleurgesteld.' Ze had verwacht dat hij er ook om moest lachen, maar hij grinnikte niet eens.

'En je vader?'

'Ik weet niet eens wie hij is.'

'Heeft niemand je dat ooit verteld?'

'Niemand heeft het ooit geweten, alleen mijn moeder, en zij wilde het niet zeggen. Toen ik een meisje was dacht ik wel eens...' Ze zweeg en schudde beschaamd haar hoofd. 'Laat maar zitten,' zei ze, met haar neus in de shawl.

'Wat dacht je dan?' vroeg hij zacht.

Ze keek naar hem op, reagerend op zijn vriendelijke stem. 'Het klinkt gek, maar ik dacht altijd dat als hij het had geweten, hij wel van me had gehouden. Ik deed altijd zo mijn best om het goed te doen.'

'Dat is niet zo gek. Ik weet zeker dat als hij van jouw bestaan had geweten, hij veel van je had gehouden.'

'Ik niet.' In haar ervaring was het zo dat de mannen van wie ze wilde dat ze van haar zouden houden, dit niet konden. John was daar een goed voorbeeld van. Ze staarde naar de zee. 'Het had hem vast niets kunnen schelen, maar het is wel lief dat je het zegt.'

'Het had hem zeker kunnen schelen, daar ben ik van overtuigd.' Ze was net zo zeker van het tegendeel, maar het deed er niet toe. Ze had jaren geleden het fantaseren al opgegeven.

Er stak een steviger wind op en ze stonden zwijgend naar de golven te luisteren. Toen John als eerste wat zei, kwam hij amper boven het geluid van de wind uit. 'Wat je zegt, doet me echt pijn.' Hij stak zijn handen in zijn zakken en keek haar kant op. 'We moeten praten over wat er vanmiddag in de keuken is gebeurd.'

Georgeanne was stomverbaasd dat hij daarover begon. Zij wilde helemaal niet praten over hun zoen. Ze wist niet waarom hij dat had gedaan en evenmin waarom ze erop had gereageerd. Het leek wel alsof hij haar eigen wil uit haar had gezogen. Nu waren haar voeten echt koud en ze vond het een goed moment om zich terug te trekken en haar gedachten te ordenen.

'Het is wel duidelijk dat ik me tot jou aangetrokken voel.'

Ze besloot dat ze best nog eventjes kon wachten.

'Ik weet dat ik heb gezegd dat ik immuun voor je ben en dat ik je gewoon kan weerstaan. Nou, dat is dus niet zo. Je bent zo mooi en zacht en als de zaken er anders voor stonden, zou ik een long afstaan om de liefde met jou te kunnen bedrijven. Maar het is nou eenmaal zoals het is. Als je me dus naar je ziet staren alsof ik je wil bespringen, dan wil ik je bij dezen beloven dat ik dat niet zal doen. Ik ben vijfendertig en kan mezelf best beheersen. Ik wil niet dat je je zorgen maakt dat ik het nog een keertje probeer.'

Nog nooit eerder had iemand spontaan een orgaan gedoneerd om met haar te vrijen.

'Dus ik beloof je hierbij dat ik je niet zal kussen of vastpakken. Ik denk dat we het wel eens zijn dat vrijen nu een grote fout zou zijn.'

Hoewel ze het verstandelijk met hem eens was, was ze toch ietwat teleurgesteld dat hij zichzelf zo kon beheersen. 'Natuurlijk, je hebt gelijk.'

'Want anders zou het jammer zijn van de goede verstandhouding die we hebben opgebouwd.'

'Klopt.'

Hij keek haar aan. 'Als we net doen alsof het er niet is, dan houdt het vanzelf wel op.' Zijn blik ging van haar donkere krullen naar haar ogen en weer terug naar de zee.

'Denk je?'

Er verscheen een frons op zijn voorhoofd en hij schudde zijn hoofd. 'Nee, ik zit te lullen,' zei hij, waarna hij zijn handen uit zijn zakken haalde en haar gezicht omvatte met zijn warme handpalmen. Met zijn duim streek hij over haar verkleumde kaak en hij liet zijn voorhoofd zakken tot het tegen het hare rustte. 'Ik ben nogal egoïstisch en ik wil jou heel graag.' Zijn stem klonk dieper. 'Ik wil met je zoenen en je overal strelen en...' Hij zweeg en zag haar ogen glimlachen. '... je lieftallige lijfje bespringen. En hoewel ik al vijfendertig ben, kan ik mezelf niet beheersen bij jou in de buurt. Ik kan alleen maar denken aan jou en fantaseer de hele tijd over vrijen met jou. Wist je dat?'

Hij had haar weer volledig omsingeld, benam haar de adem en haar laatste restje weerstand. Ze was met stomheid geslagen en kon alleen maar reageren door nee te schudden.

'Ik had vannacht een ontzettend geile droom over jou. Echt megageil. We deden dingen die ik niet eens hardop durf uit te spreken.'

Heeft hij over mij gedroomd? Ze probeerde iets geestigs te zeggen, maar het lukte niet. Elke rationele gedachte was uit haar hoofd verdwenen toen hij beweerde dat hij haar lieftallige lijfje wilde bespringen. Ze had zichzelf nooit lieftallig gevonden.

'Daarom reken ik op jouw verstand. Ik reken erop dat jij nee zult zeggen.' Hij streelde met zijn lippen haar mond. 'Als jij nee zegt, stop ik direct.'

Hij was zo dichtbij, zo knap, en ze wilde hem zo graag dat haar verstand niet meer werkte. Ze wilde volledig in hem opgaan en nee zeggen kwam totaal niet in haar op. Haar handen lieten de omslagdoek los en deze viel aan haar voeten. Ze pakte zijn jasje beet en trok hem naar zich toe. Met het puntje van haar tong likte ze licht over zijn mondhoek en gretig opende hij zijn lippen voor haar. Die middag waren ze langzaam begonnen met zoenen, maar hadden ze het kookpunt al snel bereikt. Dit keer tastten ze elkaar af, bleef de zoen op hun lippen branden. Hun monden en tongen raakten elkaar voorzichtig aan. Ze hadden de hele nacht voor de boeg. Ze hadden geen haast.

Jaren geleden had ze wel geweten hoe ze een man kon plezieren. De technieken die ze destijds tot kunstvorm had verheven, was ze allang vergeten. Ze wist niet of ze een man nog kon opvrijen of gek maken. Maar haar handen gingen als vanzelf naar zijn broekband en langzaam schoven haar handpalmen onder zijn jack via zijn platte buik naar boven. Onder haar handen voelden ze zijn spieren spannen. Hij duwde zijn mond nog dichter tegen de hare en ze voelde het bonzen van zijn hart. Met een hand tegen haar heup trok hij haar steviger tegen zich aan.

Ze voelde zijn geslacht opzwellen tegen haar onderbuik. Hij was lang en hard. Er gingen verwarrende gevoelens van opwinding en vrouwelijke tederheid door haar heen. De gevoelens nestelden zich tussen haar dijen. Ze bewoog haar bekken zacht langs zijn kruis en haar verlangen werd nog heviger, zijn grip op haar heup verstevigde zich. Ineens liet hij haar lippen los.

'Zeven jaar geleden was je al lekker, maar ik heb het idee dat je alleen maar lekkerder bent geworden.'

Georgeanne had hem kunnen uitleggen dat dat niet kwam omdat ze zoveel seks had gehad. Sterker nog, ze had zo weinig seks gehad dat ze niet eens een gevat antwoord kon bedenken. Zonder de afleiding van zijn sensuele mond en met de schaamteloze tekst over zijn megageile fantasie nog in haar oren voelde ze ineens de frisse wind door haar trui heen waaien en ze rilde.

'We gaan naar binnen,' zei hij, en hij reikte naar haar hand. Hij trok haar tegen zich aan en samen wandelden ze het huis binnen en deden de deur dicht. John kuste haar zacht op haar mond. Daarna deed hij zijn jas uit en gooide hem op de bank. 'Heb je het nog koud?' vroeg hij.

De haren op Georgeannes armen stonden rechtovereind, maar dat kwam niet door de kou. 'Nee hoor.' Ze wreef over haar armen.

'Zal ik het vuur maar aanmaken?'

Zo lang wilde ze eigenlijk niet wachten op zijn warme mond, maar ze wilde ook niet wanhopig overkomen. 'Als het niet te veel moeite is.'

Hij grijnsde langzaam. 'Dat gaat wel lukken.' Hij liep naar de open haard en drukte op een knop. Er schoten oranje vlammen omhoog, die begonnen te likken aan het namaakhout dat er lag.

Georgeanne glimlachte naar John. 'Dat is vals spelen, hoor.'

'Alleen als ik vroeger bij de padvinders was geweest en dat is niet zo.'

'Ik had het kunnen weten.' Ze keek naar buiten, maar zag alleen haar eigen reflectie in de grote ruiten. Heel even voelde ze wat paniek toen ze zich probeerde te herinneren of ze haar blauwe satijnen setje droeg, of gewoon wit katoenen ondergoed.

'Wat bedoel je?' vroeg hij, terwijl hij naast haar kwam staan. 'Dat ik geen padvinder ben geweest of dat ik een nepvuurtje heb?' Hij pakte haar beet en trok haar met haar rug naar zich toe.

Georgeanne keek naar hun spiegelbeeld. Ze staarde naar zijn knappe gezicht en ineens kon het haar niets schelen of haar onderbroek van Walmart kwam of van Victoria's Secret. Ze kromde haar rug en drukte haar achterwerk in zijn kruis. 'Is jouw vuur nep, John?'

Ze hoorde hem naar adem happen en toen hij grinnikend antwoordde, klonk dat wat gespannen. 'Als jouw vuurtje goed aangewakkerd is, zal ik het je laten zien.' Hij drukte een kus op haar kruin en pakte toen de boord van haar trui beet. 'Eens even kijken.' Hij trok de trui over haar hoofd en wierp hem opzij. Haar eerste gedachte was snel haar handen voor haar borsten houden, maar ze deed het niet. Zo stond ze voor hem, in haar beha en spijkerrok. Heel zacht trokken zijn vingers prikkelende sporen over haar zij, haar buik en naar haar borsten, die hij voorzichtig in zijn sterke handen hield.

'Je bent beeldschoon,' zei hij met zijn duimen wrijvend over haar tepels onder het satijn. 'Zo mooi, dat je me de adem beneemt.'

Georgeanne kende dat gevoel wel. Zij had ook het gevoel dat haar adem uit haar longen werd gedrukt toen hij met twee warme handen haar borsten optilde. Ze keek gefascineerd toe terwijl hij de bandjes van haar beha van haar schouders schoof en het blauwe satijn langs haar borsten omlaag gleed, haar tepels passeerde en tot slot langs haar armen op de grond viel. Opeens werd ze toch verlegen en ze wilde zich omdraaien, om zich tegen zijn borstkas te verbergen en zichzelf te beschermen tegen zijn schroeiende blik. Maar hij legde zijn handen om haar middel en hield haar op haar plaats.

'Iemand kan ons zo zien,' zei ze.

'Er is daar niemand.' Zacht streelden zijn vingertoppen haar tepelhoven.

Haar ademhaling werd oppervlakkiger. 'Maar er kunnen wel mensen komen.'

'We zitten hoger dan het strand. Niemand kan ons zien.'

Ze zag hem in haar stijve tepels knijpen met zijn duim en wijsvinger en vanaf dat moment kon het haar niets meer schelen. Al was er een hele bus vol toeristen op de veranda afgezet, dan nog kon het haar niets schelen. Ze strekte haar rug en sloeg haar armen om zijn nek. Ze trok zijn mond naar de hare toe en gaf hem een hete, gulzige zoen. Hij kreunde diep en bleef met haar borsten spelen. Na een tijdje dwaalden zijn handen af naar beneden en frunnikten aan de knoop van haar rok tot hij deze los had en hij rok en slip tegelijkertijd naar beneden schoof. Ze vielen op de grond en ze stapte eruit en schopte ze opzij.

Nu was ze helemaal naakt en hij nog volledig gekleed. Ze voelde de rits van zijn broek tegen haar blote kont en de sensatie van zijn spijkerbroek tegen haar warme huid was extreem erotisch. Hij duwde zijn stijve pik tegen haar onderlichaam en drukte zachte, hete kusjes in haar hals. Daarna beet hij voorzichtig in haar schouder en zoog begerig aan haar vlees.

Georgeanne keek weer naar het raam en zag een wazige reflectie van haar eigen lichaam met zijn grote handen die haar borsten streelden, haar buik en haar heupen. Toen plaatste hij een voet tussen haar beide voeten en spreidde deze verder uit elkaar. Voorzichtig liet hij zijn hand tussen haar benen verdwijnen en raakte haar daar zachtjes aan. Ze was al vochtig en bij elke aanraking schoot er een plezierige pijnscheut door haar bekken. Zijn handen, zijn mond, zijn hete blik kregen geen genoeg van haar. Ze bestudeerde haar eigen gezicht in de weerspiegeling en herkende de aanblik eerst niet. Ze zag eruit alsof ze verdoofd was. Ze hoorde zichzelf kreunen en was bang dat ze, als ze hem niet een halt toeriep, zonder hem zou klaarkomen. Dat wilde ze niet, ze wilde dat hij met haar meedeed.

Ze genoot nog een paar seconden van zijn heerlijke aanrakingen, toen draaide ze zich om en sloeg haar armen om zijn nek. Ze kuste hem hongerig en wilde in hem klimmen. Zijn vingers gingen langs haar ruggengraat op en neer, waarna hij haar bij haar billen optilde en met zijn kruis tegen het hare wreef. Ze liet haar mond via zijn kaaklijn naar zijn nek gaan en proefde het zout op zijn huid. Hij kreunde en ze liet zich weer zakken om voor hem te gaan staan. Haar handen gingen naar zijn buik en zochten en vonden de rand van zijn T-shirt.

John stak een arm omhoog, reikte naar achteren en trok met een ruk het shirt uit. Georgeanne liet haar blik langzaam van zijn blauwe ogen vol passie naar de korte, donkere krullen op zijn brede borstkas gaan. Haar borsten raakten hem enkele centimeters onder zijn eigen tepels. Verder naar beneden liep een strook haartjes, tussen haar borsten door, naar zijn broekband.

'Moet je zien,' zei hij schor van de opwinding. 'Je bent het beste cadeau dat ik ooit heb gehad. Alle kerstcadeaus in één keer, in een geweldige cadeauverpakking.'

Georgeanne trok de bovenste knoop van zijn broek open. 'Ben je braaf geweest?' Ze liet haar handen naar binnen gaan.

De adem stokte hem in de keel. 'O, god, ja.'

Ze trok het elastiek van zijn onderbroek naar voren. 'In dat geval,' zei ze plagerig, terwijl ze zijn grote, stijve penis met een vinger streelde, 'heb je de keuze. Wil je je gedragen als een padvinder of wil je op het strafbankje?'

Zijn ademhaling stokte in zijn keel en hij schopte zijn schoenen uit. 'Zoals je weet ben ik geen padvinder. En ik heb te vaak op het strafbankje gezeten om mijn gedrag te verbeteren.'

'Hmm, het strafbankje dus...' Ze duwde zijn spijkerbroek en onderbroek omlaag en streelde zijn dijen. Zijn spieren spanden zich onder haar aanraking en ze vond het heerlijk om hem zo op haar te zien reageren.

'Absoluut.' Hij stapte uit zijn kleren. Wel haalde hij nog zijn portefeuille uit zijn broek en wierp hem op het tafeltje naast de bank. Toen was ook hij volledig naakt; een lange, gespierde sportman, zonder een grammetje vet. Er was niets zachts aan hem.

Ze ging dichter bij hem staan en zijn warme eikel klopte tegen haar navel. Haar handen gleden langs zijn strakke buik en toen ze opkeek in zijn half geloken ogen, realiseerde ze zich dat ze niet vergeten was hoe ze met déze man de liefde moest bedrijven. Zeven jaar geleden had hij haar laten zien hoe ze hem gek kon maken, en dat was ze niet vergeten. Ze boog zich naar voren en likte zacht aan zijn tepel tot deze hard werd. Intussen begroeven zijn handen zich in haar haren.

'O, je maakt me gek. Ik ga dood.'

Georgeanne ging op haar tenen staan en liet haar tepels met opzet over de zijne strijken. 'Dan hoop ik dat God zich over je ontfermt,' fluisterde ze in zijn oor, waarna ze zijn oorlel beetpakte tussen haar lippen en haar lichaam tegen het zijne aan duwde. Ze beet zachtjes in zijn nek en schouder en begon een spoor van kussen af te leggen via zijn borsthaar en de fijnere haartjes op zijn buik, helemaal tot aan zijn pik. Toen knielde ze voor hem neer en streelde hem, kuste hem en masseerde, tot hij haar hard hijgend weer omhoogtrok.

'Strafbankje,' hijgde hij.

'Vooruit dan maar,' zei ze en ze zette haar handpalmen tegen haar borst. Hij deed een pas naar achteren en ze volgde hem. 'Maar pas op, dit is geen ijshockey.' Ze duwde weer tot hij met zijn hakken tegen de bank aan kwam. 'En ik ben geen ijshockeyer.' Hij ging zitten en ze ging tussen zijn benen staan.

'Georgie, schatje, niemand zou jou aanzien voor een ijshockeyer.' Met één hand pakte hij haar kont beet en trok haar op zich. Hij pakte een tepel beet met zijn warme, vochtige mond en zoog eraan, terwijl hij met zijn andere hand het vuurtje opstookte tussen haar benen. Ze keek toe terwijl hij haar borsten betastte en ze voelde ineens een heftige emotie. Dit was de John die haar zich mooi en bemind deed voelen. De man die haar hart had gestolen en haar had verlaten, maar haar negen maanden later een prachtig geschenk had gegeven. Ze sloot haar ogen en hield hem stevig vast en liet hem zijn gang gaan met zijn mond en vingers. Toen ze voelde dat ze dicht bij haar climax was, deed ze een stap achteruit.

Zonder iets te zeggen reikte hij naar zijn portefeuille en haalde er een condoom uit. Hij opende het pakje met zijn tanden, maar voordat hij het zelf kon omdoen, nam Georgeanne het condoom van hem over. 'Nooit een vrouwenklusje door een man laten doen,' zei ze en ze schoof het kapotje vakkundig over zijn geslacht. Toen ging ze op haar knieën over hem heen zitten en liet zich langzaam over zijn gezwollen pik zakken.

Hij was zo groot en hard dat het even duurde voordat hij helemaal bij haar binnen was. Ze bleef even stil zitten en voelde haar lichaam ruimte maken voor hem. Hij voelde heet en maakte haar tevreden en rusteloos tegelijkertijd. De spieren in zijn nek stonden gespannen en ze legde haar handen op zijn schouders. Hij keek haar aan met omfloerste blik en een strakke kaak. Ze kuste hem en bewoog zich langzaam op en neer, maar of het nou kwam doordat ze beiden zo opgewonden waren, of doordat het voor haar al lang was geleden, het lukte haar maar half. Bovendien zakten haar knieën steeds diep in de bank en stootte hij haar steeds ver omhoog.

'Ontspan,' zei hij, met zijn handen onder haar kont. 'Doe maar rustig aan.'

Georgeanne drukte haar mond hard tegen de zijne en kreunde uit frustratie. Ze kon niet meer ontspannen en van rustig aan doen was wat haar betrof geen sprake meer.

Nu liet John haar mond los, sloeg zijn arm om haar rug en kont en draaide haar om, zodat zij op de bank lag en naar hem opkeek. Nog steeds zat hij diep in haar. Hij had een knie op de bank en had zijn andere voet stevig op de grond geplant. 'Laat een mannenklus nooit door een vrouw doen,' zei hij met een grijns en hij trok zich langzaam terug uit haar lichaam. Ze kreunde van genot en spijt, waarna hij weer diep bij haar naar binnen stootte. En weer en weer, tot ze bijna over het randje ging. Ze stamelde incoherente woorden, fluisterde dingen die ze later zou betreuren, maar nu was ze de controle volledig kwijt en ook kon het haar niet deren.

'Zo is het, schatje,' fluisterde hij op zijn beurt, terwijl hij weer diep bij haar naar binnen ging. 'Zeg maar wat je van me wil.'

En dat deed ze, tot in detail. Zijn borst zwol op en hij legde zijn handen aan weerszijden van haar gezicht. Hij vertelde haar dat ze mooi was, en hoe goed ze voelde. Bij elke stoot werd het warmer en warmer en toen ze klaarkwam, riep ze hard zijn naam.

Haar lichaam hield hem daarop stevig vast en op het moment dat haar orgasme wegtrok, begon het weer opnieuw.

John sloot langzaam zijn ogen en zijn adem ontsnapte sissend tussen zijn tanden. Hij beantwoordde haar roepen met zijn eigen kreunen van genot. Voor een laatste keer bewoog hij zijn bekken krachtig en toen ook hij klaarkwam, spanden alle spieren in zijn lichaam zich en zei hij alle smerige woorden die hij kon bedenken.

Hoofdstuk 14

John zat op de rand van zijn bed zijn sportschoenen aan te trekken. Zijn slaapkamer was een slagveld. Het onderlaken was helemaal gekreukt en het dekbed en de kussens lagen op de vloer. Vieze borden met half opgegeten boterhammen stonden op zijn nachtkastje en het schilderij dat hij hier in het dorp had gekocht was van de muur gevallen en stond nu met een kapotte lijst op de grond.

Hij strikte zijn veters en stond op. De kamer rook ook naar haar en naar hem – naar seks. Hij stapte over een stapel klamme handdoeken heen en pakte zijn iPod van de kast, daarna schoof hij de band om zijn arm en deed de oordopjes in.

Waanzinnig. Dat was het enige woord dat hij kon bedenken om de afgelopen nacht te beschrijven. Waanzinnige seks met een beeldschone vrouw. Beter kon het niet worden.

Alleen was er een probleem. Georgeanne was niet zomaar een waanzinnig mooie vrouw. Ze was niet zomaar een vriendinnetje, iemand met wie hij vaker uitging, en al helemaal geen ijshockeygroupie. Ze was de moeder van zijn kind. En dat maakte de situatie nogal gecompliceerd.

Hij liep de gang in en stopte even bij de logeerkamer om naar binnen te turen. Georgeanne lag te slapen in het licht van de ochtendschemering, haar ademhaling diep en rustig. Ze had een witte nachtjapon aan die tot onder haar kin was dichtgeknoopt, ze had zo in een Engels kostuumdrama kunnen spelen. Amper vier uur geleden had ze in de jacuzzi in zijn badkamer nog een rodeo geïmiteerd. En met een beetje oefening was ze er nog goed in geworden ook. Hij vond het vooral geil hoe ze met haar bekken tegen hem aan reed en zijn naam zacht fluisterde met die heerlijke zuidelijke stem van haar.

Achter Georgeanne zag hij wat bewegen en hij keek naar zijn dochter. Ze draaide zich net om en nam het dekbed met zich mee. Zacht deed hij de deur weer dicht en liep naar buiten.

Gisteravond had Georgeanne hem een blik op haar verleden gegund, een blik op het meisje dat ze was geweest, verward en alleen, wat een heel nieuwe dimensie toevoegde aan de Georgeanne die hij kende. Hij had niet gedacht dat zijn mening over haar hierdoor zou veranderen, maar het was toch gebeurd.

John liep naar de keuken en keek in de koelkast, pakte een pak yoghurtdrank met extra proteïne en koolhydraten en trok het open. Hij schopte de deur voorzichtig dicht en drukte op de knop van zijn ouderwetse antwoordapparaat. Het mobiele netwerk was hier zo beroerd, dat hij een vaste lijn had. Leunend tegen het aanrecht en luisterend naar zijn berichten dronk hij zijn ontbijt. Het eerste was van Ernie, die begon met mopperen over het feit dat hij een bericht moest inspreken. Onderwijl dacht John aan Georgeanne. Hij hoorde weer haar stem, toen ze zo terloops over haar moeder sprak. Ze had nog gegrapt over haar grootmoeder die haar wilde uithuwelijken en vond het dom om te verlangen dat een vader van je kon houden. Ze leek zich ervoor te schamen, alsof ze te veel vroeg.

Het volgende bericht was van zijn agent, die een afspraak met hem en de schaatsfabrikant wilde maken. Johns schaatsschoenen zaten het afgelopen seizoen niet helemaal lekker, en nu was hij niet zo bijgelovig als veel van zijn collega's, maar liever wilde hij dat de fabrikant het probleem zou oplossen dan dat hij op zoek moest naar andere schaatsen.

Hij dronk de rest van de drank snel op en gooide het lege pak weg. Het antwoordapparaat klikte uit en John verliet zijn keuken. Het was mistig op het strand, voorzichtig probeerden de vroege zonnestralen door het wolkendek te breken en hun licht door de ramen naar binnen te schijnen.

Gisteravond had hij haar nog uitvoerig bekeken in die ruiten.

Hij had gezien hoe ze met haar mooie, naakte lijf voor hem had gestaan en hoe haar opwinding de blik in haar ogen had veranderd en haar mond nog voller had gemaakt. Hij had toegekeken terwijl zijn eigen handen haar zachte huid en volle borsten streelden. Hoe ze met haar blote kont tegen zijn kruis aan had staan wrijven, zodat hij bijna ter plekke was klaargekomen.

Zachtjes stapte John het huis uit en liep de buitentrap af. Hij wilde Georgeanne niet wakker maken, die had haar slaap hard nodig.

Zelf had hij tijd nodig om na te denken. Over wat er gebeurd was en over wat er nu moest gebeuren. Hij vond haar leuk. Hij had respect voor alles wat ze tot nu bereikt had, en al helemaal nu hij begreep hoe haar jeugd was geweest. Nu snapte hij ook waarom ze hem zeven jaar geleden niets over Lexie had gezegd. Hij vond het nog steeds niet leuk, maar kwaad was hij niet meer.

Niet kwaad meer zijn en verliefd worden waren echter twee verschillende dingen. Hij vond haar leuk, meer niet. Hij hoopte dat ze niet meer van hem verlangde, want hij vroeg zich af of hij dat wel aankon. Hij was al twee keer getrouwd geweest en beide keren had hij niet van zijn echtgenote gehouden.

Mensen verwarden seks zo makkelijk met liefde. John niet. Die zaken hadden niets met elkaar te maken. Hij hield van zijn grootvader. Van zijn moeder. En de liefde die hij voor Toby had gevoeld, en nu voor Lexie, ging zelfs nog dieper. Maar hij had nog nooit echt van een vrouw gehouden, nooit die ultieme liefde gevoeld. Hij hoopte dat Georgeanne liefde en seks ook kon scheiden. Hij dacht van wel, maar als dat niet zo was, dan zou het lastig worden om met haar te blijven omgaan.

Hij had gisteravond ook beter zijn handen thuis kunnen houden. Maar in het geval van Georgeanne had hij er kennelijk grote moeite mee zich te beheersen. Hij wilde haar zo graag dat hij het er behoorlijk zwaar mee had. De seks was eigenlijk onvermijdelijk geweest. Hij kon tegen zichzelf zeggen dat hij zijn handen thuis had moeten houden, maar hij wist uit ervaring dat hem dat sowieso niet was gelukt. En met Georgeanne had hij al helemaal weinig succes gehad op dat gebied. Ze had zo'n geweldig lichaam en vrijen met haar was het meest fantastische wat hij in lange tijd had gedaan.

Johns voeten ploften in het harde, natte zand en hij begon met rek- en strekoefeningen.

Hun relatie was altijd al moeizaam geweest. Ze was de moeder van zijn kind en hij zou haar niet op deze manier moeten zien. Hij zou niet moeten denken aan haar zachte mond, terwijl hij diep in haar zat. Hij zou zich beter moeten beheersen. Hij was tenslotte een gedisciplineerd sportman, dat kon hij toch wel?

En als hij er niet in slaagde...

John liet zijn ene been zakken en pakte zijn andere enkel. Hij zou beter zijn best moeten doen en niet de hele tijd denken aan het volgende moment waarop hij haar weer uit de kleren zou krijgen.

Georgeanne gaapte uitgebreid terwijl ze melk over Lexies cornflakes goot. Ze veegde haar krullen achter haar oren, liep de keuken uit en zette de kom op tafel.

'Waar is John?' vroeg Lexie. Ze pakte haar lepel van tafel.

'Ik weet het niet.' Georgeanne ging in de stoel tegenover haar dochter zitten en trok haar badjas dichter om zich heen. Ze was doodmoe en had spierpijn in haar dijbenen. Zoveel spierpijn had ze niet meer gehad sinds ze vorig jaar drie keer met een zumba-les had meegedaan.

'Hij is vast weer aan het hardlopen,' dacht Lexie. Ze nam een flinke hap. Ze had haar natte haren gisteravond in een vlecht gehad en had ermee geslapen en nu stonden haar haren rechtovereind, als een bescheiden afrokapsel. Er viel een cornflake op haar paarse nachtjapon en ze gooide hem terug in de kom.

'Waarschijnlijk,' antwoordde Georgeanne. Ze vroeg zich af waarom hij al weer moest trainen. Ze hadden de afgelopen nacht zoveel standjes gehad, met als grote finale de rodeo in de jacuzzi. Daarna had ze hem helemaal ingezeept en alle plekken die ze had afgespoeld bedekt met kussen. Hij had op zijn beurt alle waterdruppels van haar huid gelikt. Over het geheel genomen vond ze dat ze allebei een flinke training achter de rug hadden. Ze sloot haar ogen en dacht weer aan zijn sterke armen en gespierde borstkas. Zijn stevige achterwerk en zijn strakke buik. Ze voelde de vlinders alweer in haar buik.

'Misschien komt hij snel terug,' hoopte Lexie.

Georgeanne opende haar ogen weer. Snel schakelde ze over van Johns strakke lichaam naar het beeld van Lexie die luid krakend haar ontbijt opat. 'Wil je alsjeblieft met je mond dicht kauwen.' Nu ze haar dochter zo zag zitten, schaamde ze zich een beetje. Dergelijke gedachten hebben in de buurt van een onschuldig kind was toch onbehoorlijk. En ergens op deze wereld was er vast een etiquetteregel die zei dat het niet fatsoenlijk was aan een naakte man te denken voor je 's ochtends je koffie ophad.

Georgeanne liep terug naar de keuken en ging in de weer met koffie en koffiefilters. Ze had zich lange tijd niet zo geweldig levendig gevoeld als de afgelopen nacht met John. Hij had naar haar gekeken met een hongerige blik in die blauwe ogen die haar ontzettend goed had gedaan. En zijn vingers over haar huid, alsof die van kostbare zijde was, streelden ook haar ego. Seks met John was gewoon heerlijk. In zijn armen was ze als vrouw vol zelfvertrouwen over haar eigen seksualiteit. Voor het eerst sinds haar puberteit voelde ze zich zeker over haar lichaam, en voor het eerst in haar leven voelde ze zich zeker over zichzelf als minnares.

Maar hoe heerlijk het ook was geweest, de liefde bedrijven met John moest natuurlijk een eenmalige vergissing blijven. Dat had ze al geweten toen hij haar welterusten kuste in de deuropening van de logeerkamer. Toen voelde ze het al aan de pijn in haar hart. John hield niet van haar en de pijn die dat veroorzaakte overrompelde haar.

Al had ze vanaf het begin geweten dat hij niet van haar hield; hij had nooit gedaan alsof hij meer voor haar voelde dan verlangen naar haar lichaam. Ze nam het hem niet kwalijk. Haar pijn was haar eigen fout en het was iets waar ze zelf mee moest leren omgaan.

Georgeanne vulde het waterreservoir van het koffiezetapparaat en drukte op het knopje. Ze bleef met haar armen over elkaar staan wachten tot de koffie klaar was. Ze had gedacht dat ze alleen met haar lichaam van hem kon houden. Nu, in het licht van de ochtend, was die illusie voorgoed verdwenen. Ze had altijd al van John gehouden. Dat kon ze wel aan zichzelf toegeven, al wist ze niet wat ze ermee aan moest. Hoe kon ze hem regelmatig zien en dan net doen alsof ze goede kennissen waren? Dat moest ze nog uitvogelen. Ze wist alleen dat het moest gebeuren.

De telefoon ging en Georgeanne schrok ervan. Het antieke antwoordapparaat piepte en nam de boodschap aan. 'Ja, John,' hoorde ze een mannenstem zeggen. 'Dit is Kirk Schwartz. Het spijt me dat het zo lang duurde voor ik terugbelde, maar ik was twee weken op vakantie. Wat jouw vraag betreft, ik heb hier een kopie van het geboortebewijs van je dochter voor me. De moeder heeft bij vader "onbekend" ingevuld.'

Georgeanne stond stokstijf stil. Langzaam wendde ze haar blik naar het apparaat. 'Als de moeder nog steeds wil meewerken, dan zal het weinig moeite kosten dat te veranderen. En wat bezoekrecht of voogdij betreft, we zullen je juridische aanspraak nog wel doornemen als je terug bent. De vorige keer hebben we, geloof ik, afgesproken dat we er het beste aan zouden doen de moeder tevreden te houden totdat we bepalen welke stappen we nemen. Eh... ik denk dat het feit dat je nog niet zo lang op de hoogte bent van het bestaan van je dochter en het feit dat je een ruim inkomen hebt en voor haar kunt zorgen, van jouw positie een heel comfortabele maakt. Je hebt waarschijnlijk dezelfde rechten als iemand die gescheiden is van de moeder van zijn kind. Maar we spreken elkaar later nog. Tot dan.' Het antwoordapparaat kwam klikkend tot stilstand. Georgeanne knipperde met haar ogen. Ze draaide zich om naar Lexie en zag haar een laatste cornflake oplikken van haar hand.

Het beven begon in Georgeannes borstkas en verplaatste zich snel naar andere lichaamsdelen. Ze raakte met trillende vingers haar mond aan. John had een advocaat in de arm genomen. Hij had gezegd dat hij dat niet zou doen, maar hij had gewoon gelogen. Hij wilde Lexie en Georgeanne had hem argeloos gegeven wat hij wilde. Ze had haar best gedaan haar aarzeling te overwinnen en dat had John de vrije hand gegeven om tijd te spenderen met zijn dochter. Ze had haar eigen angsten overboord gezet omdat ze wilde doen wat goed was voor haar kind.

'Schiet op en eet je kom leeg,' zei ze, op weg naar de trap. Ze moest hier weg; weg uit dit huis, weg van hem.

Binnen tien minuten had Georgeanne haar kleren aan, haar tanden gepoetst en haar haren geborsteld en al hun spullen in de koffers gepropt. ... *de moeder tevreden te houden*... Georgeanne werd misselijk als ze terugdacht aan haar gelukzalige gevoel over de afgelopen nacht. Het bed met haar delen hoorde zeker ook bij de moeder tevreden houden.

Nog vijf minuten later had ze de auto al ingepakt. 'Kom op, Lexie,' riep ze toen ze weer naar binnen liep. Ze wilde weg zijn voor John terug was. Ze had geen zin in die confrontatie. Ze vertrouwde zichzelf niet. Ze was aardig geweest. Ze had zo eerlijk mogelijk gehandeld, maar dit ging te ver. Het maakte haar razend. En ze liet haar woede uitrazen. Het was beter razend te zijn, dan de pijn en schaamte van de vernedering te voelen.

Lexie kwam de keuken uit, nog steeds in haar paarse nachtjapon. 'Waar gaan we naartoe?'

'Naar huis.'

'Waarom?'

'Omdat het tijd is om te gaan.'

'Komt John ook mee?'

'Nee.'

'Dan wil ik nog niet weg.'

Georgeanne deed de voordeur open. 'Dat is dan jammer.'

Boven Lexies neus verscheen een diepe rimpel. 'Het is nog geen zaterdag,' pruilde ze terwijl ze de stoep af sjokte. 'Jij zei dat we tot zaterdag zouden blijven.'

'De plannen zijn gewijzigd. We gaan wat vroeger naar huis.'

Ze deed haar autogordel vast en legde een shirt, korte broek en haarborstel op haar schoot. 'Als we eenmaal op de snelweg zijn, kun je je kleren aandoen,' legde ze uit. Toen ging ze op de bestuurdersplaats zitten en startte de auto.

'Mijn Skipper ligt nog in het bad.'

Georgeanne trapte op de rem en keek naar haar mokkende dochter. Ze wist dat als ze nu niet naar binnen ging om de pop te halen, Lexie er de hele terugweg om zou zeuren. 'Welke?'

'Die ene die ik van Mae heb gekregen.'

'Welke badkamer?'

'Die bij de keuken.'

Georgeanne zette de auto weer uit en stapte uit. 'Nergens aankomen, ik ben zo terug.'

Lexie haalde haar schouders op.

Voor het eerst in haar volwassen leven zette Georgeanne het op een hollen. Ze rende het huis weer in, naar de badkamer. De pop zat in het zeepbakje en ze griste hem eruit. Toen draaide ze zich om en kwam bijna in botsing met John. Deze stond in de deuropening en leunde tegen de deurpost.

'Wat is er aan de hand, Georgeanne?'

Haar maag draaide zich om. Ze haatte hem. Ze haatte zichzelf. Voor de tweede keer in haar leven had hij haar gebruikt. Voor de tweede keer in haar leven had hij haar zoveel pijn gedaan dat ze amper kon ademhalen. 'Ga uit de weg, John.'

'Waar is Lexie?'

'In de auto. We blijven niet langer.'

Zijn ogen werden spleetjes. 'Waarom niet?'

'Vanwege jou.' Ze zette haar handen tegen zijn borstkas en duwde.

Hij gaf even sjoege, maar toch kon ze er niet langs, omdat hij haar arm vastpakte. 'Doe je zo tegen alle kerels met wie je naar bed gaat, of alleen tegen mij?'

Georgeanne draaide zich razendsnel om en ging hem te lijf met het enige wapen dat ze tot haar beschikking had. Ze gaf hem een klap met de natte pop in haar hand. Het hoofdje van de pop viel van het lijf en vloog de woonkamer in. Ze voelde de woede koken door haar lijf en het had haar niets verbaasd als haar hoofd er ook af was gevlogen.

John staarde met opgetrokken wenkbrauwen van de pop zonder hoofd naar haar gezicht. 'Wat scheelt jou eigenlijk?'

Al haar zuidelijke charme, de etiquettelessen van miss Virdie en de jaren van degelijke opvoeding door haar grootmoeder gingen in rook op omdat ze kookte van woede. 'Haal je gore poten van me af, jij vuile klootzak!'

Zijn greep werd echter steviger en hij keek haar bars aan. 'Gisteren vond je me helemaal niet zo goor. Ik mag dan wel een klootzak zijn, maar niet om wat we gisteravond samen hebben beleefd. Toen was jij ongelooflijk heet en ik bloedgeil, en daar hebben we wat aan gedaan. Dat was misschien niet het verstandigste wat we hadden kunnen doen, maar het is nou eenmaal gebeurd. En nu gaan we daar verdomme op een volwassen manier mee om.'

Georgeanne rukte haar arm los en deed een pas naar achteren. Ze wilde dat ze ook zo groot en sterk was als hij. Ze wilde dat ze net zulke scherpe woorden kon gebruiken als hij. Dan kon ze zijn hart aan flarden snijden. Maar ze was fysiek niet sterk en verbaal evenmin als ze onder druk stond. 'Je hebt er gisteravond hard aan gewerkt om mij tevreden te krijgen, is het niet?'

Hij knipperde met zijn ogen. '"Tevreden" lijkt me niet helemaal het juiste woord. Ik zou eerder zeggen "bevredigd", maar dat is jouw keuze. Jij was tevreden. Ik was tevreden. We waren allebei verdomme tevreden.'

Ze wees met de Skipper-pop zonder kop naar hem. 'Jij smerige klootzak. Je hebt me gebruikt.'

'O ja? Wanneer? Toen jouw tong zich in mijn mond bevond, of jouw hand in mijn broek? Ik geloof dat ik het eerder zie als een samenwerking.'

Georgeanne staarde hem woest aan. Ze hadden het over verschillende dingen en toch had het allemaal weer met elkaar te maken. 'Je hebt tegen me gelogen.'

'Waarover?'

In plaats van hem de gelegenheid te geven om weer te liegen, stormde Georgeanne de keuken in en drukte op de knop van zijn antwoordapparaat. Toen de stem van zijn advocaat door de keuken galmde, keek ze goed naar Johns gezicht. Zijn uitdrukking verried niets.

'Jij maakt hier iets heel groots van,' zei hij toen de boodschap was afgelopen. 'Maar het is niet wat je denkt.'

'Is dat jouw advocaat, of niet?'

'Ja.'

'Dan spreken we elkaar van nu af aan alleen via onze advocaten.' Ze was ineens heel kalm en voegde eraan toe: 'En blijf uit de buurt van Lexie.'

'Geen sprake van.' Hij was zoveel groter dan zij. Een grote, krachtige man die het gewend was zijn zin te krijgen.

Georgeanne was niet onder de indruk. 'Voor jou is geen plaats in ons leven.'

'Ik ben Lexies vader, niet die verzonnen Tony van jou. Jij liegt al zeven jaar lang tegen haar. Het is tijd dat ze de waarheid hoort. Wat er tussen ons ook voor problemen zijn, Lexie is en blijft mijn dochter.'

'Ze heeft jou niet nodig.'

'Dat zou je wel willen.'

'Ik laat je niet bij haar in de buurt komen.'

'Je kunt me toch niet tegenhouden.'

Ze wist dat hij gelijk had. Maar ze wist ook dat ze er alles aan zou doen om ervoor te zorgen dat ze haar dochter niet zou kwijtraken. 'Blijf bij me uit de buurt,' waarschuwde ze hem en toen draaide ze zich om. Maar ze bleef als aan de vloer genageld staan.

In de deuropening van de keuken stond Lexie. Ze droeg nog steeds haar nachtjapon en haar hoofd was nog steeds een pluizebol. Georgeanne wist niet hoe lang Lexie daar al stond, maar ze vreesde het ergste. Dus greep ze haar dochters hand vast en stormde het huis uit.

'Doe nou niet zo, Georgeanne,' riep John haar achterna. 'We komen er wel uit.' Maar ze draaide zich niet meer om. Ze had hem al te veel gegeven. Ze had hem haar hart, haar ziel en haar vertrouwen gegeven. Maar het allerbelangrijkste in haar leven kreeg hij niet. Ze kon leven zonder liefde, maar niet zonder Lexie.

Mae raapte de krant op bij Georgeannes voordeur en liep het huis in. Lexie zat op de bank met een muffin in haar hand naar een kinderprogramma te kijken op tv. Muffins waren Lexies favoriete lekkernij en Georgeanne had ze kennelijk gemaakt in een poging wat kinderleed te verzachten. Na het verhaal dat haar vriendin haar gisteravond had verteld, wist Mae niet zeker of een verse muffin hier wel iets zou uitrichten.

'Waar is je moeder?' vroeg Mae. Ze gooide de krant op een stoel.

'Buiten,' antwoordde Lexie met haar blik op het scherm gericht.

Mae besloot dat het in orde was om het meisje even alleen te laten en ging de keuken in om voor zichzelf een kop espresso te maken. Toen ze even later buiten kwam, trof ze Georgeanne in de weer met de uitgebloeide rozen die langs de schutting groeiden. De afgelopen drie jaar had Mae toegekeken hoe Georgeanne vakkundig en geduldig de zachtroze roos langs de schutting had geleid. Aan haar voeten groeide nog een weelde aan bloemen die Georgeanne in de bloembedden had gepoot. De meeste waren nog bedauwd en de onderkant van Georgeannes ochtendjas was er helemaal vochtig van. Onder de oranje kimono droeg ze een gekreukt wit T-shirt en een grote witte katoenen onderbroek. Haar haren zaten in een slordige paardenstaart gebonden en de nagellak op haar rechterhand was zo afgebrokkeld dat Mae haar ervan verdacht dat ze eraan had zitten pulken. De toestand met Lexie was duidelijk nog erger dan Mae had gedacht.

'Heb je vannacht wel geslapen?' vroeg Mae vanaf de onderste tree van het terras.

Georgeanne schudde haar hoofd en knipte de zoveelste uitgebloeide roos van de struik. 'Lexie wil niet met me praten. Gisteren, op weg naar huis, wilde ze ook al niet met me praten. Ze ging pas slapen tegen twee uur 's nachts. Wat is ze nu aan het doen?'

'Ze kijkt naar *Pippi Langkous* of zoiets,' antwoordde Mae. Ze liep naar het zitje even verderop en zette haar kopje op de bijbehorende tafel. 'Toen ik je gisteravond aan de telefoon had zei je niet dat Lexie zo overstuur was dat ze niet kon slapen. Dat is niets voor haar.'

Georgeanne liet haar handen zakken en keek achterom. 'Ik zei toch dat ze niet wilde praten. Dat is ook niets voor haar.' Ze draaide zich om en voegde zich bij Mae. 'Ik weet niet meer wat ik moet doen. Ik heb geprobeerd met haar te praten, maar ze negeert me gewoon. Eerst dacht ik dat ze boos was omdat ze het zo naar haar zin had op het strand en ze van mij moest vertrekken. Nu weet ik dat dat nog te eenvoudig is gesteld en dat ze heeft gehoord waar John en ik ruzie over hadden.' Georgeanne liet zich somber neerploffen in het stoeltje naast dat van Mae. 'Ze weet dus dat ik heb gelogen over haar vader.'

'Wat ga je nu doen?'

'Ik moet een afspraak maken met een advocaat.' Ze gaapte hevig en legde toen haar hoofd in haar hand. 'Ik weet nog niet welke en ook niet hoe ik hem kan betalen.'

'Misschien maakt John wel geen werk van die voogdij. Als je met hem zou praten...'

'Ik wil niet met hem praten,' onderbrak Georgeanne haar fel. Ze ging rechtop zitten. 'Hij is een leugenaar en achterbaks en heeft totaal geen fatsoen. Bovendien heeft hij misbruik gemaakt van mijn zwakke plek. Ik had jaren geleden al seks moeten hebben met iemand. Ik had naar jou moeten luisteren. Nu leek het eergisteravond wel of ik ontplofte en ik werd een soort nymfomane. Ik ben er nu wel achter dat je seks niet zomaar jaren kunt uitstellen tot je ontploft.'

Mae's mond viel open. 'Ga weg.'

'O, kon ik dat maar, dan was ik al vertrokken.'

'Met die ijshockeyer?'

Georgeanne knikte.

'Al weer?'

'Je zou zeggen dat ik mijn lesje de eerste keer wel geleerd had.'

Mae wist niet goed wat ze moest zeggen. Georgeanne was een van de meest preutse vrouwen die ze kende. 'Hoe is dat zo gekomen?'

'Ik weet het niet. We konden het ineens goed vinden en toen gebeurde het gewoon.'

Mae vond zichzelf niet promiscue, maar ze kon niet goed nee zeggen. Georgeanne daarentegen zei altijd nee.

'Hij heeft me erin geluisd. Hij was zo aardig en deed zo leuk met Lexie dat ik het was vergeten. Nou ja, ik was niet vergeten wat voor eikel hij kan zijn, het was meer dat ik het hem vergaf.'

Mae geloofde niet in vergeven en vergeten. Zij was meer van het oudtestamentische oog om oog, tand om tand. Maar ze zag wel in dat een knappe kerel als John een vrouw wat puntjes over het hoofd kon laten zien – zoals in je eentje achtergelaten te worden bij een vliegveld na een onenightstand – mits die vrouw natuurlijk aangetrokken werd door zo'n enorme spierbonk, wat voor Mae uiteraard niet gold.

'Hij hoefde er niet eens moeite voor te doen. Ik smolt in zijn armen. En elke keer dat hij Lexie wilde zien, regelde ik dat voor hem.' De boosheid mengde zich met de tranen in Georgeannes ogen. 'Hij hoefde niet per se met mij naar bed. Ik ben geen liefdadigheidsgeval.'

Zelfs al had ze de ergste bad hair day ooit, had ze donkere kringen onder haar ogen en was haar nagellak afgebladderd, dan nog zouden mannen Georgeanne geen liefdadigheidsgeval vinden, wist Mae stellig. 'Geloof je echt dat hij met jou het bed in is gedoken omdat hij medelijden met je had?'

Georgeanne haalde haar schouders op. 'Ik geloof niet dat hij het heel erg vond, maar ik weet wel dat hij me tevreden moest houden tot hij en zijn advocaat zouden beslissen hoe hij voogdij over Lexie zou krijgen.' Ze sloeg haar beide handen voor haar gezicht. 'O, ik schaam me zo.'

'Wat kan ik doen om je te helpen?' Mae boog zich voorover en legde haar hand op Georgeannes schouder. Ze zou het tegen de hele wereld kunnen opnemen om de mensen die ze liefhad te beschermen. Er waren tijden geweest in haar leven dat het had gevoeld alsof dat nodig was. Tegenwoordig niet meer zo, maar toen Ray nog leefde had ze voor hen beiden geknokt. Vooral op de middelbare school, waar grote, sportieve types het grappig hadden gevonden een homo als hij achterna te zitten. Ray had een bloedhekel aan gymles, maar Mae aan de gasten die daar de baas speelden. 'Wat kan ik voor je doen? Wil je dat ik met Lexie praat?'

Georgeanne schudde haar hoofd. 'Ik denk dat Lexie tijd nodig heeft om alles op een rijtje te krijgen.'

'Wil je dat ik met John praat? Ik kan hem uitleggen hoe jij je voelt en misschien...'

'Nee.' Ze veegde haar wangen droog. 'Ik wil niet dat hij weet hoeveel pijn hij me weer heeft gedaan.'

'Ik kan iemand inhuren om zijn knieën kapot te slaan.'

Georgeanne zweeg even. 'Nee. We hebben niet genoeg geld om een huurmoordenaar in te schakelen. Het is zo lastig om het juiste personeel te vinden als je weinig geld hebt. Maar bedankt voor het aanbod.'

'Ach, waar heb je anders vrienden voor!?'

'Ik heb precies hetzelfde al eens eerder meegemaakt met John. Toen was Lexie natuurlijk nog niet geboren. Maar ik kom er wel overheen. Ik weet nog niet hoe, maar het gaat me lukken.' Georgeanne trok haar ochtendjas steviger om zich heen. 'En dan zit ik nog met Charles. Wat moet ik hem nou vertellen?'

Mae pakte haar espresso. 'Helemaal niets,' antwoordde ze na een slok.

'Denk je dat ik tegen hem moet liegen?'

'Nee, je moet gewoon niets zeggen.'

'Wat zeg ik dan als hij wat vraagt?'

Mae zette haar koffiekopje weer op de tafel. 'Dat hangt ervan af hoe leuk je hem vindt.'

'Ik vind Charles heel leuk. Ik weet dat het niet zo lijkt, maar het is wel zo.'

'Dan moet je liegen.'

Georgeanne liet haar schouders hangen en zuchtte diep. 'Ik voel me zo schuldig. Ik kan maar niet geloven dat ik met John het bed in ben gedoken. Charles is niet eens in mijn hoofd opgekomen. Misschien ben ik wel zo'n vrouw over wie je in de bladen leest, die altijd relaties kapotmaakt omdat ze eigenlijk vindt dat ze het niet waard is. Misschien val ik wel alleen op mannen die niet van mij kunnen houden.'

'Misschien moet jij eens ophouden met dat soort bladen lezen.'

Georgeanne schudde haar hoofd. 'Ik heb er zo'n puinhoop van gemaakt. Wat moet ik nou doen?'

'Je komt er wel overheen. Jij bent een van de sterkste vrouwen die ik ken.' Mae klopte Georgeanne op haar schouder. Ze had veel vertrouwen in Georgeannes kracht en doorzettingsvermogen. Ze wist dat haar vriendin zichzelf niet altijd zag als een vrouw met pit, maar zo was Georgeanne: ze kon zichzelf nooit objectief bekijken. 'Hé, had ik je al verteld dat Hugh, die goalkeeper van de Chinooks, mij heeft gebeld terwijl jullie weg waren?'

'Johns vriend? Hoezo?'

'Hij wil een date met me.'

Georgeanne staarde Mae een paar tellen wezenloos aan. 'Ik dacht dat je hem heel duidelijk had gemaakt hoe je over hem dacht toen je hem laatst tegen het lijf liep.'

'Klopt, maar toch wil hij een date met me.'

'Echt waar? Nou breekt mijn klomp.'

'Anders de mijne wel.'

'Nou, ik hoop dat je hem duidelijk hebt kunnen maken dat je echt niet wil.'

'Zeker.'

'Wat zei je dan?'

'"Echt niet!"'

Normaal gesproken zou Georgeanne haar hebben doorgezaagd

over de botte afwijzing, maar nu haalde ze alleen haar schouders op. 'Nou, dan hoef je niet bang te zijn dat hij nog een keer belt.'

'Eh, hij heeft me al een tweede keer gebeld. Maar ik denk dat hij dat deed om mij te pesten. Hij vroeg of ik nog steeds pitbulls train.'

'Wat zei jij toen?'

'Niets. Ik heb opgehangen, en sindsdien heeft hij nog maar één poging gewaagd.'

'Nou, ik denk dat het voor ons het beste is om uit de buurt te blijven van ijshockeyers.'

'Dat lijkt me geen probleem.' Even dacht Mae erover haar vriendin te vertellen over haar nieuwste verovering, maar ze bedacht zich. Het was een getrouwde man. Georgeanne had daar een nogal moralistisch standpunt over. Maar Mae zag er geen been in seks te hebben met de man van een andere vrouw, zolang hij maar geen kinderen had. Ze had geen behoefte aan een huwelijk. Ze wilde niet elke avond tegenover hetzelfde gezicht aan tafel zitten. Ze wilde zijn was niet doen of zijn baby's baren. Ze wilde alleen maar de seks, en daarvoor waren getrouwde mannen bij uitstek geschikt. Zij bepaalde hoe alles liep en het waar en wanneer.

Ze had Georgeanne nooit opgebiecht met hoeveel getrouwde mannen ze uit was geweest. Want ook al had Georgeanne kennelijk een zwak voor de vleselijke lusten als het op John Kowalsky aankwam, soms kon ze verschrikkelijk preuts zijn.

Hoofdstuk 15

Na een paar uur keihard trainen gingen de coaches en spelers het ijs op met een paar pucks. Het was de derde dag van het trainingskamp en de Chinooks waren wel toe aan een beetje lol. De beide goalies van het team stonden tegenover elkaar aan de lange kanten van de baan, wachtend tot iemand de rubber schijf hun kant op zou schieten.

Diverse schuttingwoorden van zijn teamgenoten en het *swoesjswoesj* van zijn schaatsen begeleidden John terwijl hij zigzaggend over het ijs ging. Met wapperend shirt omzeilde hij menig speler, met het hoofd omhoog en de puck dicht tegen zijn stick aan. Hij wist gewoon dat er een jonge verdediger achter hem aan zat en om te voorkomen dat hij hem de boarding in zou schaatsen, schoot hij de puck met een fikse ruk van zijn pols in de korte hoek van het doel van Hugh Miner.

'Die is voor jou, boerenkinkel,' riep hij voordat hij beide schaatsen dwars zette en remde. Een wolk ijsdeeltjes dwarrelde over Hugh heen.

'Ik krijg je nog wel, ouwe lul,' mopperde deze, en hij reikte naar achteren om de puck te pakken. Hij wierp hem terug op het ijs, bukte zich weer en sloeg met zijn stick tegen het ijs om zijn concentratie terug te vinden. John lachte en schaatste naar de kluwen spelers die zich rond de puck hadden verzameld.

Toen de training voorbij was, was hij kapot, maar hij vond het heerlijk om weer terug op het ijs te zijn. In de kleedkamer overhandigde hij zijn schaatsen aan een trainer zodat ze geslepen konden worden en liep naar de douches.

'Hé, Kowalsky,' riep een assistent vanuit de deuropening toen hij zich aankleedde. 'Meneer Duffy wil je spreken als je klaar bent. Hij zit bij coach Nystrom.'

'Dank je.' John strikte zijn veters, trok een groen T-shirt met het Chinooks-logo over zijn hoofd en deed een blauwe trainingsbroek aan.

Het was niet ongebruikelijk dat Virgil Duffy aan John vroeg of hij hem even kon spreken, John was tenslotte de aanvoerder. Bovendien was de eigenaar op pad geweest, op zoek naar nieuwe spelers. John was een routinier en Virgil respecteerde zijn mening, net zo goed als John respect had gekregen voor het zakeninstinct van de eigenaar, al waren ze het niet altijd met elkaar eens. Op dit moment zochten ze nog een extra *enforcer*. Goede enforcers waren niet goedkoop en Virgil had niet altijd zin miljoenen uit te geven aan een speler die niet verder kwam dan de rode lijn.

Terwijl John op pad ging naar het kantoor, vroeg hij zich af hoe Virgil zou reageren als hij hoorde van het bestaan van Lexie. Hij dacht niet dat de oudere man daar blij mee zou zijn, maar bang om te worden geruild met een andere club was hij inmiddels niet meer. Al kon je die mogelijkheid niet helemaal uitsluiten; Virgil reageerde vaak zeer direct. Hoe langer het duurde voordat Virgil hoorde wat er zeven jaar eerder gebeurd was, hoe beter. John had Lexie niet opzettelijk geheimgehouden, maar er was nou ook weer geen reden om Virgil erop te wijzen.

Bij de gedachte aan Lexie verscheen er een diepe rimpel in zijn voorhoofd. Sinds die ochtend in Cannon Beach, zes weken geleden, had Georgeanne Lexie bij hem vandaan gehouden. Ze had een pittige advocate ingeschakeld en die had gestaan op een DNA-test. Die hadden ze een paar weken weten uit te stellen, tot de dag dat de rechter had bepaald dat het moest gebeuren, en toen hadden ze een document ondertekend waarin stond dat hij de vader was. Met een pennenstreek van Georgeanne was John officieel de vader van Lexie.

Daarna was iemand van jeugdzorg zijn woonboot komen inspecteren. Deze maatschappelijk werker had ook diverse malen met Lexie en Georgeanne gesproken en een paar korte bezoekjes aangeraden voordat John zijn dochter voor een langere periode mocht zien. Na die introductieperiode zou John dezelfde status krijgen als een gescheiden vader, alleen hoefde hij niet voor de rechter te verschijnen. Vanaf het moment dat Georgeanne hem als de vader van Lexie had erkend, was alles in een stroomversnelling geraakt.

Johns frons werd dieper. Tot op heden had Georgeanne hem nog steeds bij zijn kloten. Dat was niet aangenaam, maar Georgeanne genoot er kennelijk van. Nou, dan kon ze er beter goed van genieten, want uiteindelijk maakte het niet uit wat Georgeanne wilde. Ze wilde bijvoorbeeld niet dat hij alimentatie betaalde voor Lexie, of een deel van haar schoolgeld of ziektekostenverzekering. Hij had via zijn advocaat laten weten dat hij graag wilde bijdragen, maar Georgeanne had zijn aanbod geweigerd. Volgens haar advocate wilde ze niets van hem. Maar uiteindelijk maakte dat niets uit. De advocaten waren bezig met de laatste fase van de onderhandelingen. Georgeanne zou gewoon moeten slikken wat hij haar aanbood.

Hij had haar niet meer gezien of gesproken sinds die laatste ochtend in het strandhuis, toen ze helemaal geflipt was over niets. Ze had alles zo buiten alle proporties opgeblazen. Hem een stiekeme leugenaar genoemd, terwijl hij dat niet was. Oké, misschien had hij iets moeten zeggen. Want ze hadden afgesproken nog geen advocaten in te schakelen. Maar voordat ze dat van hem verlangde, had hij Kirk Schwartz al ingehuurd. Hij had zelfs al een idee gehad van zijn juridische positie voor hij haar gesproken had. Dat had hij misschien moeten zeggen, maar eerlijk gezegd dacht hij dat ze kwaad zou worden en hem Lexie niet meer wilde laten zien.

En hij had nog gelijk gehad ook. Maar hij stond nog steeds achter die beslissing. Hij moest gewoon weten welke rechten hij had, voor het geval Georgeanne zou verhuizen of trouwen. Hij wilde bovendien weten wie er als vader geregistreerd stond op Lexies geboortebewijs. Hij wilde die informatie in handen hebben. Zijn toekomst met Lexie stond op het spel.

Het beeld van Lexie die stil in de keukendeur stond van zijn strandhuis, stond hem nog levendig voor de geest. Hij had de verwarring in haar ogen gezien toen ze door haar moeder werd meegenomen naar de auto en ze John nakeek. Dat was niet de manier geweest waarop ze dat nieuws had moeten horen. En hij wilde meer tijd met haar doorbrengen. Hij wilde dat ze net zo blij werd van het nieuws als hij. Hij wist niet hoe ze er nu over dacht, maar over twee dagen zouden ze hun eerste korte bezoekje beleven.

John was bij het kantoor aanbeland en ging naar binnen. Virgil Duffy zat op de leren bank, gekleed in een duur linnen pak. Hij had een kleurtje overgehouden aan zijn verblijf op een Caribisch eiland.

'Kijk eens.' Hij wees op het tv-scherm. 'Die jongen is berensterk.'

Larry Nystrom zat achter zijn bureau en keek een stuk minder gelukkig dan Virgil. 'Maar hij kan geen puck slaan.'

'Een puck slaan kun je leren, passie niet.' Virgil gebaarde naar John. 'Wat denk jij?'

John ging ook op de bank zitten en zag de jonge speler nog net een veteraan van de Philly Flyers tegen de boarding knallen. De speler uit Philadelphia bleef even liggen en toen hij opstond leek hij nog groggy. 'Ik kan uit ervaring vertellen dat die botsing hem niet in zijn koude kleren is gaan zitten. En hij kan hard slaan, maar ik weet niet hoe raak. Wat kost hij?'

'Vijfhonderdduizend.'

John haalde zijn schouders op. 'Dat is hij waarschijnlijk waard, maar eerlijk gezegd hebben we een meer ervaren speler nodig.'

Virgil schudde zijn hoofd. 'Te duur.'

'Wie heb je nog meer op het oog?'

Met zijn drieën bestudeerden ze de andere mogelijke aankopen. Intussen was de teamtrainer ook binnengekomen, met een stapeltje papieren. Tijdens het bekijken van de beelden bladerden coach Nystrom en hij ze door.

'Je hebt minder dan twaalf procent lichaamsvet, Kowalsky,' zei de trainer zonder op te kijken.

Dat verbaasde John niet. Hij kon het zich niet meer veroorloven extra ballast mee te zeulen, dus werkte hij er hard aan om op gewicht te blijven. 'En hoe zit het met Corbet?' vroeg hij. Zijn jonge teamgenoot was naar het trainingskamp gekomen met een extra onderkin. Alsof hij de hele zomer alleen maar had gebarbecued. 'Mijn god!' begon Nystrom. 'Die heeft wel twintig procent vet!' 'Wie?' vroeg Virgil. Hij zette de dvd stop. Het laatje schoof open en in beeld verscheen een reclameblok van het plaatselijke station. 'Die stomme Corbet,' antwoordde de trainer.

'Ik zal hem eens wat peper in zijn reet stoppen,' mopperde de coach.

'Of hem op een dieet zetten,' opperde Duffy. 'Geef hem maar het dieet van mijn vrouw. Die wordt altijd superfel als ze op dieet is.' Duffy was al vier jaar getrouwd met Caroline. Zij was maar tien jaar jonger dan haar echtgenoot en, voor zover John wist, een aardige vrouw, met wie hij echt gelukkig was. 'Geef hem vlak voor elke wedstrijd wat bruine rijst met kip en kijk dan maar eens hoe hard hij tekeergaat op het ijs.'

De reclame was afgelopen en ineens klonk er op het scherm een stem die John al een hele tijd niet had gehoord. 'Jullie zijn net op tijd weer terug. Ik doe er nu een scheutje vloeibare lust bij en dat wil je niet missen.'

'Wat krijgen we verdomme nou...' mompelde John en hij ging op de rand van de bank zitten.

Georgeanne had een fles sinaasappellikeur in haar hand en goot een flinke scheut ervan in een kom. 'Maar als jullie kinderen hebben, dan moet je wat van de mousse apart houden voordat je er likeur in doet, of de vloeibare lust, zoals mijn grootmoeder het altijd noemde.'

Haar amandelvormige groene ogen keken rechtstreeks in de camera. Ze glimlachte. 'Als je vanwege je geloof of leeftijd geen alcohol mag, of de drank liever rechtstreeks naar binnen giet, dan laat je de likeur natuurlijk achterwege en kun je daarvoor in de plaats wat geraspte sinaasappelschil toevoegen.'

Hij staarde gebiologeerd naar haar verschijning, als een konijn naar de koplampen van een tegemoetkomende auto. Hij moest denken aan de laatste keer dat hij haar een shot vloeibare lust had toegediend. De volgende ochtend had ze hem lopen meppen met een poppetje en hem ervan beschuldigd dat hij haar misbruikt had. Ze was knettergek. En nog wraakzuchtig ook.

Ze droeg een keurige witte blouse met grote, kleurige borduursels en daaroverheen een blauw schort. Haar haren had ze opgestoken en ze droeg kleine pareltjes in haar oren. Iemand had zijn uiterste best gedaan haar sensualiteit te verbergen, maar dat was niet gelukt. Die was niet te verbloemen. Die zat hem in haar verleidelijke ogen en volle, rode mond. Hij was toch zeker niet de enige die dat zag? Ze zag er geweldig lekker uit, net de Amerikaanse Nigella Lawson, maar dan geiler. Intussen lepelde ze de mousse in porseleinen bakjes, onderwijl kletsend over koetjes en kalfjes. Toen de bakjes vol zaten, bracht ze haar hand naar haar mond en likte de chocolademousse van haar knokkels. Hij schudde zijn hoofd. Hij wist zéker dat ze dat deed vanwege de kijkcijfers. En ze was nota bene moeder! Moeders van jonge kinderen moesten zich niet als stoeipoezen gedragen op de televisie.

Ineens werd het scherm zwart. Voor het eerst was John zich bewust van de andere man op de bank. Virgil leek verbijsterd en zag zelfs een beetje pips onder zijn kleurtje. Maar hij zei niets en bracht zijn gezicht uitdrukkelijk weer in de plooi, waarna hij de afstandsbediening op de bank liet vallen en het kantoor verliet.

John keek hem na en richtte zijn aandacht weer op de andere mannen. Ze waren nog steeds over percentages lichaamsvet aan het praten. Ze hadden Georgeanne niet gezien, maar ook al hadden ze haar gezien, dan hadden ze haar niet herkend als de vrouw die Virgil Duffy zeven jaar geleden voor paal had laten staan voor het altaar. Laat staan dat ze wisten wat ze met hem deed.

Georgeanne had het idee dat ze viel. Ze had nu zes shows gemaakt en het ging iedere keer iets beter. Ze had zichzelf op het hart gedrukt ontspannen te blijven en ervan te genieten. Het was geen live televisie, maar toch, de zenuwen gierden haar door de keel toen ze de camera in keek en opbiechtte: 'Ik weet niet of jullie het weten, maar ik kom uit Dallas – bekend om zijn cowboy-hoeden en taco's. Ik heb keukens van over de hele wereld bestudeerd, maar mijn sporen heb ik natuurlijk verdiend met tex-mex koken. Meestal denken mensen dan meteen aan taco's. Nou, ik ga jullie eens iets heel anders leren.'

Een uur lang sneed Georgeanne mango's, tomaten en chilipepers in stukken. Toen ze daarmee klaar was haalde ze een eerder bereide, eenvoudige maar elegante Texaanse ovenschotel tevoorschijn. 'Volgende week,' zei ze, naast een vaas prairiebloemen, 'gaan we eens niet de keuken in, maar zal ik jullie laten zien hoe je fotolijstjes kunt versieren. Heel makkelijk om te doen en superleuk om cadeau te geven. Tot dan.'

Het lampje boven op de camera ging uit en Georgeanne haalde diep adem. De opnames gingen vandaag niet zo slecht. Ze had maar één keer het stuk varkensvlees laten vallen en had zich slechts drie keer vergist in de woorden. Niet slecht en veel beter dan de eerste show. Toen had ze er zeven uur over gedaan. Deze was een paar dagen geleden uitgezonden en ze wist zeker dat haar chocolademousse geflopt was bij de kijkers. Ze durfde dan ook niet naar de opname te kijken. Charles had hem wel gezien, natuurlijk, en hij had bij hoog en bij laag volgehouden dat ze beslist niet saai, dik of stom overkwam. Ze geloofde er niets van.

Lexie stapte voorzichtig over een aantal kabels heen en liep op Georgeanne af. 'Ik moet naar de wc,' kondigde ze aan.

Georgeanne reikte naar achteren en maakte haar schort los. Daar zat haar draadloze microfoon in. 'Nog een paar minuutjes en dan loop ik met je mee.'

'Ik kan het zelf wel.'

'Ik loop wel met haar mee, hoor,' bood een productieassistente aan. Georgeanne glimlachte dankbaar.

Lexie fronste en pakte de hand van het meisje vast. 'Ik ben geen vijf meer,' mopperde ze.

Georgeanne keek haar dochter na en trok het schort over haar hoofd. Een van haar voorwaarden om deze show te doen was dat ze Lexie mocht meenemen. Charles had erin toegestemd en had Lexie zelfs een functie gegeven: creatief adviseur. Lexie kwam ook met ideeën en hielp Georgeanne met het voorbereiden van de gerechten.

'Je was geweldig, vandaag.' Charles kwam haar tegemoet lopen. Hij wachtte even tot de microfoon was losgemaakt en sloeg toen een arm om haar schouders. 'De kijkcijfers na de eerste show zijn goed.'

Georgeanne gaf een diepe zucht van opluchting. Ze wilde niet dat hij haar die show alleen vanwege hun relatie liet doen. 'Weet je zeker dat je dit niet zegt om mij een plezier te doen?'

Hij drukte een kus op haar slaap. 'Absoluut.' Ze voelde zijn glimlach toen hij zei: 'Als de cijfers dalen, ontsla ik je, dat beloof ik.'

'Dank je.'

'Graag gedaan. Zeg, wat dacht je ervan om samen met Lexie een hapje te gaan eten met mij en Amber?'

Georgeanne pakte haar tas van achter het aanrecht vandaan. 'Helaas. John neemt Lexie vanavond mee voor hun eerste afspraak.'

Charles' wenkbrauwen zakten over zijn grijze ogen. 'Wil je dat ik erbij ben?'

Georgeanne schudde haar hoofd. 'Het lukt wel,' zei ze. Maar ze geloofde het zelf niet zo. Ze was bang dat ze zou instorten zodra Lexie weg was. Dat deed ze liever alleen. Charles was een goede vriend, maar hij kon haar deze keer niet helpen.

Drie dagen na hun thuiskomst uit Cannon Beach had ze Charles verteld over hun reisje. Ze had hem alles verteld, behalve over de vrijpartij. Hij had het niet leuk gevonden, maar had er ook niet veel vragen over gesteld. In plaats daarvan had hij haar de naam gegeven van de advocate van zijn ex en opnieuw het voorstel gedaan voor de televisieshows. Omdat ze het geld nodig had, had ze zijn aanbod aanvaard, onder de voorwaarde dat Lexie erbij aanwezig kon zijn en dat ze van tevoren opgenomen zouden worden.

Een week later had ze het contract al getekend.

'Wat vind Lexie ervan dat ze een bezoek gaat brengen aan haar vader?'

Georgeanne deed haar tas om haar schouder. 'Ik weet het niet. Ik weet dat ze wat in verwarring is over haar achternaam, omdat ze nu Kowalsky heet, wat ze moeilijk vindt om te spellen. Maar verder zegt ze er weinig over.'

'Praat ze wel eens over hem?'

Gedurende enkele weken nadat Lexie had gehoord dat John haar vader was, was ze afstandelijk geweest naar Georgeanne toe. Die had haar geprobeerd uit te leggen waarom ze de waarheid niet had verteld en dat had Lexie aangehoord. Toen was ze woedend geworden en waren ze allebei van streek geweest. Hun levens zouden nooit meer hetzelfde worden. Maar over het algemeen was ze nog steeds hetzelfde meisje dat ze een paar maanden geleden was, voordat ze John had leren kennen. Hoewel er ook tijden waren dat ze ongebruikelijk stil was. Georgeanne hoefde haar niet te vragen wat ze dacht, ze wist het gewoon. 'Ik heb haar verteld dat John haar vanavond komt ophalen. Ze heeft er niet veel over gezegd, alleen gevraagd wanneer hij haar thuis zou brengen.'

Lexie kwam weer uit de wc en met zijn drietjes gingen ze op weg naar de uitgang. 'Raad eens, Charles.'

'Wat?'

'Ik zit al in groep drie. En mijn juf heet mevrouw Berger. Net als hamberger, maar dan zonder ham. Ik vind haar wel lief omdat ze een woestijnratje heb. Hij is bruin met wit en heeft heel kleine oortjes. Ze noemen hem Stumpie. Ik wilde hem Pongo noemen, maar dat wilden de anderen niet.' En zo bleef ze babbelen tot ze buiten waren. Maar in de auto, op weg naar huis, was ze weer stil. Georgeanne probeerde nog met haar te praten, maar ze was duidelijk met haar gedachten elders.

Al van een grote afstand zag Georgeanne Johns Range Rover geparkeerd staan voor haar huis. Ze zag hem al op de veranda zitten. Ze reed de auto haar oprit op en wierp nog een blik naar haar passagier. Lexie tuurde recht vooruit naar de garagedeur en beet op haar bovenlip. Ze hield met haar handjes stevig het clipboard vast dat ze van Charles gekregen had, waar ze haar ideeën voor nieuwe shows op kwijt kon. Ze had er al een paar honden en katten op geprobeerd te tekenen en de woorden 'diere sjoo'.

'Ben je zenuwachtig?' vroeg Georgeanne, omdat ze ook vlinders in haar eigen buik voelde.

Lexie haalde haar schouders op.

'Als je echt niet meewilt, geloof ik niet dat hij je zal dwingen,' zei Georgeanne, in de hoop dat ze de waarheid sprak.

Lexie was even stil en vroeg toen: 'Denk je dat hij mij lief vindt?'

Georgeanne kreeg een brok in haar keel. Lexie, die altijd zo zelfverzekerd was, er altijd van uitging dat iedereen haar aardig vond, wist het even niet meer met haar vader. 'Natuurlijk vindt hij jou lief, dat vond hij al toen hij je voor het eerst zag.'

'O,' was het enige wat ze kon uitbrengen.

Samen stapten ze uit en liepen de stoep op. Door haar zonnebril zag Georgeanne John opstaan. Hij zag eruit alsof hij zich op zijn gemak voelde. Hij droeg een kaki broek en een T-shirt met een geruite blouse eroverheen. Zijn haar was korter dan de laatste keer dat ze hem had gezien. Al zijn aandacht was gericht op zijn dochter.

'Hoi, Lexie.'

Ze keek niet omhoog, ging op in haar clipboard. 'Hoi.'

'Wat heb je allemaal gedaan sinds de laatste keer dat ik je zag?'

'Niets.'

'Hoe is het in groep drie?'

'Goed.'

'Heb je een fijne juf?'

'Ja.'

'Hoe heet ze?'

'Mevrouw Berger.'

De spanning was om te snijden. Lexie deed aardiger tegen de postbode dan tegen haar eigen vader. John wierp een beschuldigende blik op Georgeanne. Die voelde de boosheid al oplaaien. Ze mocht dan wel een hekel aan hem hebben, ze had nog nooit iets lelijks over hem gezegd. Nou ja, niet waar Lexie bij was. En dat ze niet zomaar overstag was gegaan, betekende niet dat ze op wat voor manier dan ook Lexie had geprobeerd te beïnvloeden. Ze was zelf ook verbaasd over de verlegenheid van het meisje, al kende ze de reden wel. Die stond namelijk naast haar, in de vorm van een grote, gespierde reus. Het meisje wist gewoon niet hoe ze zich moest gedragen in zijn buurt.

'Waarom vertel je John niet over de woestijnrat in de klas?' stelde ze voor. Het was Lexies huidige obsessie.

'We hebben een woestijnratje.'

'Waar?'

'Op school.'

John kon zich niet voorstellen dat dit hetzelfde meisje was dat hij in juni voor het eerst had ontmoet. Verbaasd vroeg hij zich af waar haar kletspraatjes waren gebleven.

'Wil je nog even binnenkomen?' vroeg Georgeanne.

Hij had haar het liefst door elkaar geschud en gevraagd wat ze met zijn meisje had gedaan. 'Nee, we moesten maar gaan.'

'Waar naartoe?'

Hij keek in haar grote zonnebril en vroeg zich af of hij het kon maken om 'gaat je niks aan' te zeggen. 'Ik wil Lexie laten zien waar ik woon.' Hij pakte het clipboard uit Lexies handen en overhandigde het aan Georgeanne. 'Ik breng haar om negen uur weer terug.'

'Dag mama, ik vind jou lief.'

Georgeanne keek haar aan en plakte een brede glimlach op haar gezicht. 'Geef me eens een pakkerd.'

Lexie ging op haar tenen staan en gaf haar moeder een kus. John keek toe en hij wist dat hij jaloers was op Georgeanne. Hij wilde de liefde van zijn kind. Hij wilde dat ze haar armpjes ook om hem heen sloeg en hem vertelde dat ze van hem hield. Hij wilde dat ze hem papa noemde.

Hij wist zeker dat Lexie, zodra ze bij hem binnen was en bij haar moeder vandaan, weer veranderde in het kleine meisje dat hij kende.

Maar dat gebeurde niet. Het meisje dat hij om zeven uur kwam ophalen, was hetzelfde meisje dat hij om negen uur weer thuisbracht. Het was als schaatsen over zacht ijs – het ging vreselijk langzaam en irriteerde mateloos. Ze had in zijn woonboot weinig gezegd en was ook niet meteen op ontdekkingstocht uitgegaan, om te kijken waar alle wc's waren. Dat was vreemd, want in Cannon Beach waren de wc's juist heel belangrijk geweest.

Hij had haar de logeerkamer laten zien, die hij speciaal voor haar had opgeruimd. Hij wilde met haar gaan shoppen zodat ze de kamer kon inrichten zoals ze wilde. Dat leek hem wel een leuk idee, maar toen hij het voorstelde had ze alleen maar geknikt. Het enige waar ze nog een beetje belangstelling voor toonde was zijn motorboot en dus waren ze daarin gestapt en waren ze een stukje gaan varen. Toen was ze wel op onderzoek uitgegaan; hij had gezien hoe ze in de kajuit was gaan snuffelen en daar het kleine koelkastje had ontdekt. Daarna had hij haar op schoot getrokken en haar laten sturen. Dat vond ze wel leuk, had hij gezien aan de flauwe glimlach en haar wijd open ogen, maar nog steeds zei ze niets.

Tegen de tijd dat hij haar weer afleverde waar hij haar twee uur eerder had opgepikt, was zijn bui net zo donker als de onweerslucht boven zijn hoofd. Hij wist niet zeker meer wie het meisje was met wie hij vanavond op stap was geweest, maar ze leek niet op de Lexie die hij kende. Die lachte en giechelde dat het een aard had en praatte honderduit.

Hij had de motor van zijn auto nog niet uitgezet, of Georgeanne was haar huis al uit. Ze droeg een lange jurk en haar haren waren opgestoken.

Een klein meisje aan de overkant van de straat riep Lexies naam en zwaaide met een barbiepop.

'Wie is dat?' vroeg John terwijl hij Lexies riem losmaakte.

'Amy,' antwoordde ze. Ze opende de deur en sprong uit de auto.

'Mama, mag ik met Amy spelen? Ze heb een nieuwe barbie en die wil ik ook.'

Georgeanne keek naar John en hij naar haar. 'Het gaat zo regenen,' wierp Georgeanne tegen.

'Alsjeblieft,' bedelde Lexie terwijl ze op en neer sprong. 'Een paar minuutjes maar.'

'Een kwartiertje dan.' Georgeanne greep haar bij de schouder voordat ze weg kon hollen. 'Wat zeg je dan tegen John?'

Lexie bleef staan en staarde naar zijn middel. 'Dank je, John,' zei ze heel zacht. 'Het was erg leuk.'

Geen kusjes. Geen 'ik vind je lief, pappie'. Hij had niet meteen verwacht dat hij het volle pond zou krijgen, maar nu hij zo op haar hoofd neerkeek, begreep hij dat hij langer moest wachten dan hij had gedacht. 'Misschien kunnen we de volgende keer naar mijn schaatsbaan, dan kun je zien waar ik werk.' Toen dat plan geen enthousiasme opwekte, voegde hij eraan toe: 'Of we gaan winkelen.' John had een hekel aan winkelen, maar hij had ook weinig geduld.

Nu verscheen er een glimlachje op Lexies gezicht. 'Oké.' Ze liep naar de stoeprand. Daar keek ze naar links en naar rechts en holde naar de overkant. 'Hoi Amy,' brulde ze, 'raad eens wat ik heb gedaan. Ik was op een boot en toen gingen we varen langs het park en ik zag een vis uit het water springen en toen voer John eroverheen. Hij heeft een bed en een koelkast op zijn boot en ik mocht hem heel lang besturen.'

John keek de twee meisjes na, tot ze in Amy's huis waren verdwenen, toen draaide hij zich om naar Georgeanne. 'Wat heb je met haar gedaan?'

Ze keek hem aan en fronste haar wenkbrauwen. 'Ik heb helemaal niets gedaan.'

'Gelul. Dat is niet dezelfde Lexie die ik in juni heb ontmoet. Wat heb je tegen haar gezegd?'

Ze staarde hem enige tijd zwijgend aan en zei toen: 'Laten we binnen verder praten.'

Hij wilde niet naar binnen. Hij wilde geen ijsthee en een rationeel gesprek. Hij wilde niet met haar samenwerken. Hij was razend en hij wilde tegen haar schreeuwen. 'Hier kan het ook.'

'John, ik ga dit gesprek niet op straat voeren.'

Hij staarde haar ook aan en gebaarde toen dat ze hem voor moest gaan. Hij volgde haar langs het huis en hield zijn blik strak op haar achterhoofd. Eerder keek hij graag naar haar als ze liep, vooral als ze een rok droeg. Nu had hij geen zin om haar aantrekkelijk te vinden.

Ze ging hem voor naar een tuin die barstte van de bloemen, het was een kleurige caleidoscoop en zo typisch iets voor Georgeanne. Het rook er heerlijk, nu er een windje was opgestoken. Er waren veel bloembedden, maar ook een grasveld met een schommelbank en een terras. Het kleine winkelwagentje waarmee Lexie aan was komen rijden toen hij haar voor het eerst ontmoette stond naast een kruiwagen; beide zaten vol met oude bloemen en onkruid. Hij keek eens goed om zich heen en het contrast tussen hun beider woningen was opvallend. Georgeannes huis had een tuin, met een gazon dat gemaaid moest worden. Ze woonde in een straat waar andere kinderen woonden en je op de stoep kon spelen. Het liggeld dat hij voor zijn woonboot betaalde was al meer dan de hypotheek voor Georgeannes hele huis. Hij had een geweldige woning met een schitterend uitzicht, maar het was niet echt een thuis. Niet zoals dit. Het had geen tuin en geen stoep.

Hier woont een gezin, dacht hij, terwijl Georgeanne een gieter pakte van achter een stel hoge paarse bloemen. Zijn gezin. Nee, niet zijn gezin; zijn dochter.

'Ten eerste,' begon Georgeanne, 'hoef je me niet te beschuldigen van dat soort dingen. Ik mag dan wel een hekel aan je hebben, maar ik heb nog nooit iets slechts over je gezegd tegen mijn dochter.'

'Ik geloof je niet.'

Georgeanne haalde haar schouders op en probeerde kalm te blijven. Ze was letterlijk misselijk van de aanblik van John, die eruitzag om op te vreten. Ze dacht dat ze het wel aankon om zo dicht in zijn buurt te zijn, maar dat bleek niet zo te zijn. 'Het kan me niet schelen wat jij denkt.'

'Waarom kletst ze niet meer zo tegen me als eerst?'

Ze kon hem haar mening wel geven, maar zou dat helpen? Het enige wat het zou bewerkstelligen was dat hij haar dochter zou afpakken. 'Gun haar meer tijd.'

John schudde zijn hoofd. 'De eerste keer dat ik haar zag kletste ze me de oren van mijn hoofd. En nu ze weet dat ik haar vader ben, zegt ze niets meer. Dat snap ik niet.'

Georgeanne snapte het juist heel goed. De enige keer dat ze haar moeder had ontmoet, was ze doodsbenauwd geweest om afgewezen te worden en daarom wist ze niet wat ze tegen haar moest zeggen. Georgeanne was toen twintig, dus ze kon zich enigszins voorstellen hoe een kind van zes met zoiets zou omgaan. Lexie wist niet wat ze nu tegen John moest zeggen en ze was bang om zichzelf te zijn.

John hield zijn hoofd schuin en kneep zijn ogen tot spleetjes. 'Jij hebt haar vast van alles voorgelogen. Ik wist dat je kwaad op me was, maar ik had niet gedacht dat je zo ver zou gaan.'

Georgeanne sloeg haar armen over elkaar om de pijn de ze vanbinnen voelde tegen te gaan. Dat hij zo min over haar dacht, deed haar meer dan ze had verwacht. 'Praat me niet over liegen. Dit zou allemaal niet zijn gebeurd als jij niet had gelogen over het inhuren van een advocaat. Jíj bent een leugenaar, en nog eentje die zijn handen niet kan thuishouden ook. Maar dat alles zou mij er nog niet toe brengen om leugens over jou te vertellen tegen Lexie.'

John stak zijn handen in zijn zakken. Boos keek hij op haar neer. 'Aha... nu komen we tot de kern. Je bent kwaad omdat je naakt op mijn bank bent beland.'

Georgeanne hoopte maar dat hij haar niet zag blozen, want ze voelde het al gloeien op haar wangen. Alsof ze een of andere bakvis was, zeg. 'Insinueer je nu dat ik vanwege dat wat er tussen ons is voorgevallen, mijn dochter tegen jou zou opzetten?'

'Jezus, ik insinueer niets. Ik zeg het gewoon. Jij bent pissig omdat ik je geen bloemen heb gestuurd, of zoiets romantisch. Weet ik veel, misschien werd je wel wakker die ochtend en wilde je nog een vluggertje onder de douche, maar dat kon niet omdat ik al op was.'

Georgeanne kon de pijn die ze voelde niet langer voor zich houden en riep: 'Of misschien walgde ik wel van mezelf omdat ik me door jou had laten aanraken.'

Hij glimlachte meewarig. 'Jij walgde helemaal niet. Jij vond het lekker. Je kon er niet genoeg van krijgen.'

'Doe maar niet of dat jouw verdienste was,' vond Georgeanne. 'Zo gedenkwaardig was je nou ook weer niet.'

'Gelul. Hoeveel keer hebben we het gedaan?' vroeg hij, en toen begon hij te tellen. 'Op de bank.' Een vinger. 'Op de futon in de vide met het maanlicht op je tieten. In de jacuzzi met die hete straal tegen je billen. De volgende dag heb ik de boel daar nog moeten droogmaken.' Met een glimlach stak hij drie vingers op. 'En tegen de muur, op de grond en in mijn bed. Maar die tel ik als één keer, wat ik ben maar één keer klaargekomen. Het zou kunnen dat jij toen meer dan één orgasme hebt bereikt.'

'Niet waar!'

'Neem me niet kwalijk. Dan ben ik misschien in de war met de eerste keer op de bank.'

'Jij brengt te veel tijd door in de kleedkamer,' zei ze met een vertrokken gezicht. 'Een echte man hoeft niet op te scheppen over zijn seksleven.'

Hij kwam een stap dichterbij. 'Schatje, aan de manier waarop jij je in mijn bed gedroeg, zou ik zeggen dat ik de enige échte man ben die jij kent.'

Niets van wat ze zei leek hem te deren, terwijl zijn woorden haar tot in het diepst van haar ziel kwetsten. Nu ze dit niet bleek te kunnen winnen, deed ze haar best verveeld over te komen. 'Wat jij wil, John.'

Hij kwam nog dichterbij en had een arrogante glimlach op zijn gezicht. 'Als je het heel lief vraagt, mag je mijn stick nog wel een keertje oppoetsen.' Hij bewoog zich nog dichter naar haar toe en vroeg met zachte stem: 'Of wil je liever de Zamboni berijden?'

Georgeanne bleef staan waar ze stond en staarde onverschrokken terug. Dit keer zou ze zich niet laten kennen en gaan schelden, zoals in Oregon. Dus tilde ze haar kin een tikje op en zei met onvervalst zuidelijk understatement: 'Je maakt jezelf belachelijk.'

Hij kneep zijn ogen weer tot spleetjes. 'Als je wat aardiger deed met je kleren aan, was je allang getrouwd geweest.'

Zoals altijd het geval was, vulde Johns aanwezigheid de ruimte, zodat ze bijna niet kon ademen. Toch lukte het haar de longen flink vol te zuigen, met een lucht die vergeven leek van de geur van zijn huid en zijn aftershave. 'Ga jij mij nu advies geven? Je bent zelf met een stripper getrouwd.'

Met een ruk schoot zijn hoofd naar achteren en hij deinsde achteruit. Aan de blik op zijn gezicht kon ze zien dat ze eindelijk raak geschoten had. 'Klopt,' reageerde hij. 'Ik word altijd heel kortzichtig van een stel mooie tieten.' Hij draaide zijn pols om en keek op zijn horloge. 'Zeg, ik heb het al tijden niet zo gezellig gehad, maar ik moet er weer vandoor. Ik ben er zaterdag weer om Lexie op te halen. Zorg ervoor dat ze om drie uur klaarstaat.'

Hij keurde haar geen blik meer waardig en draaide zich om.

Georgeanne hield haar handen voor haar gezicht terwijl ze hem de tuindeur zag verlaten. Ze had gewonnen. Ze had eindelijk een keertje gewonnen. Ze wist niet hoe ze het voor elkaar had gekregen, maar het was haar gelukt eindelijk een stukje van zijn kolossale ego af te breken.

Uitgeput ging ze op het trapje van haar terras zitten.

Maar als zij gewonnen had, waarom voelde ze zich dan zo beroerd?

Hoofdstuk 16

'Dit is wel het toppunt,' mopperde Mae zacht, terwijl ze nipte aan haar Kahlúa. Ze zat op een terrasje aan de straatkant. Ze had haar benen over elkaar geslagen en wipte ongeduldig met haar rechtervoet. De hoge pump aan die voet bungelde aan haar tenen. Ze zag een lage Chevrolet langzaam voorbijrijden, met een dreunende rap in het kielzog en een wolk giftige uitlaatgassen. Ze wapperde met haar hand voor haar neus en vroeg zich af of ze er wel goed aan had gedaan dit tafeltje uit te kiezen. Zo kon ze wel zien wie er allemaal de jazzkroeg binnenstapten en ze genoot ook van de melodieuze saxmuziek die uit de open deur naar buiten druppelde. Om haar heen zaten meer mensen te genieten van de milde avond. Ze spraken over zaken die mensen in Seattle nou eenmaal bezighouden: de regen, koffie en Microsoft.

Ze zette haar glas weer terug en tuurde op haar horloge. 'Hij komt gewoon niet,' zei ze in gedachten. Ze zette haar voet neer en schoof hem weer in de pump. Het was verdorie vrijdagavond en ze had voor de verandering eens geen klus. Ze had zelfs lippenstift en mascara opgedaan. Voor nop dus. Ze droeg zelfs een jurkje. Een leuk zwart jurkje dat zo strak zat dat ze geen onderbroek aan kon. Ze kreeg het toch een beetje koud tijdens het wachten op haar huidige minnaar, Ted, die niet kwam opdagen.

Hij mocht vast niet op stap van zijn vrouw, dacht ze en ze reikte naar haar tasje. Dat had ze meestal niet bij zich, maar het jurkje bood geen ruimte aan haar portemonnee en sleutels. Ze was niet van plan nog langer te wachten. Zo wanhopig was ze nou ook weer niet.

'Zeg, wat doet iemand als jij nou alleen op vrijdagavond?'
Mae keek op en deed haar mond open om de klier van zich af
te schudden, maar haar gezicht betrok toen ze zag wie het was.
'Dat kan er ook nog wel bij.'
Hugh Miner lachte en draaide zich om naar de groep waar-
mee hij op stap was. 'Gaan jullie maar vast.' Hij pakte een stoel
en ging tegenover Mae zitten. 'Ik kom er zo aan.'
De andere mannen liepen naar binnen. Mae pakte haar tasje.
'Ik ging net weg.'
'Je kunt toch nog wel een drankje blijven drinken?'
'Nee.'
'Waarom niet?'
Omdat ik het steenkoud heb, dacht ze. 'Waarom zou ik?'
'Omdat ik trakteer.'
Nou was een gratis drankje nooit het toppunt van entertain-
ment geweest, maar daar kwam de serveerster al. Het was een
knappe roodharige, met blauwe ogen, en ze viel als een blok
voor Hugh. Ze begon te kirren en te flirten; het ontbrak er nog
maar aan dat ze prompt op haar knieën viel om hem van dienst
te zijn. Toen ze vroeg of Hugh een handtekening op haar dij
wilde zetten, wimpelde hij dat gelukkig af.
'Maar weet je, Mandy,' zei hij, met een blik op haar naam-
bordje. 'Ik lust nog wel een biertje en jij…' Hij keek vragend
naar Mae. 'Wat wil jij?'
Nu kon ze niet meer opstaan. Zeker niet nu Mandy haar valse
blikken toewierp. Het kwam maar weinig voor dat Mae Crane
jaloezie opwekte bij andere vrouwen. 'Een Kahlúa.'
'Een Budweiser en een Kahlúa, graag.'
'Hoe graag?' vroeg Mandy koket. Ze keek om zich heen en
fluisterde wat in Hughs oor.
Hugh grinnikte. 'Mandy,' zei hij, 'ik heb er geen interesse in,
zeker omdat wat jij voorstelt in heel veel staten illegaal is. Maar
weet je, ik ben hier met mijn maat Dimitri Ulanov. Hij is een Rus
en weet dus niet dat je daarom gearresteerd kunt worden. Misschien wil hij met je mee op stap.'

Lachend draaide ze zich om. Hugh keek haar na terwijl ze heupwiegend wegliep.

'Ik dacht dat je geen belangstelling voor haar had,' zei Mae.

'Kijken mag toch wel,' zei hij, waarna hij zijn aandacht op Mae richtte. 'Maar ze is lang zo knap niet als jij.'

Mae wist zeker dat hij dat tegen alle vrouwen zei die hij tegenkwam, dus ze voelde zich niet gevleid. 'Wat wilde ze nou met je doen?'

Hugh schudde zijn hoofd. Zijn bruine ogen glommen. 'Dat zeg ik niet, da's klikken.'

'En jij klikt nooit?'

'Precies.' Hij trok zijn leren jack uit en overhandigde het aan Mae. Zijn schouders zagen er nog breder uit in het lichte overhemd dat hij eronder droeg.

'Kun je mijn kippenvel al van zo'n afstand zien?' vroeg Mae, die het jack dankbaar aannam en om zich heen sloeg. Het was heerlijk warm en rook naar een muskusachtige aftershave.

Hij glimlachte. 'Dat je het koud hebt is vanaf hier inderdaad goed te zien.'

Mae hoefde niet te vragen wat hij bedoelde. Maar ze was er ook niet verlegen onder.

'Ga je mijn vraag nog beantwoorden?' vroeg hij.

'Welke vraag?'

'Wat iemand zoals jij nou alleen doet op vrijdagavond?'

'Zoals ik?'

'Ja.' Hij lachte opgewekt. 'Zo'n leuk, gezellig persoontje als jij. Ik kan me voorstellen dat er heel wat mannen vallen voor je warme persoonlijkheid.'

Ze vond het helemaal niet grappig. 'Wil je echt weten waarom ik hier in mijn eentje zit?'

'Dat vroeg ik toch.'

Nu kon ze liegen of iets verzinnen. In plaats daarvan besloot ze hem te choqueren met de waarheid. Ze stak haar vuisten in zijn jaszakken en boog zich over de tafel. 'Ik heb hier afgesproken met mijn getrouwde minnaar. We gaan naar het Marriott Hotel voor een nacht vol ongeremde seks.'

'Dat lul je?'

En hij was inderdaad gechoqueerd. Precies wat ze verwachtte van een man zoals hij; vol morele afkeuring terwijl hij zelf vast niet het braafste jongetje van de klas was, zo vermoedde ze.

'De hele nacht?'

Ze was teleurgesteld dat hij zo opgewekt reageerde. 'Nou ja, dat was het plan, maar hij komt maar niet opdagen. Ik denk dat hij niet van huis weg kon.'

Daar kwam de serveerster met hun drankjes. Ze zette het biertje neer voor Hugh en fluisterde wat in zijn oor. Hij schudde zijn hoofd en pakte zijn portemonnee uit zijn achterzak. Daarna overhandigde hij haar twee briefjes van vijf dollar.

Mandy had haar kont nog niet gekeerd, of Mae vroeg: 'Wat wilde ze dit keer van je?'

Hugh zette het glas aan zijn lippen en nam een slok. Hij veegde zijn mond af en zei: 'Weten of John vanavond nog komt.'

'En?'

'Nee, maar zelfs als hij kwam, dan had hij geen interesse in haar. Ze is zijn type niet.'

'Wat is zijn type dan?' Mae nam ook een slokje.

'Jouw vriendin.'

Als hij zo glimlachte en zijn ogen begonnen te glanzen, was hij wel aantrekkelijk, dat zag Mae wel. 'Georgeanne, bedoel je?'

'Inderdaad.' Hij speelde met het flesje. 'Hij houdt van vrouwen zoals zij. Is altijd al zo geweest. Als hij niet zo voor haar gevallen was, dan zou hij er nu niet zo aan toe zijn. Ze heeft hem behoorlijk pijn gedaan.'

Mae verslikte zich bijna. Ze likte de koffielikeur van haar bovenlip en sputterde: 'Hem pijn gedaan? Georgeanne is helemaal kapot, vanwege hem!'

'Daar weet ik niets van. Ik ken alleen Johns kant van het verhaal en hij wil zijn persoonlijke zaken met niemand bespreken. Ik weet alleen dat toen hij erachter kwam dat Lexie zijn dochter was, hij helemaal uit zijn dak ging. Hij was een tijdlang niet te genieten en kon alleen maar over haar praten. Hij heeft er zelfs een reisje naar Mexico voor afgezegd en ook de World Cup. In plaats daarvan heeft hij Lexie en Georgeanne bij hem in Oregon uitgenodigd.'

'Alleen maar omdat hij wilde dat Georgeanne hem zou vertrouwen, zodat hij haar kon verneuken... en dat bedoel ik ook letterlijk.'

Hij haalde zijn schouders op. 'Ik weet niet precies wat er in Oregon is gebeurd, maar jij blijkbaar wel.'

'Ik weet dat hij haar pijn...'

'Mae?' onderbrak een mannenstem haar. Ze draaide zich om en keek in het gezicht van Ted. 'Het spijt me dat ik zo laat ben, maar het lukte me maar niet om weg te komen.'

Ted was klein en mager en nu pas viel het Mae op dat hij zijn broek wel erg hoog optrok in zijn taille. Hij viel in het niet bij de spierbonk tegenover haar. 'Hallo, Ted,' begroette Mae hem. Ze wees op Hugh. 'Dit is Hugh Miner.'

Ted stak glimlachend zijn hand uit naar de bekende ijshockeyer.

Hugh glimlachte niet terug en nam evenmin de uitgestoken hand aan. Hij ging staan en keek neer op de man met het kleinere postuur. 'Ik zeg dit maar één keer,' zei hij kalmpjes. 'Jij vertrekt nu of ik sla je helemaal verrot.'

Teds glimlach verdween direct, evenals zijn hand. 'Wat?'

'Als ik je ooit nog in de buurt van Mae zie, stomp ik je helemaal in elkaar.'

'Hugh!' riep Mae verschrikt uit.

'En als je vrouw je dan in het ziekenhuis komt identificeren,' ging hij verder, 'vertel ik haar waarom ik je bijna heb doodgeslagen.'

'Ted!' Mae vloog uit haar stoel en ging tussen beide mannen staan. 'Hij liegt. Hij zal je geen pijn doen.'

Ted keek van Hugh naar Mae en draaide zich toen zonder een woord om en liep razendsnel de straat uit. Mae keerde zich weer om en gooide Hughs jack op de tafel. Daarna balde ze haar vuist en stompte hem op zijn bovenlijf. 'Jij grote eikel!' De mensen aan de andere tafeltjes keken op, maar het kon haar niets schelen.

'Au.' Hij wreef met zijn hand over zijn borst. 'Voor iemand die zo klein is als jij kun je hard slaan.'

'Wat denk jij wel? Dat was mijn date!' zei Mae laaiend.

'Precies. Wees maar blij. Wat een mietje.'

Ze wist dat hij gelijk had, maar het was wel een knap mietje. Ze had er drie maanden over gedaan om hem zover te krijgen en vandaag was eindelijk de grote dag. Ze griste haar tas van de tafel en keek de straat af. Als ze opschoot, kon ze hem nog wel inhalen. Toen ze zich omdraaide, voelde ze vijf sterke vingers om haar bovenarm.

'Laat me los!'

'Nee.'

Mae probeerde zich los te rukken, maar het lukte niet. 'Verdomme,' vloekte ze. Ze zag nog net Teds rug om een hoek verdwijnen. 'Nu belt hij me waarschijnlijk nooit meer.'

'Waarschijnlijk niet.'

Kwaad keek ze Hugh aan. Hij stond te glimlachen. 'Waarom deed je dat?'

Hij haalde een schouder op. 'Ik mag hem niet.'

'Wat?' Mae lachte schamper. 'Wat kan mij het nou schelen of jíj hem leuk vindt? Ik heb jouw goedkeuring niet nodig.'

'Hij is jouw type niet.'

'Hoe weet jij dat nou?'

Hij glimlachte nog breder. 'Omdat ik denk dat ik jouw type ben.'

Dit keer moest ze werkelijk lachen. 'Je maakt een grap.'

'Ik meen het.'

Ze geloofde hem niet. 'Jij bent precies het type man met wie ik nooit uitga.'

'Wat voor type is dat dan?'

Ze keek naar zijn hand die haar nog steeds stevig vasthield. 'Macho, met spierballen en een enorm ego. Mannen die denken dat ze kleinere mensen hun wil op kunnen leggen.'

Hij liet haar arm los en pakte zijn jack van de tafel. 'Ik heb geen groot ego en ik leg mensen niet mijn wil op.'

'O echt? En Ted dan?'

'Ted telt niet.' Hij wierp het jack weer om haar schouders. 'Ik zag aan hem dat hij aan het syndroom van de kleine man lijdt. Hij slaat zijn eigen vrouw vast.'

Mae fronste vanwege de idiote gedachte. 'En ik dan?'

'Wat is er met jou?'

'Jij legt mij jouw wil op.'

'Liefje, niemand zou jou ooit zijn wil op kunnen leggen.'

Hij tilde de kraag van het jack op en legde zijn handen op haar schouders. 'Maar ik denk dat je mij leuker vindt dan je wilt toegeven.'

Mae liet haar hoofd vallen en sloot haar ogen. Dit was niet waar. 'Je kent mij niet eens.'

'Ik weet wel dat je heel mooi bent en dat ik heel veel aan je moet denken. Ik vind je echt heel leuk, Mae.'

Ze sperde haar ogen open. 'Mij?' Mannen zoals Hugh Miner vonden vrouwen zoals zij niet leuk. Hij was een bekende sportman. Zij was een mager, klein meisje met kleine tietjes, dat pas vriendjes had gekregen na de middelbare school. 'Dit is niet grappig.'

'Vind ik ook niet. Ik vond je al leuk toen ik je daar in het park zag staan. Waarom denk je dat ik jou steeds opbel?'

'Ik dacht gewoon dat je het leuk vond om vrouwen lastig te vallen.'

Hij lachte. 'Nee. Alleen jou. Jij bent een geval apart.'

Ze dacht even na; heel even wilde ze hem geloven. Gevleid zijn door de aandacht van een grote sportman met wie ze nooit zou daten. Het moment duurde maar even. Ze herinnerde zich weer hoe hij haar geplaagd had, de eerste keer dat ze elkaar zagen. 'Ik vind je een eikel,' zei ze.

'Ik hoop toch dat je me een kans wilt geven.'

Ze pakte zijn pols. 'Dit is geen grap meer.'

'Ik heb nooit gezegd dat het een grap was. Meestal val ik op meisjes die mij ook leuk vinden. Ik ben nog nooit eerder verliefd geworden op iemand die een hekel aan me heeft.'

Hij keek er zo ernstig bij, dat ze hem bijna geloofde. 'Ik heb geen hekel aan je,' biechtte ze op.

'Nou, dat is dan een begin.' Hij bewoog zijn handen naar haar hoofd en tilde haar kin op. 'Heb je het nog koud?'

'Een beetje.' Door zijn warme handen voelde ze een bekende hitte in haar onderbuik opzetten. Ze schrok vreselijk van haar fysieke reactie op zijn aanraking.

'Wil je nog even naar binnen?'

Ineens was ze helemaal in de war. 'Ik wil liever naar huis.'

Hij was teleurgesteld, zag ze aan zijn mondhoeken, en zijn handen gleden langs haar armen naar beneden. 'Ik breng je wel naar je auto.'

'Ik ben met een taxi gekomen.'

'Oké, dan breng ik je wel thuis.'

'Goed, maar dan mag je niet mee naar binnen,' zei ze streng. Sommige vrouwen zouden haar promiscue kunnen vinden, maar ze had wel een grens. Hugh Miner was aantrekkelijk en succesvol en hij gedroeg zich keurig. Hij was alleen haar type niet.

'Dat moet je zelf maar bepalen.'

'Ik meen het. Je mag niet mee naar binnen.'

'Ik geloof je wel. Dan beloof ik dat ik op mijn motor blijf zitten.'

'Je motor?'

'Ja, ik ben hier op mijn Harley. Dat vind je vast geweldig.' Hij sloeg een arm om haar heen en samen liepen ze naar de deur van de kroeg. 'Eerst moet ik Dimitri en de andere jongens even zeggen dat ik wegga.'

'Maar ik kan niet bij jou achter op de motor zitten.'

Bij de ingang moesten ze wachten tot een groep mensen de kroeg had verlaten. 'Natuurlijk wel. Je moet je gewoon goed vasthouden.'

'Dat bedoel ik niet.' Ze keek naar hem op. Zijn gezicht werd belicht door een oranje reclamebord voor Miller-bier. 'Ik heb geen onderbroek aan.'

Heel even stond hij als aan de grond genageld, toen verscheen er een brede grijns op zijn gezicht. 'Nou, daar heb je het al. Hebben we toch iets gemeen. Ik ook niet.'

John liep achter Caroline Foster-Duffy aan, de hal door van het landgoed van Virgil. Haar blonde haar vertoonde wat grijze lokken en bij haar ogen had ze al wat rimpels. Ze was het type vrouw dat op een elegante, wijze manier ouder werd. Wijs, omdat ze haar leeftijd niet wilde bestrijden met haarverf en cosmetische chirurgie, en elegant, omdat ze er goed uitzag, ondanks haar leeftijd.

'Hij verwacht je al,' zei ze toen ze langs de eetzaal liepen. Ze bleef bij een volgende set dubbele deuren staan en keek John bezorgd aan. 'Ik wil je vragen het bezoek kort te houden. Ik weet dat Virgil je zelf heeft uitgenodigd, maar hij heeft de afgelopen paar dagen harder gewerkt dan anders. Hij is moe, maar gunt zichzelf geen rust. Ik weet dat er iets speelt, maar met mij wil hij het niet delen. Weet jij wat er gebeurd is? Iets met de club?'

'Ik heb geen idee,' antwoordde John. Hij was net bezig met het tweede jaar van zijn driejarige contract en hoefde zich nog een jaar lang geen zorgen te maken over contractonderhandelingen. Hij kon zich niet voorstellen dat Virgil hem daarvoor had ontboden. Bovendien betaalde hij goed geld aan zijn management om zijn zakelijke belangen te dienen. 'Ik dacht eerlijk gezegd dat hij wilde praten over de nieuwe spelers,' zei hij, al vond hij het wel vreemd dat Virgil hem daar persoonlijk over wilde spreken, evenals het tijdstip, een vrijdagavond om negen uur.

Er verscheen een frons op het voorhoofd van Caroline. Ze deed de deur achter zich open. 'Hier is John,' kondigde ze hem aan. John volgde haar het kantoor binnen. Dit was ingericht met kersenhouten en leren meubilair, Japanse beelden en vroeg-Amerikaanse litho's. Het interieur straalde een zekere rijkdom en smaak uit. 'Maar hij mag maar een halfuur blijven,' ging ze verder. 'Daarna wil ik graag dat jij wat gaat rusten.'

Virgil keek op van de stapel papier op zijn bureau. 'Sluit de deur alsjeblieft achter je,' was zijn enige antwoord tegen zijn vrouw. Met opeen geknepen lippen verliet Caroline de kamer.

'Ga zitten.' Virgil gebaarde naar de stoel tegenover zijn bureau. John keek de oudere man aan en wist direct waarom hij was ontboden. De vermoeidheid was zichtbaar in de donkere kringen onder Virgils ogen en de bitterheid was van hem af te lezen. Hij zag er ineens heel oud uit. John ging in de leren chesterfield zitten en wachtte af.

'Laatst leek jij oprecht verrast toen we Georgeanne Howard op de plaatselijke zender zagen.'

'Dat klopt.'

'Jij wist niet dat ze hier in Seattle haar eigen programma had?'

'Nee.'

'Hoe kan dat, John, jullie schijnen elkaar zo goed te kennen.'

'Blijkbaar kennen we elkaar toch niet zo goed,' antwoordde John. Hij vroeg zich af hoeveel Virgil precies wist.

De oude man pakte een stuk papier op en legde het voor John op het bureau. 'Hieruit blijkt dat je liegt.'

John pakte het document op en zag met één blik dat het een kopie van Lexies geboorteakte was. Daarop stond hij aangemerkt als haar vader. Normaal gesproken had hij het fijn gevonden dat te zien, maar nu bleek dat iemand had zitten grasduinen in zijn privéleven, vond hij dat niet prettig. Hij wierp het papier weer op Virgils bureau en keek de man aan. 'Hoe kom je daaraan?'

Met een handgebaar wuifde deze zijn vraag weg. 'Is het waar?'

'Ja. Hoe kom je eraan?'

Virgil haalde zijn schouders op. 'Ik heb iemand een en ander laten uitzoeken over Georgeanne en je kunt wel raden dat ik onaangenaam verrast was toen ik jouw naam tegenkwam.' Hij hield nog een aantal kopieën omhoog, waaronder die van het document dat John had getekend om zijn vaderschap te erkennen. John hoefde ze niet van dichtbij te zien; hij herkende ze van de kopieën die hij thuis bewaarde. 'Jij hebt kennelijk een kind gekregen met Georgeanne.'

'Nou, je weet nu hoe het zit, dus waarom kom je niet direct voor de dag met je verhaal?'

Virgil legde de papieren weer terug. 'Dat is iets wat ik altijd in je heb gewaardeerd, John. Je bent recht voor zijn raap.' Hij zweeg even, toen vroeg hij zonder blikken of blozen: 'Heb je het bed gedeeld met mijn verloofde voordat ze me voor paal liet staan in mijn eigen achtertuin, of erna?'

Hoewel John niet graag in zijn eigen verleden dook, en evenmin graag antwoord gaf op persoonlijke vragen, vond hij deze wel terecht. Hij had genoeg respect voor Virgil om hem een antwoord te gunnen. 'Ik zag Georgeanne voor het eerst toen ze uit jouw huis kwam vluchten. Ze vroeg me om een lift. Ze droeg geen trouwjurk dus ik wist niet dat zij de bruid was.'

Virgil zakte dieper in zijn stoel. 'Maar op zeker moment wist je dat wel?'

'Inderdaad.'

'En toen je hoorde wie zij was, ben je toch met haar naar bed geweest.'

Johns gezicht verstrakte. 'Inderdaad.' Hij vond dat hij Virgil een dienst had bewezen door Georgeanne vlak voor haar huwelijk af te voeren. Ze kon behoorlijk gemeen zijn; John dacht niet dat de oudere man ertegen zou kunnen om te horen dat hij niet gedenkwaardig was in bed. Tenminste, niet zo goed als John.

Nee, het was maar goed dat Virgil niet met haar getrouwd was. Eerst wond ze een man zo ver op dat hij met een halve stijve rondliep, en dan riep ze dat ie zich moest schamen. En dan die stem van haar, zacht en wreed tegelijk. Een stem die hem er fijntjes aan herinnerde dat hij met een stripper was getrouwd. Wat een secreet.

'Hoe lang waren jullie minnaars?'

'Niet lang.' Hij kende Virgil en wist dat de oudere man hem niet had uitgenodigd om wat sappige details over hun bedscènes te horen. 'Wat wil je nou precies?'

'Je speelt al jaren een belangrijke rol in het team, en het heeft me nooit wat kunnen schelen wat je in je vrije tijd deed en wat je in bed uitspookte. Maar op het moment dat je Georgeanne neukte, verneukte je mij.'

John sprong op uit zijn stoel en speelde even met de gedachte de oude man over het bureau heen te trekken. Als Virgil niet zoveel jaren ouder was geweest, had hij het nog gedaan ook. Georgeanne was de verleidelijkste en aantrekkelijkste vrouw die hij ooit was tegengekomen, maar ze was niet zomaar een vrouw om alleen te neuken. Ze betekende wel meer voor hem, en het was niet nodig om over haar te praten alsof ze een slet was. Hij kon met moeite zijn kwaadheid bedwingen. 'Ik weet nog steeds niet waarom je me hebt laten komen.'

'Je kunt kiezen, John, of je carrière bij de Chinooks, of Georgeanne. Allebei gaat niet.'

John had een nog grotere hekel aan dreigementen dan aan mensen die in zijn privéleven snuffelden. 'Ga je nu dreigen met een overplaatsing?'

Virgil antwoordde bloedserieus: 'Alleen als jij me daartoe dwingt.'

Heel even overwoog John om de man te zeggen dat hij op zijn reumatische vinger kon gaan zitten. Vijf maanden geleden had hij dat misschien wel gedaan. En hoewel John het geweldig vond om voor de Chinooks te spelen en niet graag aanvoerder zou willen zijn bij een andere club, gaf hij ook niet graag toe aan dreigementen. Maar nu stond er te veel op het spel. Hij had maar pasgeleden ontdekt dat hij een kind had en hij had er net de gedeelde voogdij over gekregen. 'We hebben samen een kind, dus misschien wil je uitleggen wat je daarmee bedoelt.'

'Je mag je kind zo vaak zien als je wilt,' begon Virgil. 'Maar haar moeder niet. Dus je gaat niet met haar uit, je raakt haar niet aan, je trouwt niet met haar. Anders heb je een probleem met mij.'

Als Virgil dit dreigement een jaar, of zelfs een paar maanden, geleden had gemaakt, dan was John op dat moment de deur uit gelopen en had daarmee aangestuurd op een ruil met een ander team. Maar hoe kon hij een vader zijn voor Lexie als hij in Detroit, New York of Los Angeles moest spelen? Hoe kon hij Lexie zien opgroeien als hij in een andere staat woonde? 'Verdomme, Virgil,' zei hij. De oudere man stond op. 'Ik weet niet wie er een grotere hekel aan de ander heeft, Georgeanne of ik. Je had het me vorige week ook gewoon op de man af kunnen vragen. Ik ben net zo dol op Georgeanne als op de waterpokken. En zij kan me niet luchten.'

Uit Virgils ogen bleek dat hij John een leugenaar vond. 'Als je maar onthoudt wat ik gezegd heb.'

'Ik denk niet dat ik zoiets vergeet.' John gunde de eigenaar van de Chinooks nog een laatste blik. Toen draaide hij zich om en verliet de kamer. Het ultimatum dat hij gekregen had, speelde hem voortdurend door het hoofd. *Je kunt kiezen, of je carrière bij de Chinooks, of Georgeanne. Allebei gaat niet.*

Hij moest een kwartier op de veerboot wachten en toen hij even later bij zijn woonboot was, moest hij eigenlijk lachen om de absurditeit van het dreigement. Duffy dacht vast dat hij de perfecte wraak had bedacht, maar hij en Georgeanne konden niet eens in dezelfde ruimte verblijven. Hij had beter kunnen eisen dat ze met elkaar trouwden.

Geluiden van zoemers en bellen, piepende banden en rinkelend glas vulden Johns oren. Lexie zat achter het stuur en ze botste voortdurend tegen bomen, stuiterde over de stoep en reed voetgangers plat.

'Het gaat steeds beter,' schreeuwde ze boven het lawaai van de andere spellen in de gamehal uit.

John staarde naar het scherm voor Lexies neus en voelde een doffe pijn achter zijn slapen. 'Kijk uit voor die oude vrouw,' waarschuwde hij. Te laat, Lexie had de bejaarde al omver gemaaid. Haar rollator vloog door de lucht.

John vond dit soort hallen niet erg leuk. Hij was ook niet dol op winkelcentra en kocht zijn spullen liever op het internet. Verder was hij geen grote fan van tekenfilms of stripfiguren.

Het spel was afgelopen. John keek op zijn horloge. 'We moeten eens verder lopen.'

'Heb ik gewonnen, John?' vroeg Lexie, wijzend naar het scherm. Ze droeg een klein zilveren ringetje dat hij voor haar had gekocht bij een kraampje en op de stoel naast haar stond een poesje van glas dat ze elders waren tegengekomen. Achter in zijn Range Rover stonden meer tassen met speelgoed en nu waren ze eigenlijk aan het wachten tot ze verderop in de straat naar de bioscoop konden voor de laatste Disney-film.

Feitelijk probeerde hij de liefde van zijn dochter te kopen. Maar dat kon hem niets schelen. Hij zou alles voor haar kopen, uren en uren doorbrengen in lawaaierige videohallen of bij vervelende Disney-films, als hij zijn dochter een keertje 'papa' hoorde zeggen. 'Je hebt bijna gewonnen,' loog hij, daarna pakte hij haar hand. 'Neem je poesje mee,' wees hij nog, en toen baanden ze zich een weg door de menigte. Hij zou werkelijk alles doen om zijn oude Lexie weer terug te hebben.

Toen hij haar eerder die middag thuis had opgepikt, was ze hem tegemoetgekomen zonder een spoortje oogschaduw of rouge. Het was zaterdag en hoewel hij haar veel liever zag zonder die hoerige make-up, verlangde hij zo hevig naar het meisje dat hij voor het eerst had gezien in juni, dat hij haar had voorgesteld een beetje lipgloss op te doen. Maar ze had slechts kort geschud met haar hoofd.

Hij had kunnen proberen nog een keer met Georgeanne te praten over Lexies ongewone gedrag, maar ze was er niet toen hij zijn dochter kwam ophalen. Volgens de oppas, met heel apart haar en een neusring, was Georgeanne aan het werk maar zou ze thuis zijn als hij Lexie weer thuisbracht.

Misschien kon hij later nog een keer met Georgeanne praten, bedacht hij toen ze naar de bioscoop liepen. Misschien konden ze zich dan als verantwoordelijke volwassenen gedragen en tot een oplossing komen die het beste was voor hun dochter. Ja, hopelijk wel. Maar er was iets aan Georgeanne wat hem prikkelde om haar steeds op de kast te jagen.

'Kijk daar!' Lexie stond abrupt stil en staarde gebiologeerd in een etalage. Daar, achter het glas, krioelden jonge cyperse katjes door elkaar. Het waren er zes en ze buitelden rond een krabpaal. Voor het eerst zag John op Lexies gezicht weer een glimp van het meisje dat hij bijna een halfjaar geleden had leren kennen in het park.

'Wil je binnen even kijken?' vroeg hij.

Ze keek hem aan alsof hij haar iets crimineels voorstelde. 'Van mammie mag ik niet...' Ze zweeg en er verscheen een glimlachje op haar gezicht. 'Oké, met jou ga ik wel naar binnen.'

John deed de deur open en liet zijn dochter naar binnen. Er was niemand in de winkel, op een verkoopster na, die achter de toonbank stond.

Lexie gaf hem het glazen poesje en toen liep ze naar de levende diertjes. Ze stak haar hand over de rand en bewoog haar vingers. Meteen kwam er een katje aan, dat boven op haar hand sprong. Ze giechelde en tilde het diertje op.

John stak het glazen poesje in zijn borstzak en knielde naast zijn dochter neer. Hij kriebelde het beestje achter de oren en streek met zijn knokkels langs zijn dochters wang. Hij wist niet wie er zachter aanvoelde.

Lexie keek hem aan, zo blij dat ze bijna sprakeloos was. 'Zo lief, John.'

Hij raakte het katje weer even aan en liet toen zijn hand over de wang van zijn dochter glijden. 'Je mag me wel papa noemen,' zei hij zacht.

Haar grote blauwe ogen knipperden een paar keer en toen begroef ze haar glimlachende gezichtje tegen het katje. Er verscheen een kuiltje in haar wang, maar spreken deed ze niet.

'Al deze poesjes zijn ingeënt en ontwormd,' vertelde de verkoopster.

John staarde een beetje teleurgesteld naar de vloer. Hij stond op en zei: 'We kijken alleen maar even.'

'Die kleine oranje mag u meenemen voor vijftig dollar. Dat is een koopje.'

John bedacht dat als Georgeanne het leuk had gevonden als Lexie een huisdier had, ze er allang eentje gehad zou hebben.

'Haar moeder zou me vermoorden als ik haar thuis zou afleveren met een poesje.'

'En een puppy dan? Ik heb net een kleine dalmatiër binnengekregen.'

'Een dalmatiër?' Dat beviel Lexie wel. 'Heb u een dalmatiër?'

Zachtjes zette Lexie het poesje terug, waarna ze met de verkoopster meeliep naar de rij hondenhokken. Daar lagen behalve de dalmatiër nog een kleine, dikke husky, die lag te slapen op zijn zij, en een grote rat die opgekruld in een etensbak lag te bibberen.

'Wat is dat?' vroeg Lexie, wijzend op de bijna kale rat met enorme oren.

'Dat is een chihuahua. Een heel lief hondje.'

John vond dat je zoiets geen hond kon noemen. Hij trilde, zag er bespottelijk uit en was een schande voor zijn soortgenoten.

'Heeft ie het koud?' vroeg Lexie met haar voorhoofd tegen het glas.

'Ik geloof het niet. Ik probeer hem wel warm te houden.'

'Hij is vast bang.' Ze legde haar hand op het glas en zei: 'Hij mist zijn moeder.'

'Nee hè,' kreunde John. Hij dacht weer aan de keer dat hij de zee in was gelopen om een visje te redden. Geen haar op zijn hoofd die eraan dacht dat aanstellerige hondje te redden. 'Nee, hij mist zijn moeder niet. Hij vindt het hier heerlijk. Ik denk zelfs dat hij het prettig vindt om in zijn etensbak te slapen. Hij is nu vast heerlijk aan het dromen en bibbert omdat hij in die droom tegen de wind in moet lopen.'

'Chihuahua's zijn altijd wat nerveus,' deed de verkoopster haar duit in het zakje.

'Nerveus?' John wees naar het hondje. 'Hij slaapt.'

De vrouw glimlachte. 'Hij heeft gewoon wat extra warmte en liefde nodig.' Toen keerde ze zich om en liep door een stel klapdeuren naast de glazen ruit. Even later ging het hokje achter de chihuahua open en tilde een paar handen het diertje uit de etensbak.

'We moeten ons haasten als we nog op tijd willen komen bij de film,' zei John, veel te laat. De vrouw keerde terug en legde het hondje in Lexies gretige armen.

'Hoe heet hij?' vroeg Lexie met ogen vol liefde gericht op twee zwarte kraaloogjes die op hun beurt smachtend naar haar opkeken.

'Hij heeft nog geen naam,' antwoordde de vrouw. 'Zijn nieuwe baasje mag hem een naam geven.'

Een roze tongetje kwam tevoorschijn uit het hondenbekje en likte Lexies kin. 'Hij vindt me leuk,' lachte ze.

John werd een beetje zenuwachtig en wilde dat Lexie en de hond snel van elkaar gescheiden werden. Hij keek weer op zijn horloge. 'Die film gaat zo beginnen, hoor. We moeten nu gaan.'

'Ik heb hem al drie keer gezien,' zei Lexie zonder haar blik van het hondje af te nemen. 'O, wat heb je toch een heerlijk snuitje,' klonk het, ze was precies haar moeder. 'Geef me eens een pakkerd.'

'Nee,' zei John haastig, hij wist niet goed meer hoe hij dit moest aanpakken. 'Geen kusje geven.'

'Hij trilt niet meer.' Lexie duwde haar wang tegen het hondje en deze likte aan haar oor.

'Nu moet je hem onmiddellijk teruggeven.'

'Maar hij vindt me lief en ik vind hem lief. Mag ik hem niet houden?'

'Geen sprake van. Je moeder vermoordt me.'

'Ze vindt het niet erg, hoor.'

John hoorde de snik in haar stem en knielde weer naast haar neer. Nu was ook zijn verzet bijna gebroken. Hij moest echt sterk zijn nu. 'Jawel, dat vindt ze wel. Maar als we het nou zo doen: ik koop een schildpad en dan kun je die bij mij houden en dan kun je altijd met hem spelen als je bij mij bent.'

Met het hondje in haar armen ging Lexie dicht tegen John aan staan. 'Ik wil geen schildpad, ik wil Pongo.'

'Pongo? Je mag hem geen naam geven, Lexie. Hij is niet van jou.'

Er verschenen tranen in Lexies ogen en haar kin begon te trillen. 'Maar ik hou van hem en hij houdt van mij.'

'Maar wil je niet liever een echte hond? Dan gaan we volgende week op zoek naar een echte hond.'

Ze schudde haar hoofd. 'Dit is een echte hond. Hij is alleen heel klein. Hij heeft geen mammie en als ik hem hier achterlaat, zal ie me zo missen.' De tranen welden op in haar ogen en drupten van haar wimpers. Ze snikte. 'Alsjeblieft, papa, mag ik Pongo houden?'

Johns hart maakte een luchtsprongetje en zijn keel schroefde dicht. Hij zag het verdrietige gezichtje van zijn dochter en het was bekeken. Het was gedaan. Hij kon niet meer terug. Hij was een watje. Ze had 'papa' tegen hem gezegd. Hij reikte naar zijn portemonnee en gaf zijn creditcard aan de blije verkoopster.

'Oké,' zei hij en hij sloeg zijn armen om Lexie heen. 'Maar je moeder vermoordt ons.'

'Echt? Mag ik Pongo houden?'

'Ik denk het wel.'

Er kwamen nu nog meer tranen en ze begroef haar gezicht in zijn hals. 'Je bent de beste papa van de hele wereld,' huilde ze, en hij voelde de warme tranen op zijn huid. 'Ik zal altijd en altijd goed mijn best doen.' Met schokkende schouders klemde ze zich aan hem vast. Ook het hondje trilde weer en John was even bang dat hij zelf ook zou gaan beven als een rietje. 'Ik hou van je, papa,' fluisterde Lexie.

Als er nu niet snel iets gebeurde, ging hij ook huilen. Ging hij staan janken in een dierenwinkel. 'Ik hou ook van jou,' zei hij, waarna hij zijn keel schraapte. 'Ik denk dat we ook eten moeten kopen.'

'En een mandje,' wist de verkoopster, terwijl ze wegliep met zijn creditcard in haar hand. 'En omdat ie zo weinig haar heeft, ook een truitje.'

Tegen de tijd dat John en Lexie het hondje en zijn accessoires hadden ingeladen, was hij bijna duizend dollar lichter. Onderweg naar huis kletste Lexie als vanouds de oren van zijn hoofd en zong wiegeliedjes voor haar Pongo. Maar hoe dichter ze bij haar huis kwam, des te stiller ze werd. Toen John de auto voor de stoep stilzette, was het doodstil.

John hielp Lexie met uitstappen en zwijgend liepen ze samen door het voortuintje van Georgeanne. Het buitenlicht brandde en ze bleven voor de gesloten voordeur staan, bang voor het moment waarop Georgeanne een bibberende rat zou aantreffen in Lexies armen.

'Ze wordt echt heel erg boos,' zei Lexie op fluistertoon tegen hem.

John pakte haar kleine handje stevig vast. 'Klopt. Stront aan de knikker.'

Lexie wees hem niet op zijn ongepaste taalgebruik, maar knikte alleen maar.

Je kunt kiezen, John, of je carrière bij de Chinooks, of Georgeanne. Hij barstte bijna in lachen uit. Zelfs als hij nu ineens hopeloos verliefd zou worden op Georgeanne, dan nog was zijn carrière veilig. Na vanavond zou Georgeanne hem nooit meer willen zien.

De deur ging open en meteen was er stront aan de knikker. Georgeanne keek van John naar Lexie naar het harige, trillende dier. 'Wat is dat!'

Lexie zweeg en liet John zijn zegje doen. 'Eh, we waren in een dierenwinkel en...'

'O, nee!' jammerde Georgeanne. 'Heb je haar meegenomen naar een dierenwinkel? Ze mag niet meer naar dierenwinkels. De laatste keer dat we daar waren, moest ze zo hard huilen dat ze moest overgeven.'

'Nou, het goede nieuws is dat ze dit keer niet hoefde over te geven.'

'Het goede nieuws?' Ze wees naar het diertje in Lexies armen en gilde: 'Is dat een hond?'

'De verkoopster beweerde van wel, maar ik ben er zelf niet helemaal van overtuigd.'

'Breng hem maar terug!'

'Nee, mammie, Pongo is van mij.'

'Pongo? Heeft ie al een naam?' Ze keek woest naar John.

'Mooi zo, kan Pongo fijn bij John gaan wonen.'

'Ik heb geen tuin.'

'Je hebt een terras. Dat is voldoende.'

'Hij kan niet bij papa wonen, want dan kan ik hem alleen maar in het weekend zien. En dan kan ik hem niet leren dat hij niet binnen mag plassen.'

'Wie? Pongo of je papa?'

'Dat is niet grappig, Georgie.'

'Weet ik. Breng hem maar terug, John.'

'Ik wou dat het nog kon. Maar bij de kassa stond een bordje en daarop stond dat ze geen dieren terugnamen, met of zonder bonnetje. Ik kan Pongo dus niet terugbrengen.' Georgeanne was, ondanks haar boosheid, net zo mooi als anders, viel hem op. Maar voor het eerst sinds Cannon Beach had hij er geen behoefte aan haar op de kast te jagen. Met het meebrengen van het hondje had hij haar al genoeg geprovoceerd. 'Het spijt me echt, maar Lexie begon te huilen en ik kon geen nee tegen haar zeggen. Ze had hem al een naam gegeven en haar tranen drupten in mijn nek en voor ik er erg in had, gaf ik die verkoopster mijn creditcard.'

'Alexandra Mae, naar binnen, nu.'

'O, o,' zei Lexie zacht, toen hield ze haar hondje nog steviger vast en snelde het huis in.

John wilde haar achterna, maar Georgeanne blokkeerde de toegang. 'Ik zeg dat kind al vijf jaar dat ze geen huisdier mag totdat ze tien is. Nu neem jij haar een paar uur mee winkelen en ze komt thuis met een hond! En nog eentje zonder haar ook.'

Hij stak bezwerend zijn hand op. 'Weet ik, en het spijt me. Ik beloof je dat ik al zijn brokjes zal betalen en dat Lexie en ik samen op puppycursus gaan.'

'Ik kan verdorie zijn brokjes zelf wel betalen!' Georgeanne drukte haar handen tegen haar slapen. Haar hoofd knalde zowat uit elkaar. 'Ik ben zo kwaad dat ik er scheel van kijk.'

'Zou het helpen als ik je vertel dat ik een puppyboek voor je heb gekocht?'

'Nee, John,' zuchtte ze. Ze liet haar handen vallen. 'Dat helpt niks.'

'Maar ik heb ook een bench voor hem gekocht.' Hij pakte haar pols beet en trok haar achter zich aan. 'Ik heb nog een heleboel andere spullen voor hem gekocht.'

Georgeanne probeerde de vlinders in haar buik te negeren die ze kreeg toen hij haar aanraakte. 'Wat voor spullen?'

Hij deed de achterklep open en gaf haar een metalen bench aan, die ongeveer net zo groot was als de la van haar nachtkastje.

'Hier moet hij 's nachts in, anders schijt hij op de vloer,' vertelde hij, waarna hij in de auto een volgend voorwerp pakte. 'Hier is een boekje met uitleg over puppy's, hier eentje over chihuahua's en nog eentje' – hij bracht het boekje op ooghoogte – '*Hoe voed ik een hond op waarmee ik kan leven*. Ik heb ook brokjes, kauwsnoepjes voor zijn tanden, speelgoed, een halsband en riem en een truitje.'

'Een truitje? Heb je die hele winkel leeggekocht?'

'Bijna.' Hij stak zijn hoofd weer in de auto.

Over de bench heen kijkend tuurde Georgeanne naar Johns achterwerk, dat uit de auto stak. Hij had een oude spijkerbroek aan met een gevlochten leren riem eromheen.

'Ik weet dat ie hier ergens moet liggen,' zei hij, en snel verplaatste ze haar blik naar de achterklep. Die stond volgestouwd met grote tassen van een bekende speelgoedketen en een doos met ijshockeyschaatsen.

'Wat is dat allemaal?' vroeg ze, wijzend met haar hoofd.

John keek haar over zijn schouder aan. 'Wat dingen die Lexie heeft uitgezocht. Ik heb niets voor haar in huis, dus we hebben wat speelgoed gekocht. Ongelooflijk hoe duur die barbies zijn. Ik had geen idee dat die wel zestig dollar kosten.' Hij kwam weer rechtop staan en overhandigde haar een tube. 'Dat is Pongo's tandpasta.'

Georgeanne was verbijsterd. 'Heb jij zestig dollar betaald voor een barbie?'

Hij haalde zijn schouders op. 'Nou ja, die ene had er een poedel bij, de andere een bontjas en bijpassende baret. Ik geloof niet dat ik te veel betaald heb.'

Hij was echt een watje. Binnen een week zouden die poppen compleet gestript zijn en eruitzien alsof ze uit de prullenbak kwamen. Georgeanne kocht zelden duur speelgoed voor Lexie. Haar dochter ging daar niet echt beter mee om dan met goedkopere spullen. Bovendien waren er tijden dat Georgeanne geen honderdtwintig dollar kon besteden aan twee poppen.

Wel had ze de neiging uit de band te springen met verjaardagen en Kerstmis, maar de rest van het jaar leefde ze volgens een budget en spaarde ze voor die gelegenheden. Dat hoefde John niet te doen. Vorige maand, toen ze met hun advocaten bezig waren in verband met de voogdij, had ze gezien dat hij per jaar zes miljoen dollar verdiende en nog eens de helft van dat bedrag met lucratieve contracten en investeringen. Daar kon ze nooit tegenop.

Ze zag de glimlach op zijn gezicht en vroeg zich af wat hij in zijn schild voerde. Als ze niet oppaste, zou hij haar alles afnemen wat ze liefhad, en bleef er voor haar alleen een kale hond over.

Hoofdstuk 17

'Wil je een latte macchiato?' vroeg Georgeanne aan Mae. Intussen stampte ze de koffie aan in de houder.

'Graag,' antwoordde Mae, die haar aandacht niet kon afwenden van Pongo, die op de grond een hondenkoekje lag op te eten. 'Sjonge, wat een triest hondje. Mijn kat is nog groter. Sokkie kan hem makkelijk aan.'

'Lexie,' riep Georgeanne. 'Mae scheldt Pongo weer uit.'

Het meisje kwam de keuken in. Ze trok net een regenjas aan. 'Pas op hoor, Mae.' Ze keek haar boos aan en pakte haar rugzak van tafel. 'Daar is ie heel gevoelig voor.' Ze liet zich op een knie vallen en knuffelde haar hondje. 'Nu moet ik naar school, schatje, tot straks.' Het dier stopte even met knabbelen en gaf Lexie een lik.

'Hé, daar heb ik je voor gewaarschuwd,' riep Georgeanne, terwijl ze een pak melk uit de deur van de koelkast haalde. 'Zijn tafelmanieren zijn net zo netjes als die van jou.'

Lexie haalde haar schouders op en ging weer staan. 'Kan me niet schelen. Ik hou van hem.'

'Maar mij kan het wel schelen. Ga nu maar gauw naar Amy, anders kun je niet meer meerijden.'

Lexie tuitte haar lippen om een kus te ontvangen, maar Georgeanne schudde haar hoofd en liep met Lexie mee naar de voordeur. 'Ik kus geen meisjes die honden kussen die zichzelf likken.' Vanuit de deuropening zwaaide ze Lexie uit en daarna liep ze terug naar de keuken. Toen ze weer bij het espressoapparaat stond, zei ze tegen Mae: 'Ze is stapel op dat hondje. Ze heeft hem pas vijf dagen, maar haar hele leventje draait nu om hem.

Je zou het spijkervestje eens moeten zien dat ze voor hem gemaakt heeft.'

'Ik moet je iets vertellen,' zei Mae plotsklaps.

Georgeanne keek verbaasd naar haar vriendin. Ze had al het vermoeden dat er iets aan de hand was met Mae. Meestal kwam ze niet zo vroeg op de koffie. Bovendien was ze de afgelopen dagen nogal afwezig geweest. 'Wat is er aan de hand?'

'Ik hou van Hugh, de goalkeeper.'

'Wat? Die vriend van John?'

'Ja.'

Georgeanne zette de kopjes onder de houder, maar vergat het apparaat aan te zetten. Ze draaide zich om. 'Ik dacht dat je een hekel aan hem had.'

'Dat was ook zo, maar nu niet meer.'

'Wat is er dan gebeurd?'

Mae keek net zo perplex als Georgeanne zich voelde. 'Ik weet het niet! Hij heeft me vrijdag naar huis gebracht, omdat ik hem tegenkwam bij het uitgaan, en sindsdien is ie niet meer vertrokken.'

'Heeft hij de afgelopen zes dagen bij jou gezeten?' Georgeanne liep naar de keukentafel, hiervoor moest ze even gaan zitten.

'Nou ja, de afgelopen zes nachten dan.'

'Is dit een grap?'

'Nee, maar ik begrijp wel waarom je dat zegt. Ik weet ook niet wat er is gebeurd. Het ene moment zei ik nog dat hij niet mee naar binnen mocht, en voordat ik besefte wat er gebeurde, waren we allebei naakt en lagen we op de grond te knokken wie er bovenop mocht. Hij won en ik werd verliefd op hem.'

Georgeanne was totaal in shock. 'Weet je het zeker?'

'Jazeker, hij won.'

'Dat bedoelde ik natuurlijk niet!' Als er één ding was dat ze graag zou veranderen aan haar vriendschap met Mae, dan was het Mae's neiging om allerlei intieme details met haar te delen die ze niet wilde weten. 'Weet je zeker dat je verliefd op hem bent?'

Mae knikte, en voor het eerst in hun vriendschap, die al zeven jaar duurde, zag Georgeanne tranen in Mae's bruine ogen. Mae was altijd zo sterk, dat Georgeannes hart brak toen ze de tranen zag. 'Ach, lieverd,' riep ze uit en ze sprong op om Mae te troosten. 'Wat akelig.' Ze knielde naast haar vriendin neer en sloeg haar armen om haar heen. 'Mannen zijn ook zulke eikels.'

'Weet ik,' snikte Mae. 'Alles ging net zo goed, en toen deed ie dit.'

'Wat heeft ie gedaan?'

Mae trok zich los en keek Georgeanne aan. 'Hij heeft me ten huwelijk gevraagd.'

Georgeanne zakte achterover. Ze was sprakeloos.

'Ik heb gezegd dat het veel te vroeg is, maar hij wilde niet luisteren. Hij zei dat hij van me hield en hij weet dat ik van hem hou.' Ze pakte de rand van Georgeannes tafelkleed beet en depte haar ogen droog. 'Ik heb ook gezegd dat ik het onverstandig vind om nu al te trouwen, maar hij wilde gewoon niet luisteren.'

'Natuurlijk kun je niet met hem trouwen.' Georgeanne trok zich op aan de tafel. 'Vorige week had je nog een blóédhekel aan hem. Hoe kan hij nou van je verwachten dat je zo'n belangrijk besluit neemt in zo'n korte tijd? Zes dagen is toch veel te kort om te weten of je de rest van je leven bij iemand wilt blijven?'

'Ik wist het al na de derde nacht.'

Georgeanne klampte zich aan haar stoel vast. Het duizelde haar en ze ging gauw zitten. 'Doe je dit nou expres, mij zo in de war brengen? Wil je wél met hem trouwen?'

'O, ja.'

'Maar je hebt nee gezegd?'

'Nee, ik heb ja gezegd! Ik wilde eigenlijk nee zeggen, maar dat lukte me niet.' Weer barstte ze in tranen uit. 'Het klinkt misschien stom en impulsief, maar ik hou van hem en wil deze kans om gelukkig te worden niet laten passeren.'

'Je klinkt nu helemaal niet gelukkig, anders.'

'Maar dat ben ik wel! Ik heb me nog nooit zo blij gevoeld. Door Hugh voel ik me geweldig, terwijl ik nooit heb geweten dat ik me zoveel beter kon voelen. Hij maakt me aan het lachen en hij vindt mij ook grappig. Hij maakt me zielsgelukkig, maar...'

Ze zweeg even en veegde haar ogen weer droog. 'Ik wil dat jij ook gelukkig bent.'

'Ik?'

'De afgelopen maanden was je zo ongelukkig, vooral na wat er gebeurd was in Oregon. Ik vind het zo akelig dat jij zo ongelukkig bent terwijl ik zelf zo gelukkig ben.'

'Ik bén gelukkig,' verzekerde ze Mae, al vroeg ze zich af hoe waar dat was. Met alle toestanden in haar leven was ze er nog niet aan toegekomen om stil te staan bij haar eigen gevoelens. Nu ze erover nadacht, was het enige wat ze kon bedenken pure shock. Maar dit was niet het moment om haar eigen emoties nader te bestuderen. 'Joh,' zei ze met een brede glimlach op haar gezicht. Ze gaf een klap op de tafel. 'Laten we het eens hebben over jouw geluk! Want het klinkt alsof we een bruiloft moeten organiseren.'

Mae legde haar handen op die van Georgeanne. 'Ik weet dat het klinkt alsof het veel te ondoordacht is, maar ik hou echt van Hugh.' Bij het uitspreken van zijn naam klaarde haar gezicht helemaal op.

Georgeanne bestudeerde Mae's uitdrukking en liet haar twijfels plaatsmaken voor romantiek en enthousiasme. 'Hebben jullie al een datum geprikt?'

'Tien oktober.'

'Maar dat is over drie weken!'

'Weet ik, maar het ijshockeyseizoen begint al op de vijfde in Detroit en Hugh kan de eerste wedstrijd van het seizoen niet missen. Daarna gaat hij naar New York en St. Louis en dan is hij de negende weer terug om tegen Colorado te spelen. Ik heb onze agenda's naast elkaar gelegd en de eerste drie weken van oktober zijn het rustigst. Dus Hugh en ik gaan de tiende trouwen en daarna een week naar Hawaï op huwelijksreis. Dan ben ik op tijd terug voor de klus bij de Bennets en kan Hugh naar Toronto voor een wedstrijd.'

'Drie weken!' jammerde Georgeanne. 'Hoe kan ik nou de mooiste dag van je leven organiseren in drie weken?'

'Dat ga jij ook niet doen. Ik wil dat jij de bruiloft bewust meemaakt, en niet vanuit de keuken. Daarom heb ik besloten om onze collega Anne MacClean te vragen. Zij heeft goede contacten met die grote zaal in Redmond. Bovendien is ze nog jong en gretig genoeg om zo'n klus op zo'n korte termijn aan te nemen. Van jou verlang ik maar twee dingen. Ik zou het heel fijn vinden als je me helpt een jurk uit te zoeken. Je weet dat ik daar niet goed in ben; voor hetzelfde geld kies ik iets afschuwelijks uit en heb ik het niet eens in de gaten.'

Georgeanne glimlachte. 'Ik zou het heel leuk vinden je daarbij te helpen.'

'Dan is er nog iets.' Ze kneep iets harder in Georgeannes handen. 'Ik wil dat je mijn getuige wordt. Hughs getuige is John dus dat betekent dat jullie wel eens naast elkaar moeten staan.'

Nu was het Georgeannes beurt om vol te schieten. 'Maak je geen zorgen om de problemen tussen John en mij. Ik zal je graag terzijde staan.'

'Er is nog één probleem, en dat is geen kleintje.'

'Wat zou er erger kunnen zijn dan een huwelijk organiseren in drie weken en naast John moeten staan?'

'Virgil Duffy.'

En toen bleef Georgeanne stilzitten.

'Ik heb Hugh al gezegd dat we hem niet moeten uitnodigen, maar Hugh ziet niet in hoe hij dat kan voorkomen. Hij denkt dat als we zijn teamleden uitnodigen en ook de trainers en de coach en de directie, we niet om Virgil Duffy heen kunnen. Toen ik voorstelde dan alleen onze dierbaarste vrienden uit te nodigen, zei hij dat die mensen zijn dierbaarste vrienden zijn. Maar we kunnen niet een paar vrienden wel uitnodigen, en de rest niet.' Mae sloeg haar handen voor haar gezicht. 'Ik weet niet wat ik moet doen.'

'Natuurlijk moet je Virgil uitnodigen,' bracht Georgeanne met moeite uit. Haar hele verleden achtervolgde haar. Eerst John en nu Virgil.

Mae schudde haar hoofd en liet haar handen vallen. 'Hoe kan ik jou dat nou aandoen?'

'Ik ben een grote meid, hoor. Ik ben niet bang van Virgil Duffy,' zei ze dapper, al was dat misschien niet helemaal waar. Nu ze in haar keuken zat was ze niet zo bang, maar ze wist niet zeker hoe ze zich zou voelen als ze hem bij het huwelijk zou zien. 'Jij nodigt hem gewoon uit, en alle mensen die je wilt. Maak je geen zorgen over mij.'

'Ik heb Hugh al voorgesteld om naar Las Vegas te vliegen, zodat we kunnen trouwen bij zo'n nep-Elvis. Dan is het hele probleem opgelost.'

Georgeanne dacht er niet aan om haar beste vriendin te laten afreizen naar Las Vegas, omdat zij achtervolgd werd door haar verleden. 'Als je het maar laat,' waarschuwde ze met haar kin omhoog. 'Je weet hoe ik denk over ordinaire types, en trouwen bij een nep-Elvis is zo ongeveer het ordinairste wat je kunt doen. Dan moet ik je ook een ordinair huwelijksgeschenk geven, iets van een postorderbedrijf of zo. Trouwens, dat is dan tevens het einde van onze vriendschap.'

Mae lachte. 'Oké, geen nep-Elvis.'

'Gelukkig. Het wordt vast een prachtige bruiloft,' voorspelde Georgeanne.

Daarna ging ze haar agenda zoeken. Zij en Mae hadden heel wat te plannen. Ook belden ze met de cateraar en tot slot sprongen ze in de auto om de zaal in Redmond te bekijken.

De hele verdere week waren ze bezig met de bloemist en de trouwjurk. Ze bekeken er wel twintig. Aangezien ze nu haar tijd moest verdelen tussen hun bedrijf, haar werk voor de televisie, Lexie en het naderende huwelijk, had Georgeanne geen moment voor zichzelf. De enige uren dat ze zich een beetje kon ontspannen waren maandag- en woensdagavond, als John Lexie en Pongo kwam ophalen voor puppycursus. Maar zelfs dan lukte het haar niet echt zich te ontspannen. Niet met John in haar huis. Zo groot en knap en fris. Zodra ze hem zag, ging haar hart tekeer, zo stom, en als hij wegging kreeg ze pijn in haar buik. Ze was wéér verliefd op hem geworden. Alleen voelde het dit keer veel erger dan de vorige keer. Ze had gedacht dat het afgelopen was met van mensen houden die niet van haar hielden – kennelijk niet. Ook al had hij haar hart gebroken, ze zou waarschijnlijk altijd van John blijven houden. Hij had haar hart gestolen, en haar kind, en zij bleef met lege handen achter. Ook Mae ging verder met haar leven, nu ze ging trouwen. Georgeanne voelde zich in de steek gelaten. Haar leven was vol met dingen die ze leuk vond, maar de mensen van wie ze hield gingen allemaal een kant op die ze niet kon volgen.

Over een paar dagen zou Lexie haar eerste weekend doorbrengen bij haar vader, waar ze Ernie Maxwell en Johns moeder Glenda zou ontmoeten. Haar dochter kreeg ineens een hele familie waarvan zij geen deel uitmaakte. Een familie die Georgeanne haar niet kon bieden. John zou Lexie alles geven wat haar hartje begeerde, terwijl Georgeanne alleen overbleef en er niet toe deed.

Tien dagen voor het huwelijk zat Georgeanne op kantoor, na te denken over Lexie en John en Mac. Nog steeds voelde ze zich alleen. Toen Charles belde en voorstelde elkaar te treffen voor een lunch, was ze dolblij dat ze een paar uur het kantoor kon verlaten. Het was vrijdagmiddag en ze had wel behoefte aan gezelschap.

Tijdens een lunch van sint-jakobsschelpen en krab vertelde ze over Mae en haar voorgenomen huwelijk. 'Het is al over een kleine twee weken,' zei ze. 'Zo kort dag; ze hadden mazzel dat ze een klein kerkje konden vinden en een grote zaal in Redmond voor de receptie. Lexie is het bruidsmeisje en ik ben getuige.' Georgeanne pakte haar vork op en schudde haar hoofd. 'Ik heb nog steeds geen jurk gevonden. Ik zal blij zijn als het allemaal voorbij is en ik nooit meer die stress hoef te doorstaan totdat Lexie gaat trouwen.'

'Ben jij dan niet van plan ooit te trouwen?'

Georgeanne haalde haar schouders op en keek naar buiten. Als zij dacht aan trouwen, dan dacht ze altijd aan John in smoking, zoals voor die fotoshoot voor dat mannenblad. 'Daar denk ik nooit zo over na.'

'Nou, waarom eigenlijk niet?'

Georgeanne glimlachte naar Charles. 'Is dat een aanzoek?'
'Alleen als ik zeker zou weten dat je ja zou zeggen.'
Haar glimlach verdween. 'Maak je niet druk,' zei hij en hij wierp een lege schelp op de berg op zijn bord. 'Ik zal je niet voor schut zetten door nu op mijn knieën te gaan, evenmin als ik mezelf voor schut wil zetten omdat jij nee zegt. Ik weet dat je er nog niet aan toe bent.' Ze staarde hem aan. Het was een geweldige man, die veel voor haar betekende, maar ze kon niet van hem houden zoals een vrouw van haar man hield. Haar hoofd wilde wel, maar haar hart had ze al verloren aan een ander.

'Maar verwerp het idee niet direct. Denk er rustig over na,' besloot Charles zijn betoog. Dat deed ze. Een huwelijk met Charles zou een boel van haar problemen oplossen. Hij kon haar en Lexie een comfortabel leven bieden. Samen zouden ze een gezin vormen. Ze hield wel niet zoveel van hem als nodig was, maar mettertijd zou zelfs dat misschien lukken. Wellicht kon haar hoofd haar hart overtuigen.

John wierp zijn shirt op de berg vuile was op zijn badkamervloer; hij droeg nu alleen een onderbroek. Hij bedekte zijn kin en wangen met scheerschuim, en toen hij zijn scheermes pakte en in de spiegel keek, begon hij te glimlachen. 'Je mag wel binnenkomen en met me kletsen, als je wilt,' zei hij tegen Lexie, die buiten de badkamer naar binnen gluurde.

'Wat doe jij?'

'Ik ben me aan het scheren.' Hij zette het apparaat onder zijn rechteroor en haalde het naar beneden.

'Mijn moeder scheert haar benen en oksels,' meldde ze, terwijl ze naast hem ging staan. Ze droeg een wit met roze gestreepte nachtjapon. Haar haren zaten nog door de war van het slapen. Dit was de eerste keer dat ze alleen bij hem was blijven slapen en nadat hij een spin had vermoord in haar slaapkamer, was het heel soepeltjes verlopen. Toen hij het beest had vermorzeld, keek ze hem aan alsof hij een superheld was.

'Ik mag me ook scheren, als ik op de middelbare school zit,' ging ze verder. 'Tegen die tijd ben ik waarschijnlijk heel erg harig.' Ze keek hem aan via de spiegel. 'Denk je dat Pongo ook nog harig wordt?' John maakte het mes schoon in de wasbak en schudde zijn hoofd. 'Nee. Die krijgt geen haren meer.' Toen hij de avond tevoren Lexie was komen ophalen, had het arme dier een nieuw, rood truitje gedragen met overal glimmende stenen erop geplakt en een bijpassend mutsje. Het hondje had John even aangekeken en was weggehold. Volgens Georgeanne was dat vanwege Johns lengte, maar John dacht eerder dat het kwam omdat hij het niet aankon dat een andere man hem zo zag.

'Hoe kom je aan die grote snee in je wenkbrauw?'

'Dit dingetje?' Hij wees op het oude litteken. 'Toen ik een jaar of negentien was, schoot een gast een puck mijn kant op en ik bukte niet snel genoeg.'

'Deed het pijn?'

Het had ontzettend pijn gedaan. 'Ach.' John tilde zijn kin op en schoor zijn hals. Vanuit een ooghoek zag hij Lexie toekijken. 'Je kunt je beter vast gaan aankleden. Je oma en overgrootvader Ernie zijn hier over een halfuurtje.'

'Doe jij mijn haar dan?' Ze stak een hand omhoog met daarin de haarborstel.

'Ik weet niet hoe dat moet.'

'Je kunt er een paardenstaart in doen. Da's heel makkelijk. Of eentje opzij. Als ie maar hoog zit, want ik hou niet van lage staarten.'

'Ik zal mijn best doen,' zei hij, waarna hij zijn mes weer schoonspoelde en zijn andere wang aanpakte. 'Maar als je eruitziet als een zigeunermeisje, kan ik er niets aan doen.'

Lexie moest lachen en leunde met haar hoofdje tegen hem aan. Haar krullen kriebelden tegen zijn huid. 'Als mammie met Charles trouwt, heet ik dan nog steeds Kowalsky, net als jij?'

Hij hield zijn hand meteen stil en keek via de spiegel naar Lexies vragende gezicht. Langzaam liet hij zijn arm zakken en spoelde het apparaat af. 'Is jouw moeder van plan met Charles te trouwen?'

Lexie haalde haar schouders op. 'Misschien. Ze denkt erover na.'

John had eigenlijk niet echt nagedacht over het idee dat Georgeanne zou kunnen trouwen. Nu hij eraan dacht dat een andere man haar zou aanraken, werd hij misselijk bij het idee. Snel ging hij verder met scheren. 'Heeft ze jou dat verteld?'

'Ja, maar omdat jij mijn papa bent, zei ik dat ze beter met jou kon trouwen.'

Hij pakte een handdoek en veegde nog wat scheerschuim weg. 'Wat zei ze toen?'

'Toen lachte ze en zei dat dat nooit zou gebeuren, maar je kunt het toch vragen, of niet?'

Met Georgeanne trouwen? Hij kon niet met Georgeanne trouwen. Zelfs al konden ze aardig met elkaar overweg sinds het Pongo-incident, hij was er niet van overtuigd dat ze hem ooit zou mogen.

Terwijl hij haar wel mocht. Misschien wel iets te veel. Elke keer als hij Lexie kwam ophalen, stelde hij haar zich voor zonder kleren. Maar alleen op lustgevoelens kon je geen vaste relatie bouwen. Hij hield zielsveel van Lexie en wilde haar alles geven om haar gelukkig te maken, maar hij had jaren geleden al geleerd dat je niet met een vrouw moest trouwen vanwege een kind.

'Kun je het niet gewoon vragen? Dan kunnen we nog een baby krijgen.'

Ze staarde naar hem met dezelfde blik in haar ogen als toen ze haar puppy had ontdekt, maar dit keer zou hij niet toegeven. Als hij ooit zou hertrouwen, zou dat zijn omdat hij niet kon leven zonder die vrouw. 'Ik geloof niet dat je moeder mij lief vindt,' zei hij, en hij wierp de handdoek op de wastafel. 'Hoe gaan we jouw paardenstaart nou doen?'

Lexie overhandigde hem de borstel. 'Eerst moet je alle klitten eruit borstelen.'

John ging op een knie zitten en haalde de borstel voorzichtig door Lexies haar. 'Doet het pijn?'

Ze schudde haar hoofd. 'Mijn mammie vindt jou wel lief.'

'Heeft ze dat gezegd?'

'Ze vindt je ook knap en aardig.'

John grinnikte. 'Ik weet zeker dat ze je dat niet verteld heeft.'

Lexie trok een schouder omhoog. 'Maar als je met haar kust, dan vindt ze je wel knap. Dan kunnen jullie een baby maken.'

Hoewel het idee van zoenen met Georgeanne hem heel erg verleidelijk in de oren klonk, betwijfelde hij of een kus alles zou oplossen. En over het maken van een baby wilde hij niet eens nadenken.

Hij draaide Lexie een kwartslag om en kamde de andere helft van haar hoofd. 'Het lijkt wel alsof er eten in je haar zit.' Voorzichtig trok hij de knoop uit haar haren.

'Is vast pizza,' zei Lexie, alsof dat heel gewoon was. Daarna zwegen ze terwijl John haar haar verder uitborstelde. John was blij dat het onderwerp Georgeanne en kussen en baby's was afgehandeld.

'Als je met haar zoent, vindt ze jou vast leuker dan Charles,' fluisterde Lexie.

John schoof de gordijnen opzij en keek uit over Detroit bij nacht. Vanuit zijn hoge hotelkamer zag de rivier eruit als een donkere, olieachtige kronkellijn. Hij was rusteloos, maar dat was niet nieuw. Meestal duurde het een paar uur voordat hij weer helemaal was geland, vooral na een wedstrijd in deze stad. Vorig jaar hadden de Red Wings uit Motown de Chinooks met een tegengoal uit de competitie gedrukt. Dit jaar waren de Chinooks het seizoen begonnen met een 4-2 overwinning op hun rivalen. Die winst was een mooie start van het seizoen.

De andere teamleden waren beneden in de bar, om het te vieren. John niet. Hij was wel rusteloos en vol adrenaline, maar had geen behoefte aan andere mensen. Hij wilde niet aan een bar hangen en pinda's vreten, over sport praten of rink bunny's afpoeieren.

Er was iets aan de hand. Behalve de klap die hij had uitgedeeld aan zijn directe tegenstander, had John het spelletje volgens het boekje gespeeld. Precies zoals hij het graag deed, met snelheid, kracht, behendigheid en een harde bodycheck op zijn tijd. Hij hield van zijn werk, had er altijd van gehouden. Maar toch was er iets mis. Hij was er niet tevreden mee. *Je kunt kiezen, John, of je carrière bij de Chinooks, of Georgeanne. Allebei gaat niet.* John liet het gordijn weer vallen en keek op zijn horloge. Het was middernacht in Detroit, negen uur in Seattle. Hij pakte zijn telefoon en belde het nummer.

'Hallo?' klonk het na de derde toon. Bij het horen van haar stem voelde hij zijn hart ineenkrimpen.

Maar als je met haar kust, dan vindt ze je wel knap. Dan kunnen jullie een baby maken. John kneep zijn ogen dicht. 'Hoi, Georgie.'

'John?'

'Ja.'

'Waar ben je... wat doe je...? Godsammekrake, ik zit naar je te kijken op de televisie.'

Hij deed zijn ogen weer open. 'We hebben al gespeeld, dat zijn opnames vanwege het tijdsverschil.'

'O. Hebben jullie gewonnen?'

'Ja.'

'Dat zal Lexie leuk vinden. Ze zit ook naar je te kijken.'

'Wat vindt ze ervan?'

'Nou, ze vond het heel leuk, totdat die grote rooie jou neerhaalde. Daar schrok ze van.'

Die 'grote rooie' was een verdediger van Detroit. 'Gaat het nu weer met haar?'

'Ja hoor. Toen ze zag dat jij weer opstond en verder schaatste was het goed. Ik geloof dat ze het wel leuk vindt om naar je te kijken. Het zit vast in de familie.'

John staarde naar de gordijnen. 'En jij?' vroeg hij, zich tegelijkertijd afvragend waarom haar antwoord zo belangrijk was voor hem.

'Nou, normaal gesproken kijk ik geen sport. Maar niet doorvertellen, hoor, want je weet hoe gek Texanen op sport zijn,' zei ze met een sterker accent dan anders. 'Maar ik hou meer van ijshockey dan van football.'

Haar stem deed hem denken aan weerspiegelingen in grote ruiten en gepassioneerde seks. *Als je met haar zoent, vindt ze jou vast leuker dan Charles.* De gedachte dat zij met die vriend zou zoenen stond hem zo tegen dat hij er misselijk van werd. 'Ik heb kaartjes voor de wedstrijd op vrijdag voor jou en Lexie. Ik zou het fijn vinden als jullie kwamen.'

'Vrijdag? De dag na de trouwerij?'

'Is dat een probleem? Moet je werken?'

Ze dacht een paar tellen na. Toen antwoordde ze: 'Nee, dat is goed, dan kunnen we.'

Er verscheen een grijns op zijn gezicht. 'Er wordt wel veel gevlockt.'

'Daar zijn we inmiddels wel aan gewend,' zei ze lachend. 'Lexie staat naast me. Ze wil je graag even spreken.'

'Wacht, er is nog iets.'

'Wat?'

Wacht met je beslissing om met die vriend van je te trouwen. Het is een slappe zak en je verdient beter. Hij plofte neer op het bed. Hij had het recht niet dat van een ander te verlangen. 'Laat maar. Ik ben heel erg moe.'

'Wilde je nog iets van me?'

Hij sloot zijn ogen en zuchtte. 'Nee, geef Lexie maar even.'

Hoofdstuk 18

Lexie liep door het gangpad van de kerk alsof ze nooit anders gedaan had. Haar krullen dansten op haar schouders en ze strooide rozenblaadjes dat het een aard had. Het was een lieflijk kerkje waarin de plechtigheid plaatsvond. Georgeanne stond aan de linkerkant van de dominee. Ze vocht tegen de neiging om haar roze jurkje omlaag te trekken. Het was een satijnen jurkje zonder mouwen en het was akelig kort. Ze keek naar haar dochter, die daar het gangpad af kwam zetten in haar witte kanten jurkje, met een brede glimlach alsof zij de reden was dat men in het kerkje bijeengekomen was. Georgeanne kreeg ook een brede glimlach op haar gezicht. Ze was apetrots op haar kleine actrice.

Toen Lexie naast haar moeder kwam staan, grijnsde ze naar de man die aan de andere kant van de dominee stond in een donkerblauw Hugo Boss-pak. Ze liet haar bloemenmandje met een handje los en zwaaide voorzichtig naar hem. Op Johns serieuze gezicht verscheen ook een glimlach en ook hij bewoog zijn vingers.

Ineens klonk de bruiloftsmars van Mendelssohn door de kerk. Alle hoofden bewogen zich naar de ingang. Daar stond Mae, met een krans van witte veldbloemen op haar hoofd en een lange, strak gesneden witte zijden jurk, die Georgeanne haar had helpen uitzoeken. Ze zag er prachtig uit. De simpele snit van de jurk benadrukte Mae's gezicht en gaf haar wat lengte, die nog extra benadrukt werd door de split aan de voorkant.

Mae liep in haar eentje het gangpad af, met haar kin in de lucht. Ze had haar familieleden niet uitgenodigd, maar de bankjes waren gevuld met vrienden en mensen die ze kende van hun werk. Georgeanne had geprobeerd haar ervan te overtuigen dat ze haar ouders moest uitnodigen, maar Mae hield voet bij stuk. Haar ouders waren niet naar Rays begrafenis gekomen en dus kwamen ze niet naar haar huwelijk, klaar. Ze wilde niet dat zij de mooiste dag van haar leven kwamen verpesten.

Nu ieders ogen op de bruid waren gericht, nam Georgeanne de gelegenheid te baat de bruidegom eens goed te bestuderen. Hugh zag er knap uit in zijn zwarte smoking, maar ze was niet geïnteresseerd in zijn uiterlijk. Georgeanne wilde zien hoe hij op Mae reageerde. Wat ze zag nam iets van haar zorgen weg over hun onverwachte liefde en overhaaste huwelijk. Zijn gezicht begon te stralen en ze dacht even dat hij met uitgestoken armen op Mae af zou lopen. Zijn ogen glommen alsof hij de loterij had gewonnen en hij zag eruit als een man die dolgelukkig en stapelverliefd was. Geen wonder dat Mae als een blok voor hem was gevallen.

Met een blijde glimlach naar Georgeanne ging Mae naast Hugh staan.

De dominee vroeg de aandacht.

Georgeanne keek naar haar tenen in haar *peeptoes*. *Stapelverliefd*. De avond ervoor had ze Charles gezegd dat ze niet met hem kon trouwen. Ze kon niet trouwen met iemand op wie ze niet stapelverliefd was. Ze liet haar blik afdwalen naar Johns nette zwarte schoenen. Al een paar keer in haar leven had hij naar haar gekeken met een van lust en verlangen vervulde blik in zijn ogen. De laatste keer dat hij Lexie was komen ophalen had ze zelfs de 'ik wil je bespringen'-blik in zijn ogen gezien. Maar lust was niet hetzelfde als liefde. Met lust kwam ze niet verder dan de volgende ochtend, vooral niet met John. Ze bestudeerde zijn lange benen, zijn jasje, zijn donkerblauwe das en tot slot zijn gezicht. Toen ze verder omhoog keek, bleken zijn twee blauwe ogen naar haar te staren.

Hij glimlachte naar haar. Het was gewoon een vriendelijke glimlach, maar alle alarmbellen gingen onmiddellijk bij haar af.

Ze richtte haar aandacht op de ceremonie. Maar ze was er zeker van dat John iets van haar wilde.

De vrouwen op de voorste rijen begonnen zacht te snikken. Georgeanne had hen kort ontmoet voorafgaand aan de plechtigheid, maar ook als dat niet het geval was geweest, had ze geweten dat het familieleden van Hugh waren. De hele familie leek op elkaar; zijn moeder, zijn drie zussen en zijn neven en nichten. Tijdens de hele ceremonie bleven ze snikken en toen deze voorbij was huilden ze nog.

In het portaal van de kerk duwde Hughs moeder haar zoon opzij om als eerste bij de bruid te kunnen zijn. 'Kind, wat ben je een beeldje,' riep ze uit terwijl ze Mae in haar armen sloot en haar voorstelde aan de zussen.

Toen Georgeanne en Lexie het kersverse echtpaar naar buiten volgden, liep John met hen mee, en toen ze ruimte moesten maken voor Hughs familieleden, raakten hun ellebogen elkaar. 'Hier,' zei Lexie met een zucht tegen Georgeanne, en ze gaf haar het mandje. 'Ik ben moe.'

'Ik denk dat we wel vast naar de receptie kunnen gaan,' zei John tegen Georgeanne. 'Waarom rijden Lexie en jij niet met me mee?'

Georgeanne draaide zich om en keek hem aan. Hij zag er zo goed uit in zijn donkerblauwe trouwpak. Het was jammer dat zijn corsage op halfzeven hing. 'We kunnen nog niet weg tot Wendell foto's heeft gemaakt.'

'Wie?'

'Wendell. Hij is de fotograaf die Mae heeft gehuurd. Hij moet nog trouwfoto's maken.'

Johns glimlach maakte plaats voor een grimas. 'Weet je het zeker?'

Georgeanne knikte en wees op zijn corsage. 'Jouw roos valt er bijna uit.'

Hij keek naar beneden. 'Daar ben ik ook niet goed in. Kun jij dat voor me doen?'

Tegen beter weten in pakte Georgeanne zijn revers beet. Met

zijn hoofd boven het hare trok ze de lange speld los. Hij was nu zo dichtbij dat ze zijn adem tegen haar slaap voelde. Zijn aftershave bedwelmde haar en als ze haar gezicht wat zou draaien zouden hun monden elkaar raken. Ze duwde de speld door de wol en door de bloem, in plaats van de steel.

'Pas nou op voor je vingers.'

'Ik doe dit zo vaak, maak je geen zorgen.' De speld zat nu weer in zijn revers en ze deed een pas naar achteren om het resultaat te bekijken. Nu moest ze nog een rimpeltje wegstrijken. De dure wol voelde heerlijk aan haar vingers.

'Speld jij aan de lopende band bloemen op bij vreemde mannen?' Ze schudde haar hoofd. Haar haren raakten zijn kin. 'Alleen bij mezelf en bij Mae. Als we moeten werken.'

Hij legde zijn hand op haar arm. 'Weet je zeker dat je geen lift wil? Virgil zal daar ook aanwezig zijn. Misschien vind je het prettiger hem hier niet in je eentje mee te confronteren.'

Met alle chaotische toestanden tijdens de voorbereidingen, was het Georgeanne gelukt om niet aan haar ex-verloofde te denken. Nu kreeg ze pijn in haar buik als ze aan hem dacht. 'Heb jij hem over Lexie verteld?'

'Hij wist het al.'

'Hoe was ie eronder?' Ze streek nog een onzichtbare rimpel in de stof glad.

John haalde zijn brede schouders op. 'Redelijk. Het is zeven jaar geleden; hij is er wel overheen.'

Dat was een hele opluchting voor Georgeanne. 'Dan rijd ik zelf wel naar de receptie, maar bedankt voor het aanbod.'

'Graag gedaan.' Hij streek met zijn warme hand over haar schouder en liet hem vervolgens via haar arm naar beneden gaan. Haar nekharen stonden rechtovereind.

'Weet je het zeker van die foto's?'

'Hoe bedoel je?'

'Ik heb er gewoon een hekel aan om op de foto te gaan.'

Nou deed hij het weer. Hij nam alle ruimte om haar heen in beslag en benam haar de mogelijkheid tot nadenken. Een aanraking van hem was zowel een genot als een marteling. 'Ik zou zeggen dat je daar zo langzamerhand wel aan gewend zou zijn.'

'Ik vind de foto's zelf ook niet zo erg, eerder het wachten. Ik heb geen geduld. Als ik iets wil, dan wil ik het direct.'

Georgeanne kreeg het idee dat hij het niet meer over foto's had.

Even later, toen de fotograaf hen groepeerde voor het spreekgestoelte, moest ze weer zo'n genotvolle of juist martelende aanraking ondergaan. Wendell plaatste alle vrouwen voor de mannen, en Lexie stond aan de andere kant van Mae. Dus stond Georgeanne voor John.

'Ik wil nu bij jullie allemaal een heel grote glimlach op jullie gezichtjes!' riep de fotograaf. Gezien zijn té blije manier van doen had hij duidelijk een goed contact met zijn vrouwelijke kant. 'Kom op, mensen, ik zie nog veel te weinig blije gezichtjes!'

'We zouden die gozer eens moeten vragen voor een groepsfoto van het team,' fluisterde John tegen Hugh.

Deze moest grinniken.

'Kijken of ie dan ook nog om blije gezichtjes durft te vragen.'

'Papa!' fluisterde Lexie. 'Niet zo praten.'

'Sorry.'

'Kunnen jullie "huwelijksnacht" zeggen?'

'Huwelijksnacht!' riep Lexie.

'Heel goed, bloemenmeisje. En de rest?'

Georgeanne keek naar Mae en ze proestten het uit.

'Nou, kom op, dat kan blij-blij-blijer!'

'Jezus, waar komt die vent vandaan?' wilde Hugh weten.

'Ik ken hem al jaren. Hij was een goede vriend van Ray.'

'Aha. Dat verklaart een hoop.'

Ineens legde John zijn hand om Georgeannes middel. Abrupt hield ze op met lachen. Hij schoof zijn hand naar voren en trok haar naar zich toe. Zijn lage, diepe stem bromde in haar oor: 'Zeg eens "cheese"!'

Georgeanne hapte naar adem. 'Cheese,' bracht ze met moeite uit. Op dat moment knipte Wendell.

'Zo, en nu de familie van de bruidegom.'

John spande zijn armspieren. Eigenlijk wilde hij Georgeanne vasthouden, maar zij draaide zich al om, waardoor haar jurkje omhooggetrokken werd. Meteen liet hij zijn hand vallen en deed een stap naar achteren. Georgeanne draaide zich naar hem om en weer verscheen er zo'n glimlachje op zijn gezicht.

'Hé, Hugh,' zei hij tegen zijn vriend, alsof er zojuist niets tussen hemzelf en Georgeanne was voorgevallen. 'Heb jij nog nieuws gehoord over die goalie uit Chicago?'

Georgeanne zei tegen zichzelf dat ze niet te veel achter zijn actie moest zoeken. Ze wist wel beter dan redenen of gevoelens die er niet waren te zoeken achter onbenulligheden. Ze wist wel beter dan iets te zoeken achter elke aanraking, omhelzing of glimlach. Ze kon het maar beter vergeten. Het betekende niets en het leidde tot niets.

Een uur later waren alle gasten in de feestzaal. Georgeanne stond naast het buffet vol voedsel en bloemen, en nog steeds deed ze haar best zijn aandacht voor haar te vergeten. Ook probeerde ze hem niet steeds op te zoeken in de menigte, vooral niet toen hij bij een clubje teamgenoten ging staan dat pret aan het maken was met een of andere slanke blondine.

Ze deed echt haar best, maar ze kon hem gewoon niet uit haar hoofd zetten. Net zomin als ze kon vergeten dat Virgil zich ook ergens in deze ruimte moest ophouden.

Georgeanne legde een aardbei met een chocoladelaagje op het bordje van Lexie. Ernaast legde ze twee struikjes broccoli en een stuk kip.

'Ik wil nog een stukje taart en ook wat van die dingetjes.' Lexie wees op een kristallen schaal met bruidsuikers.

'Je hebt al taart gehad.' Georgeanne legde nog wat bruidsuikers op haar bordje en wat tomaatjes en overhandigde het bordje aan haar dochter. Weer ging haar blik vluchtig de hoofden in de menigte af.

Toen maakte haar maag een salto. Voor het eerst in zeven jaar zag ze Virgil Duffy weer, in hoogsteigen persoon. 'Ga maar even bij Mae staan,' zei ze en ze gaf Lexie een duwtje. 'Ik kom er zo aan.'

Georgeanne kon niet de hele avond doorstaan met zich afvragen hoe het zou zijn om Virgil weer te spreken. Er zat niets anders op dan de klus gewoon te klaren en wel nu, voordat ze haar moed zou verliezen. Ze haalde diep adem, overbrugde de afstand tussen hen beiden met ferme tred. Ze zou zichzelf eens dapper confronteren met haar verleden.

'Hallo Virgil,' zei ze toen ze voor hem stond. Ze zag meteen de blik in zijn ogen verkillen.

'Georgeanne, jij hebt wel lef om mij aan te spreken. Ik vroeg me al af of je het lef zou hebben.' Uit zijn toon maakte ze op dat hij er helemaal niet overheen was, zoals John beweerde.

'Het is zeven jaar geleden en het leven gaat door.'

'Dat is makkelijk gezegd. Voor jou misschien. Niet voor mij.'

Fysiek gezien was hij weinig veranderd. Misschien was zijn haar wat dunner geworden en had hij dikkere wallen onder zijn ogen. 'Ik denk dat we allebei het verleden maar moeten laten rusten.'

'Waarom zou ik?'

Ze keek hem zwijgend aan en bespeurde een verbitterde man achter de rimpels en het vermoeide gezicht. 'Ik heb spijt van wat er is gebeurd en de pijn die ik veroorzaakt heb. Ik probeerde je de avond voor het huwelijk nog uit te leggen dat ik mijn bedenkingen had, maar toen wilde je niet luisteren. Ik was te jong en onvolwassen om het anders op te lossen en het spijt me. Ik hoop dat je mijn excuses kunt aanvaarden.'

'Met sint-juttemis.'

Ze was verbaasd dat zijn boosheid haar niet echt deerde. Het maakte niet uit dat hij haar excuses niet wilde aanvaarden. Zij was de confrontatie met haar verleden aangegaan en voelde zich bevrijd van het schuldgevoel waar ze jarenlang mee had rondgelopen. Ze was niet meer jong en onvolwassen. En ze was ook niet meer bang. 'Het spijt me dat je dat zo zegt, maar of je nou mijn excuses aanneemt of niet, ik lig er niet wakker van. Ik heb een goed leven, vol mensen om me heen die van me houden. Jouw boosheid en vijandigheid raken mij niet.'

'Je bent nog net zo naïef als zeven jaar geleden,' zei hij. Er kwam een vrouw bij hem staan, die haar hand op zijn schouder legde. Georgeanne herkende haar onmiddellijk als Caroline Foster-Duffy. 'John zal nooit met je trouwen. Hij zal jou nooit verkiezen boven zijn team,' zei hij tot slot. Daarna draaide hij zich om en liep weg, samen met zijn vrouw.

Georgeanne staarde hen na. Ze vroeg zich af wat hij met dat laatste bedoelde. Ze vroeg zich af of hij John had bedreigd en als dat zo was, waarom John haar dat niet had verteld. Ze schudde haar hoofd, wist niet wat ze ervan moest denken. Ze zou nooit verwachten dat John met haar zou trouwen of haar zou verkiezen boven zijn team.

Nou, vooruit, gaf ze toe toen ze weer naar Lexie liep, die inmiddels was omgeven door het bruidspaar en wat van die stoere, sterke mannelijke ijshockeyers. Misschien had ze stiekem wel eens gedroomd dat John meer zou willen dan alleen een nacht vol gepassioneerde seks, maar zo was de werkelijkheid niet. Hoewel zij van hem hield en hij soms naar haar keek met een zeker hongerig verlangen in zijn ogen, betekende dat nog niet dat hij van haar hield. Het betekende evenmin dat hij meer van haar wilde dan een stevige vrijpartij. Het betekende ook niet dat hij haar niet nog een keer in de steek zou laten 's ochtends vroeg.

Georgeanne liep langs het podium, waar een band bezig was met alles opstellen en aansluiten, en haar gedachten keerden terug naar Virgil. Ze was dapper geweest en was op hem afgestapt en had zichzelf zo bevrijd van die ballast uit het verleden en dat voelde heerlijk.

Ze voegde zich weer bij de groep rond het bruidspaar. 'Hoe gaat het?' vroeg ze aan Mae.

'Geweldig.' Mae keek haar aan met een grote, blije grijns op haar gezicht. Ze zag er prachtig uit. 'Eerst was ik een beetje nerveus om meer dan dertig ijshockeyers uit te nodigen. Maar nu ik ze zo'n beetje allemaal ken, zijn ze heel aardig. Het zijn net mensen. Jammer dat Ray hier niet is. Hij zou het heerlijk vinden, al die gespierde lijven en strakke kontjes.'

Georgeanne grinnikte en pikte een aardbei van Lexies bordje. Ze keek om zich heen en betrapte John, die van een afstandje naar haar stond te kijken. Ze stak de aardbei in haar mond en keek snel de andere kant uit.

'Hé!' riep Lexie. 'Die was van mij. Ik heb liever dat je mijn broccoli opeet.'

'Heb je Hughs vrienden al ontmoet?' Mae gaf haar echtgenoot een por.

'Nog niet,' antwoordde ze.

Hugh stelde haar voor aan Mark Butcher. Ook hij zag er keurig verzorgd uit, al had hij wel een geweldig blauw oog.

'Misschien ken je Dimitri nog,' zei Hugh bij de volgende teamgenoot. 'Hij was bij John op de woonboot toen je daar een paar maanden geleden langskwam.'

Georgeanne bekeek de jongeman met het lichtbruine haar en de blauwe ogen. Ze wist niet wie hij was. 'Ik dacht al dat ik je herkende,' loog ze.

'Ik herken jou wel,' zei Dimitri, met een duidelijk Russisch accent. 'Je droeg een rode jurk.'

'O ja?' Georgeanne was gevleid dat hij zich haar jurk nog herinnerde. 'Wat leuk dat je dat nog weet.'

Dimitri glimlachte verlegen. 'Ik wel. Ik draag nu geen gouden kettingen.'

Georgeanne keek vragend naar Mae, die haar schouders ophaalde en op haar beurt in het grijnzende gezicht van Hugh keek. 'Heel goed. Ik moest aan Dimitri uitleggen dat Amerikaanse vrouwen mannen liever zien zonder opzichtige sieraden.'

'O, dat weet ik niet, hoor,' vond Mae. 'Ik ken een boel mannen die er geweldig uitzien met een parelsnoer en bijpassende oorbellen.'

Hugh trok Mae tegen zich aan en kuste haar op haar kruin. 'Ik heb het niet over travestieten, schatje.'

'Is dat jouw dochter?' vroeg Mark aan Georgeanne.

'Ja.'

'Wat is er met jouw oog?' vroeg Lexie. Ze gaf haar bordje aan Georgeanne en wees met haar laatste aardbei naar Marks gezicht.

'Hij is klemgereden door een Colorado Avalanche,' antwoordde John, die zich bij de groep voegde. Hij tilde Lexie hoog op. 'Het is niet erg en waarschijnlijk verdiende hij het.'

Georgeanne wilde John eigenlijk vragen wat Virgil daarnet met zijn opmerking bedoelde, maar dat moest nog maar even wachten.

'Net als toen hij die Philadelphia Flyer liet struikelen,' voegde Hugh eraan toe.

Mark vertelde luchtig: 'Die vent brak vorig jaar mijn pols.' Vervolgens ging het gesprek alleen nog maar over welke man de meeste blessures had opgelopen. Eerst was Georgeanne verbijsterd door het aantal gebroken botten, gescheurde spieren en banden en de aantallen hechtingen, maar hoe langer ze luisterde, hoe meer de verhalen haar fascineerden. Ze vroeg zich af hoeveel mannen in deze zaal nog hun eigen gebit hadden. Dat konden er niet veel zijn.

Lexie legde bezorgd haar handjes om Johns hoofd. 'Was jij gisteren ook gewond, papa?'

'Wie, ik? Nee hoor.'

'Papa?' Dimitri keek naar Lexie. 'Is jouw dochter?'

'Inderdaad.' John keek trots naar zijn teamgenoten. 'Dit meisje is mijn dochter, Lexie Kowalsky.'

Georgeanne verwachtte dat hij nu zou gaan uitleggen dat hij haar nog maar net kende, maar dat deed hij niet. Hij gaf geen enkele uitleg over de plotselinge verschijning van een dochter in zijn leven. Hij hield haar gewoon vast alsof ze altijd bij hem had gehoord.

Dimitri keek naar Georgeanne en toen weer naar John. Vragend tilde hij zijn wenkbrauwen op.

'Ja,' zei John met een veelbetekenende blik. Georgeanne vroeg zich af wat er speelde tussen beide mannen.

'Hoe oud ben je, Lexie?' vroeg Mark.

'Zes. Eerst was ik jarig en nu zit ik in groep drie. Ik hebt ook een hond van papa gekregen. Hij heet Pongo, maar die is niet zo groot. Hij hebt ook niet zoveel haar en hij hebt ook koude oortjes. Dus hebt ik een hoedje gemaakt.'

'Het is een paarse muts,' vertelde Mae aan John. 'Het beest ziet eruit als een kabouter.'

'Hoe heb je die bij hem aangekregen?' vroeg John.

'Ze zet het dier vast tussen haar knieën,' legde Georgeanne uit. John keek zijn dochter aan. 'Ga jij boven op Pongo zitten?'

'Ja papa, dat vindt ie niet erg.'

John twijfelde of Pongo het allemaal wel zo geweldig vond. Hij deed zijn mond open om uit te leggen dat honden daar niet tegen konden, maar de band begon te spelen en hij draaide zich om naar het podium. 'Goedenavond allemaal,' sprak de zanger. 'We gaan ons openingsnummer spelen en Hugh en Mae willen graag dat iedereen met hen meedanst.'

'Papa,' Lexie kwam amper boven de muziek uit, 'mag ik nog een stuk taart?'

'Mag dat van je moeder?'

'Ja.'

Hij draaide zich om naar Georgeanne en hield zijn mond dicht tegen haar oor. 'Wij gaan nog een keertje naar het buffet. Loop je mee?' Ze schudde haar hoofd en John verloor zichzelf even in haar groene ogen. 'Niet weggaan.' Voordat ze iets kon terugzeggen, begaven hij en Lexie zich al naar de andere kant van de zaal.

'Ik wil een heel groot stuk,' zei Lexie. 'Met heel veel slagroom.'

'Daar krijg je buikpijn van.'

'Nee hoor.'

Hij zette haar bij het buffet op haar eigen voeten en moest enkele lange minuten geduldig wachten tot ze eindelijk het juiste stuk taart had uitgekozen, met veel slagroom en vooral veel paarse bloemetjes erop. Daarna zochten ze een vork en vond hij voor haar een plekje aan de tafel met een van Hughs nichtjes. Toen hij zich omdraaide, zag hij Georgeanne op de dansvloer met Dimitri. Normaal gesproken was hij erg gesteld op de jonge Rus, maar vanavond niet. Niet nu Georgeanne een kort jurkje droeg en Dimitri naar haar keek alsof iemand hem een blini met beloega kaviaar voorhield.

John baande zich snel een weg door de menigte en legde zijn hand op de schouder van zijn teamgenoot. Hij hoefde niets te zeggen. Dimitri keek naar hem en wist genoeg. Hij draaide zich om en liep weg.

'Ik geloof niet dat dit verstandig is,' zei Georgeanne terwijl hij haar in zijn armen nam.

'Hoezo niet?' Hij trok haar dichter tegen zich aan. Samen bewogen ze op de muziek. *Je kunt kiezen, John, of je carrière bij de Chinooks, of Georgeanne. Allebei gaat niet.*

Hij dacht aan Virgils waarschuwing en was zich zeer bewust van de vrouw in zijn armen. Hij had zijn besluit al genomen. Een paar dagen geleden al.

'Omdat Dimitri mij ten dans vroeg, om te beginnen.'

'Dat is een vuile communist, die zou ik maar uit de weg gaan.'

Georgeanne strekte haar nek om hem eens goed aan te kijken. 'Ik dacht dat hij je vriend was.'

'Met de nadruk op wás.'

Er verscheen een denkrimpel in haar voorhoofd. 'Wat is er dan gebeurd?'

'We willen allebei hetzelfde, alleen krijgt hij het niet.'

'Wat willen jullie dan?'

Er was zoveel wat hij wilde. 'Ik zag je met Virgil praten. Wat zei hij?'

'Niet veel. Ik vertelde hem dat het me speet hoe het zeven jaar geleden was gelopen, maar hij wilde mijn excuses niet aanvaarden.' Ze keek hem verbaasd aan, schudde haar hoofd en wendde haar blik af. 'Jij zei dat hij eroverheen was, maar hij is nog steeds heel boos.'

John legde zijn hand om haar gezicht en tilde haar gezicht op. 'Maak je om hem geen zorgen.' Hij keek haar aan en vervolgens keek hij de oude man recht in zijn gezicht. Daarna zocht zijn blik

Dimitri en alle andere mannen die al de hele tijd stiekem naar haar borsten gluurden. Langzaam bracht hij zijn gezicht naar beneden en nam bezit van haar mond. Met zijn tong zocht en vond hij de hare. Hij zoende haar met opzet lang en hard en verplaatste zijn hand van haar rug naar beneden. Ze klampte zich ook aan hem vast en toen ze elkaar eindelijk loslieten hapte ze naar adem. 'Godsammekrake,' fluisterde ze.

'En nu wil ik weten hoe het zit met Charles.' De blik in haar ogen deed hem denken aan verfrommelde lakens en zachte huid op de zijne.

'Wat wil je weten over Charles?'

'Lexie vertelde me dat je erover denkt met hem te trouwen.'

'Ik heb nee gezegd.'

Een golf van opluchting spoelde door hem heen. Hij omhelsde haar stevig en trok haar dicht tegen zich aan. Met een glimlach zei hij in haar krullen: 'Je ziet er beeldschoon uit vandaag.' Toen liet hij haar los, bestudeerde haar gezicht, haar zinnelijke mond, en vroeg: 'Waarom zoeken we niet een plek op waar we even flink tekeer kunnen gaan? Hoe groot is de dames-wc hier?'

Hij zag een vonkje in haar ogen, maar ze wendde haar blik af om haar glimlach te verbergen. 'Wat heb jij gedronken, John Kowalsky?'

'Je weet toch dat ik ben afgekickt,' zei hij lachend. 'Alleen van jouw lichaam kan ik maar geen genoeg krijgen. En jij van het mijne?'

'Ik kan wel zonder, hoor,' plaagde ze.

De band zette in voor een sneller nummer. 'Waar is Lexie?' vroeg ze.

John keek naar de tafel waar hij haar had achtergelaten. Daar zat ze met haar hoofd op haar hand geleund. Haar ogen vielen al dicht. 'Ze ziet eruit alsof ze elk moment in slaap kan vallen.'

'Dan breng ik haar naar huis.'

John bracht zijn handen van haar rug naar haar schouders. 'Ik draag haar wel naar je auto.'

Georgeanne dacht even over zijn aanbod na, en besloot dat ze zijn hulp best kon gebruiken. 'Dat zou fijn zijn. Ik pak even mijn tas en kom zo achter je aan.' Hij kneep zachtjes in haar schouders en liet haar vervolgens los om Lexie te gaan halen. Ze keek hem na en liep op haar beurt naar Mae.

Er was duidelijk iets veranderd in zijn houding naar haar toe. Het zat hem in de manier waarop hij haar vasthield en zoende. Hij had iets bezitterigs en hebberigs over zich; wilde haar niet graag loslaten. Ze moest daar niet te veel in lezen. Maar het blije gevoel in haar hart liet zich niet temmen.

Ze pakte snel haar tasje en nam afscheid van Mae en Hugh. Toen liep ze naar buiten, naar de spaarzaam verlichte parkeerplaats. Ze trof John leunend tegen haar auto aan. Hij had Lexie in zijn jasje ingepakt en hield haar dicht tegen zich aan.

'Zo werkt het niet,' zei hij net tegen Lexie. 'Je kunt geen bijnaam voor jezelf verzinnen. Iemand anders bedenkt gewoon iets en dan blijft die naam hangen. Denk je dat ik mezelf "The Wall" heb genoemd?'

'Maar ik wil graag "De Kat" heten.'

'Die naam is nou eenmaal al bezet.' Hij zag Georgeanne aan komen lopen.

'Kan ik dan "De Hond" heten?' vroeg Lexie met haar hoofd op zijn schouder.

'Denk je echt dat het leuk is als mensen jou Lexie "De Hond" Kowalsky noemen?'

Lexie giechelde. 'Nee. Maar toch wil ik een bijnaam.'

'Oké, als je een kat wilt zijn, wat dacht je dan van "Cheetah"? Lexie "Cheetah" Kowalsky?'

'Oké,' zei ze met een gaap. 'Maar dan moet jij mij ook zo noemen.'

John grinnikte. 'Oké, Cheetah, in je autostoeltje.' Hij maakte haar gordel vast. Zijn witte overhemd stak sterk af tegen de donkere lucht en zijn blauw met rode bretels. 'Ik zie je morgen bij de wedstrijd.'

Lexie gespte zichzelf vast. 'Geef me eens een pakkerd, papa.' Ze tuitte haar lippen.

Georgeanne liep glimlachend naar haar kant van de auto. De manier waarop John met Lexie omging deed haar goed. Hij was een geweldige vader. Wat er ook tussen haarzelf en John zou gebeuren, ze zou altijd van hem houden om de manier waarop hij van Lexie hield.

'Hé, Georgie?' Zijn stem was een warm baken in de kille nacht, zijn gezicht was bijna niet te zien in de duisternis.

'Waar ga je naartoe?' vroeg hij.

'Nou, naar huis natuurlijk.'

Hij grinnikte zacht. 'Wil jij papa geen pakkerd geven?'

Ze moest vechten om niet hard op hem af te hollen. Jezus, hoe kon dit nou toch? Als het om John ging had ze totaal geen zelfcontrole meer. Vooral niet na die zoen van vanavond. Ze rukte de deur open voordat ze écht over zijn voorstel zou nadenken.

'Vanavond niet, mooie jongen.'

'Zei je nou mooie jongen tegen me?'

Ze zette één voet in de auto. 'Dat is heel wat beter dan wat ik een maand geleden tegen je zei,' vond ze. Snel ging ze zitten. Ze startte de motor en met een lachende John in haar achteruitkijkspiegel verliet ze het parkeerterrein.

Op weg naar huis vroeg ze zich af wat er nou precies anders was aan hem. Haar hart wilde zo graag dat het meer betekende. Misschien had hij wel een hockeypuck tegen zijn hoofd gekregen en was hij ineens bij zinnen gekomen en had zich gerealiseerd dat hij niet zonder haar kon. Maar haar eerdere ervaringen met John wezen eerder op iets anders. Ze wist wel beter dan haar gevoelens op hem te projecteren en te zoeken naar verborgen betekenissen. Het was bezopen om al zijn woorden en aanrakingen te gaan ontcijferen. Maar het was wel een feit dat wanneer zij de controle liet varen, zijzelf uiteindelijk met de brokken zat.

Nadat ze Lexie in bed had gelegd, hing Georgeanne Johns nette jasje over de leuning van een keukenstoel. Ze schopte haar schoenen uit en zette water op voor een kopje kruidenthee. Het regende licht. Ze liep weer naar de stoel en legde haar handen op het jasje. Ze dacht aan het moment waarop hij naar haar had staan kijken, aan de andere kant van het bruidspaar dat voor de dominee stond. Ze kon zich de geur van zijn aftershave nog herinneren en het geluid van zijn stem. *Waarom zoeken we niet een plek op waar we even flink tekeer kunnen gaan,* had hij gezegd. En ze had er serieus over nagedacht.

Pongo begon ineens luid te blaffen. Vlak daarna ging de deurbel. Georgeanne liep naar de deur en tilde onderweg het hondje van de grond. Ze was niet echt verbaasd dat John voor haar deur stond, met de regendruppels glinsterend in zijn haar.

'Ik was vergeten je de kaartjes te geven voor morgenavond.' Hij overhandigde haar een envelop.

Georgeanne nam hem aan en vroeg hem, tegen beter weten in, binnen. 'Ik ben thee aan het zetten. Wil je een kopje?'

'Geen ijsthee?'

'Die heb ik uiteraard ook. Ik kom uit Texas, weet je nog wel.'

Grijnzend zei hij: 'Dan wil ik graag een ijsthee.'

Ze liepen naar de keuken, waar ze Pongo weer neerzette. Het hondje holde meteen naar John en begon diens schoen te likken.

'Hij is een behoorlijk betrouwbare waakhond aan het worden,' vertelde ze, terwijl ze uit de koelkast een kan ijsthee pakte.

'Ja, ik zie het. Wat doet hij dan om een inbreker weg te jagen? Zijn tenen likken?'

Georgeanne deed lachend de koelkast dicht. 'Waarschijnlijk wel, maar eerst begint ie als een gek te blaffen. Met Pongo in huis is het veiliger dan met een inbraakalarm. Echt vreemd, maar ik voel me veiliger met hem in de buurt.' Ze legde de envelop op het aanrecht en schonk een glas vol ijsthee.

'De volgende keer koop ik een echte hond voor je.' John nam het glas van haar over. 'Ik hoef er geen ijs in, dank je.'

'Er komt helemaal geen volgende keer.'

'Er komt altijd een volgende keer, Georgie,' zei John. Met zijn blik op haar gericht nam hij een grote slok.

'Weet je zeker dat je geen ijs wilt?'

Hij schudde zijn hoofd en liet zijn glas zakken. Zijn blik dwaalde van haar lippen naar haar borsten en bovenbenen, en toen weer terug naar haar gezicht. 'Die jurk maakt me de hele dag al gek. Hij doet me denken aan dat roze trouwjurkje dat je destijds droeg.'

Ze keek naar haar outfit. 'Deze lijkt er helemaal niet op.'

'Maar hij is kort en roze.'

'Dat jurkje was een stuk korter, was strapless en zat zo strak dat ik niet eens kon ademhalen.'

'Dat weet ik nog heel goed.' Glimlachend leunde hij met zijn onderrug tegen het aanrecht. 'Tijdens de hele rit naar Copalis bleef je maar sjorren aan die jurk, van onderen en van boven. Het was net een erotisch getouwtrek. Ik bleef me de hele tijd afvragen welke kant zou winnen.'

Georgeanne leunde met haar schouder tegen de koelkast en sloeg haar armen over elkaar. 'Het verbaast me dat je al die details nog weet. Volgens mij vond je mij toen helemaal niet leuk.'

'Volgens mij vond ik jou leuker dan verstandig voor me was.'

'Alleen toen ik me uitgekleed had. De rest van de tijd was je behoorlijk bot tegen me.'

Hij staarde naar het glas in zijn hand. Schuldbewust keek hij haar weer aan. 'Zo herinner ik het me helemaal niet. Maar als ik bot tegen je was, dan had dat niets met jou te maken. Mijn leven was toen één grote puinhoop. Ik zoop te veel en was mijn leven en mijn carrière naar de klote aan het helpen.' Hij zweeg even en zuchtte diep. 'Weet je nog dat ik je vertelde dat ik al eerder getrouwd was geweest?'

'Natuurlijk.' Hoe kon ze DeeDee en Linda ooit vergeten?

'Ik heb je toen niet verteld dat Linda zelfmoord heeft gepleegd. Ik heb haar gevonden in bad, ze had haar polsen doorgesneden met een scheermes. Heel lang heb ik me daar zo schuldig over gevoeld.'

Sprakeloos staarde Georgeanne hem aan. Ze wist niet goed wat ze moest zeggen of doen. Haar eerste aandrang was haar armen om hem heen slaan en hem zeggen hoe erg ze dat vond, maar ze bleef staan.

Hij nam nog een slok en veegde zijn mond af met zijn hand.

'Om je de waarheid te zeggen, ik hield niet van haar. Ik was een waardeloze echtgenoot en trouwde alleen maar met haar omdat ze zwanger was. Toen ons kind overleed, was er niets meer wat ons bond. Ik wilde het huwelijk beëindigen, zij niet.'

Ze voelde een steek in haar borst. Ze kende John inmiddels een beetje en wist dat hij hierdoor behoorlijk van streek moest zijn geweest. Ze vroeg zich af waarom hij haar dit vertelde. Waarom wilde hij haar zoiets pijnlijks vertellen? 'Hadden jullie een kind samen?'

'Ja. Een jongetje, Toby, dat te vroeg geboren werd en een maand later overleed. Hij zou nu acht geweest zijn.'

'Wat akelig voor je.' Het was het enige wat ze kon uitbrengen. Ze kon zich niet eens voorstellen hoe het zou zijn om Lexie kwijt te raken.

Hij zette zijn glas op het aanrecht en pakte toen haar hand beet. 'Ik vraag me wel eens af hoe hij zou zijn als hij nog geleefd zou hebben.'

Ze keek hem aan en voelde weer een steek in haar hart. Hij gaf werkelijk om haar. Misschien konden zijn gevoelens voor haar wel uitgroeien tot meer.

'Ik wilde je al eerder vertellen over Linda en Toby. Om twee redenen. Ik wil dat je mijn geschiedenis kent. Maar ik wil ook dat je weet dat ik, ondanks het feit dat ik twee keer getrouwd ben geweest, niet nog een keer zo'n fout zal maken. Ik zal niet nog een keer trouwen vanwege een kind, of puur om de lust. Als ik opnieuw trouw is dat omdat ik waanzinnig veel van iemand hou.'

Zijn woorden doofden direct de hoop die Georgeanne net nog voor hun liefde voelde. Ze trok haar hand los. Ze hadden samen een kind, daarbij was het geen geheim dat John zich erg aangetrokken voelde tot haar lichaam. Hij had haar nooit meer beloofd dan een goede vrijpartij, en toch was ze er weer in gestonken. Ze had gehoopt op meer en hij boorde direct haar verwachtingen weer de grond in. Ze voelde de tranen achter haar oogleden prikken. 'Dank voor je verhaal, John. Maar ik heb nu even niets aan je eerlijkheid.' Ze liep naar de voordeur. 'Ik denk dat je beter kunt vertrekken.'

'Wat?' zei hij ongelovig. Hij liep haar achterna. 'Ik dacht juist dat ik je wat aan het uitleggen was.'

'Dat begrijp ik. Maar je kunt niet zomaar aan komen zetten als je zin hebt om te vrijen en dan verwachten dat ik mijn kleren uittrek en ga liggen.' Haar kin begon te trillen en ze trok de voordeur open. Ze wilde dat hij wegging voordat ze helemaal instortte.

'Denk je dat? Dat je niet meer voor me betekent dan een lekkere neukpartij?'

Georgeanne kromp ineen. 'Ja.'

'Wat is hier in godsnaam aan de hand?' Hij rukte de deur uit haar hand en sloeg hem dicht. 'Ik leg hier mijn ziel bloot en jij gaat er eens even flink op trappen! Ik ben eerlijk tegen jou en jij denkt dat ik hier alleen maar kom om je het bed in te praten.'

'Eerlijk? Jij bent alleen maar eerlijk als je iets van me wilt. Je liegt de hele tijd tegen me.'

'Wanneer heb ik tegen jou gelogen?'

'Met die advocaat, bijvoorbeeld.'

'Dat was geen leugen, dat was ik gewoon vergeten te zeggen.'

'Het was een leugen, en vandaag heb je weer tegen me gelogen.'

'Wanneer?'

'In de kerk. Jij zei dat Virgil er wel overheen was, maar dat was helemaal niet zo. En dat wist je.'

Hij keek haar fronsend aan. 'Wat zei hij dan?'

'Dat je mij niet boven het team zou verkiezen. Wat bedoelde hij daar dan mee?' Ze vroeg zich af of hij dat zou vertellen.

'Wil je de waarheid weten?'

'Jazeker.'

'Oké, hij dreigde mij te ruilen met een andere club als ik met jou een relatie zou krijgen. Maar het is volkomen onbelangrijk. Laat Virgil toch gaan. Hij is gewoon kwaad omdat ik kreeg wat hij wilde hebben.'

Georgeanne liet zich tegen de muur vallen. 'Mij?'

'Jou.'

'Is dat alles wat ik voor je beteken? Iets wat je kunt hebben?'
Ze keek hem aan.

Hij zuchtte diep en haalde zijn vingers door zijn haren. 'Als jij denkt dat ik hier alleen maar kwam om lekker van bil te gaan, zit je ernaast.'

Ze liet haar blik afdwalen naar de bult in zijn broek. 'O ja?'

Nu werd hij echt boos. 'Je hoeft datgene wat ik voor je voel niet meteen tot iets platvoers te maken, Georgeanne. Ja, ik wil jou. Je hoeft maar een kamer in te lopen en dan verlang ik naar je. Dan wil ik je zoenen en strelen en je beminnen. Dat is een natuurlijk iets, dat fysieke verlangen, en daar ga ik me niet voor verontschuldigen.'

'En de volgende ochtend ben je weer vertrokken, en dan laat je me alleen achter.'

'Wat een gelul.'

'Het is al twee keer gebeurd.'

'De laatste keer was jij degene die wegging.'

Ze schudde haar hoofd. 'Dat doet er niet toe. Het liep weer op dezelfde manier af. Het is misschien niet je bedoeling om mij pijn te doen, maar het gebeurt toch.'

'Maar ik wil je nooit pijn doen, ik wil juist dat je je fijn voelt. En als jij eerlijk zou zijn, zoals je ook van mij verlangt, dan zou je moeten toegeven dat jij mij ook wilt.'

'Nee.'

Hij kneep zijn ogen tot spleetjes. 'Dat is een woord dat ik haat.'

'Het spijt me, maar er is te veel tussen ons gebeurd.'

'Probeer je me nu nog steeds te straffen om wat er zeven jaar geleden gebeurd is?' Hij zette zijn handen weer naast haar hoofd tegen de muur. 'Of is het iets anders? Ben je soms ergens bang voor?'

'Niet voor jou.'

Hij legde zijn hand onder haar kin en tilde deze op. 'Leugenaar. Je bent bang dat papa niet van je houdt.'

Ze snakte naar adem. 'Wat gemeen om dat te zeggen.'

'Misschien, maar het is wel de waarheid.' Hij streelde met zijn duim langs haar mond en omvatte toen haar pols met zijn hand. 'Je bent bang om datgene wat je graag wilt hebben na te jagen, omdat je bang bent dat je het kwijtraakt. Maar ik niet. Ik weet wat ik wil.' Hij liet haar hand langs zijn borstkas strijken. 'Probeer je nog steeds een braaf meisje te zijn, zodat papa ziet hoe lief je bent? Nou, schatje,' fluisterde hij, terwijl hij haar hand naar zijn broek bracht en haar handpalm tegen zijn erectie duwde. 'Ik zie alles.'

'Hou op,' zei ze, en toen verloor ze het gevecht tegen de tranen. Ze haatte hem. Ze hield van hem. Ze wilde dat hij bleef, maar ze wilde ook dat hij wegging. Hij was zo grof en gemeen, maar hij had wel gelijk. Ze was doodsbang dat hij haar zou aanraken en ook dat hij haar zou negeren. Ze was bang om hem te veroveren, omdat ze bang was dat hij haar ongelukkig zou maken. Maar ze was al ongelukkig. Ze kon de strijd niet meer aan. Hij was als een medicijn, een drug, en ze was aan hem verslaafd. Ze kon niet zonder hem. 'Doe me dit niet aan.'

John veegde een traan van haar wang en liet haar hand los. 'Ik wil jou en ik zal er alles voor doen om je te krijgen, zelfs vals spelen.'

Ze moest tegen haar verslaving knokken, gaan afkicken, naar een verslavingskliniek vertrekken om ervanaf te komen. Geen hete zoenen meer, geen warme aanrakingen of geile blikken. Ze moest zo snel mogelijk van hem af. 'Jij wilt alleen maar... alleen maar...'

John schudde glimlachend zijn hoofd. 'Ik wil niet alleen maar neuken met jou. Ik wil alles.'

Hoofdstuk 19

John keek Georgeanne eens diep in de ogen en grinnikte zachtjes. Eigenlijk wilde ze stoer doen, maar ze durfde niet eens 'neuken' te zeggen. Dat was precies een van de dingen die hem zo fascineerden aan haar. 'Ik wil je hart, je geest en je lichaam.' Hij bracht zijn hoofd naar beneden en veegde met zijn lippen langs de hare. 'Ik wil jou, voor altijd,' fluisterde hij, en hij sloeg zijn armen om haar middel. Ze legde haar handen plat tegen zijn borstkas, alsof ze hem wilde wegduwen, maar toen opende ze toch haar zachte mond. Daardoor voelde hij zich ineens de koning te rijk en tegelijkertijd voelde hij zich helemaal week worden. Hij hongerde naar haar lichaam en geest en tilde haar op om die honger te kunnen stillen. Binnen enkele tellen werd de zoen een spannende achtervolging van tong en mond en warme, hete passie. John schoof de rits van haar jurkje naar beneden en liet het vervolgens bij de schouders naar beneden zakken. Daarna waren de bandjes van haar onderjurkje en beha aan de beurt, zodat haar hele bovenlijf ontbloot was. Hij pakte haar armen beet en hield haar op een kleine afstand van zich vandaan en genoot van de aanblik van haar volle, naakte borsten; zijn eigen visie op de hemel. Hij sloeg weer een arm om haar middel, bracht zijn gezicht naar beneden en drukte een zachte kus op het puntje van haar tepel. Zijn tong ging daarna zacht over haar tepelhof en ze kreunde zacht en kromde haar rug. Hij zoog de tepel in zijn mond. Georgeanne worstelde om haar armen te bevrijden, maar hij hield ze nog even vast.

'John,' kreunde ze. 'Ik wil je aanraken.'

Hij liet haar los en begon aan haar rechterborst te sabbelen.

Hij was er klaar voor. Dat was hij al maanden. De pijn in zijn lendenen was nu zo hevig dat hij het liefst ter plekke haar jurk omhoog wilde schuiven en zich in haar warme lichaam wilde begraven. En wel nu.

Ze had eindelijk haar armen los en trok zijn overhemd uit zijn broek. John ging rechtop staan en keek in haar omfloerste ogen. Voordat ze hier, vlak achter de voordeur, te ver gingen, pakte hij haar hand en trok haar mee. 'Waar is je slaapkamer?' vroeg hij toen ze door de gang liepen. 'Ik weet dat er ergens eentje moet zijn.'

'De laatste deur links.'

John trok de deur open en bleef doodstil op de drempel staan. Er stond een hemelbed in de kamer, met een sprei erop. Tegen het hoofdeinde lag een flink aantal kussens. Eén muur van de kamer was behangen met een druk patroon dat terugkeerde in de bekleding van twee ranke stoeltjes. Voor het raam stonden twee bloeiende planten en boven haar spiegel op de kaptafel hing een bloemenkrans. Dit kon niet waar zijn.

Georgeanne liep langs hem de kamer in, met haar jurk voor haar borsten. 'Wat is er?'

Hij zag haar staan, omringd door haar bloemen en patronen, zich half bedekkend met haar jurkje. 'Niets, behalve dan dat jij nog aangekleed bent.'

'Jij ook.'

Hij glimlachte en deed meteen zijn schoenen uit. 'Maar niet lang meer.' Binnen enkele seconden had hij alles uit. Toen hij weer naar Georgeanne keek, ontplofte hij bijna. Ze stond op een kleine afstand van hem vandaan, met niets meer aan dan een klein slipje en twee kousen die met twee roze kousenbanden om haar dijen vastzaten. Ademloos keek hij naar de stukjes ontblote dij boven de kousen, haar ronde heupen, haar heerlijke borsten en ronde schouders. Daarboven prijkte haar beeldschone gezicht. Hij stak zijn hand uit en zij pakte hem aan. Hij trok haar naar zich toe. Ze was zo heet en zacht en ze was alles wat hij zocht in een vrouw.

Hij wilde langzaamaan doen. Hij wilde haar echt beminnen, hun genot zo lang mogelijk uitstellen. Maar het lukte niet. Hij was als een kind dat niet wist waar hij moest beginnen met spelen. Hij wist alleen dat hij niet kon ophouden; het enige wat hem tegenhield was zijn eigen besluiteloosheid. Hij wilde haar mond bezitten, haar schouders, haar borsten. Hij wilde haar buik kussen, haar dijen en die warme plek tussen haar benen.

Hij ging op het bed liggen en trok haar boven op zich. Ze zoende hem en bracht zijn handen naar haar achterwerk, waar hij haar slipje beetpakte en het naar beneden trok. Hij drukte zijn stijve tegen haar buik en de spanning werd hem bijna te veel. Weer was hij bijna klaargekomen.

Maar hij wilde nog wachten. Hij wilde zeker weten dat zij ook klaar was. Hij wilde haar teder beminnen. Hij rolde haar op haar rug en trok nu het broekje helemaal naar beneden. Toen ging hij op zijn knieën zitten en bewonderde haar bijna naakte lichaam, met de opwindende kousenbanden nog om haar dijen. Ze richtte haar armen naar hem op en hij wist dat hij niet langer hoefde te wachten. Hij bedekte haar met zijn lichaam, bracht zijn heupen tussen haar bovenbenen en legde zijn handen aan weerszijden tegen haar gezicht. 'Ik hou van je, Georgeanne,' fluisterde hij. 'Zeg dat je ook van mij houdt.'

Ze kreunde zacht en pakte zijn billen in beide handen. 'Ik hou van je, John. Ik heb altijd van je gehouden.'

Daarna stootte hij diep bij haar naar binnen. Meteen realiseerde hij zich dat ze het condoom waren vergeten. Voor het eerst sinds tijden had hij direct contact met haar vochtige warmte. Wanhopig probeerde hij nog zijn zelfbeheersing te bewaren, maar hij werd verscheurd door een allesoverheersend verlangen. Hij trok zich weer terug, kwam opnieuw bij haar naar binnen en beiden bereikten tegelijkertijd een gloeiende climax.

Om drie uur 's nachts schoof John het bed uit en kleedde zich aan. Georgeanne was wakker en zat in het bed naar hem te kijken. Hij ging weer weg. Ze wist dat het niet anders kon. Geen van beiden wilde dat Lexie wist dat hij de nacht bij haar had doorgebracht. Toch had ze hartzeer omdat hij vertrok. Hij had haar gezegd dat hij van haar hield. Hij had het haar zelfs verschillende keren verteld. Het was nog steeds moeilijk om te geloven. Moeilijk om de blijdschap die ze diep vanbinnen voelde te kunnen geloven.

Hij pakte zijn overhemd en stak zijn armen erin. De tranen brandden achter haar oogleden en ze knipperde ze snel weg. Ze wilde hem vragen of ze elkaar de volgende avond zouden zien, maar ze wilde niet klef doen.

'Je moet vandaag niet te vroeg komen,' zei hij, doelend op de kaarten die hij haar had gegeven. 'Het zal voor Lexie al moeilijk genoeg zijn om stil te blijven zitten tijdens de wedstrijd. Dan kun je het voorprogramma beter overslaan.' Hij ging op de rand van het bed zitten om zijn schoenen en sokken aan te trekken. 'Kleed je warm aan.' Toen hij klaar was, stond hij op en reikte naar haar. Hij trok haar naar zich toe en kuste haar ten afscheid. 'Ik hou van je, Georgeanne.'

Ze zou er nooit genoeg van krijgen om dat te horen. 'Ik hou ook van jou.'

'Ik zie je na de wedstrijd,' zei hij en hij gaf haar een laatste zoen. Toen was hij verdwenen, waardoor ze achterbleef met Virgils waarschuwing in haar achterhoofd. Met zijn dreigement waarmee hij haar geluk kon verstoren.

John hield van haar. Ze hield van hem. Maar hield hij genoeg van haar om zijn team, zijn sport op te geven? En zou zij met zichzelf kunnen leven als hij zoiets zou doen?

Blauwe en groene lichtbundels dwarrelden over het ijs, een groepje schaars geklede cheerleaders danste op de keiharde rocksong die door de Key Arena dreunde. Georgeanne voelde de zware bastoon door haar borstkas denderen. Ze vroeg zich af hoe het met Ernie ging. Ze keek langs Lexie – die haar handen tegen haar oren had geslagen – naar Johns grootvader. Hij leek zich niet te storen aan het harde geluid.

Ernie Maxwell zag er nog bijna hetzelfde uit als zeven jaar geleden, met zijn korte witte haren en zijn schorre stem. Het enige verschil was dat hij nu een bril droeg en ze een gehoorapparaatje had gezien in zijn linkeroor.

Toen Georgeanne en Lexie hun plaatsen hadden gevonden, was ze verrast geweest dat hij daar zat. Ze wist niet goed hoe hij op haar zou reageren, maar Johns opa had haar direct op haar gemak gesteld.

'Hallo, Georgeanne. Je bent nog mooier dan ik me kan herinneren,' zei hij, terwijl hij haar en Lexie uit hun jas hielp.

'Meneer Maxwell, u ziet er dubbel zo knap uit als ik me kan herinneren,' beweerde ze met een van haar charmantste glimlachen.

Hij lachte. 'Ik ben dol op meisjes uit het zuiden.'

Ineens hield de muziek op en gingen de lichten uit, behalve de twee grote Chinooks-logo's aan weerszijden van het ijs.

'Dames en heren, de Seattle Chinooks,' klonk een mannenstem plotseling uit de speakers. De fans werden helemaal gek en te midden van hun gejuich en gejoel schaatste het team het ijs op. Hun witte shirts staken fel af tegen de donkere hal. Vanaf haar hoge zitplaats had ze goed overzicht en ze zocht tussen de witte shirts tot ze de naam KOWALSKY in het blauw aantrof boven het nummer 11. Haar hart maakte een sprongetje van trots en liefde. Die grote man met de witte helm laag over zijn voorhoofd getrokken was van haar. Het was nog steeds zo pril dat ze bijna niet kon geloven dat hij van haar hield. Ze had hem niet meer gesproken sinds hij afscheid van haar had genomen. Ze had een paar verschrikkelijke momenten gehad, vandaag, waarin ze bang was dat ze het allemaal maar gedroomd had.

Zelfs van een afstand kon ze zien dat hij schouderbeschermers droeg en beenbeschermers, en met de stevige handschoenen om zijn handen zag hij er bijna zo ondoordringbaar uit als zijn bijnaam, 'The Wall'.

De Chinooks schaatsten van het ene doel naar het andere. Na een tijdje kwamen ze allemaal samen en gingen ze op een rijtje in het midden staan. Toen ging het licht weer aan en werden de Phoenix Coyotes aangekondigd. Maar zodra zij het ijs betraden werden ze uitgejouwd door het publiek. Georgeanne vond het sneu, zo sneu dat ze bijna voor ze was gaan juichen, als ze niet bang was geweest voor haar eigen hachje.

Van elk team bleven vijf spelers achter op het ijs. John gleed naar de middencirkel, zette zijn stick op het ijs.

'Maak die klootzakken een koppie kleiner, jongens,' riep Ernie op het moment dat de puck viel en de strijd begon.

'Opa Ernie,' schrok Lexie. 'Je zei een vies woord.'

Ernie hoorde Lexies vermaning niet, of wilde het niet horen.

'Heb je het koud?' vroeg Georgeanne aan Lexie. Ze hadden zich winters aangekleed, met coltruitjes, spijkerbroeken en gevoerde laarzen.

Lexie keek gebiologeerd naar het ijs en schudde haar hoofd. Ze wees naar John, die over het ijs raasde met een felle blik in zijn ogen, gericht op een tegenspeler met de puck. Hij gaf hem een bodycheck tegen de boarding, zodat het plexiglas erboven schudde en rammelde. Georgeanne was even bang dat ze erdoorheen zouden breken en in het publiek terecht zouden komen. Ze hoorde hoe bij beide mannen de lucht uit de longen werd geslagen. Ze wist zeker dat ze nu allebei op een brancard moesten worden afgevoerd, maar ze bleven overeind en gingen gewoon door met hun ellebogen en sticks tot de puck in de richting van het doel van de Coyotes ging.

Ze keek naar John, die van de ene kant naar de andere kant schaatste, iemand tegen het ijs duwde en de puck afpakte. Het waren hevige botsingen, ze klonken ook zo heftig. Ze dacht even terug aan gisteravond en hoopte niet dat hij vitale onderdelen beschadigde.

Het publiek werd gek en de krachttermen vlogen door de lucht. Ernie richtte zijn grieven vooral tegen de scheidsrechters. 'Doe verdomme je ogen eens open! Let op het spel!' brulde hij. Georgeanne was geschokt. Overal om haar heen werd zo gescholden en gevloekt en ook het spugen op het ijs viel haar op. Ze kwam ogen en oren tekort, als ze ook nog het spel wilde volgen.

Tegen het einde van de eerste periode was er nog geen goal gevallen. En aan het begin van de tweede periode kreeg John een paar strafminuten en moest hij de bank op.

'Klootzakken!' brulde Ernie. 'Die vent struikelde over zijn eigen voeten!'

'Opa Ernie!'

Georgeanne durfde het niet tegen Ernie te zeggen, maar ze had met eigen ogen gezien dat John zijn stick tussen de schaatsen van de man had gestoken en zijn voeten onder hem vandaan trok. De manoeuvre zag er trouwens heel natuurlijk uit en toen hij een hand tegen de borstkas van de man had gezet leek dat een onschuldige handeling, tot de man op het ijs lag en Georgeanne zich verbaasd afvroeg hoe hij daar nou terecht was gekomen.

In de derde periode maakte Dimitri eindelijk een punt voor de Chinooks. Tien minuten later scoorden de Coyotes een tegengoal. De spanning in de Key Arena was om te snijden en de fans zaten op het puntje van hun stoel. Lexie sprong van de spanning op en neer en was te opgewonden om te gaan zitten. 'Hup, papa!' riep ze, terwijl John vocht om de puck en over het ijs stoof. Met zijn hoofd naar beneden vloog hij over de middenlijn. Toen verscheen er vanuit het niets een tegenstander die op hem inbeukte. Als Georgeanne het niet gezien had, had ze niet geloofd dat een man die zo groot was als hij zo door de lucht kon vliegen. Uiteindelijk belandde hij op zijn rug en bleef daar liggen toen de scheidsrechter floot. Enkele trainers en de coach van de Chinooks schoten van de bank. Lexie begon te huilen en Georgeanne hield haar adem in. Ze voelde zich ineens een beetje misselijk.

'Je papa is al beter, kijk maar,' zei Ernie, wijzend op het ijs. 'Hij staat al op.'

'Maar hij heeft zich pijn gedaan,' snikte Lexie. John schaatste langzaam weg, niet naar de bank, maar naar de tunnel richting de kleedkamer.

'Het is al in orde.' Ernie sloeg een arm om Lexie heen. 'Hij heet niet voor niets "The Wall".'

'Mama,' jammerde Lexie, de tranen stroomden over haar gezicht. 'Je moet papa een pleistertje gaan geven.'

Maar Georgeanne dacht niet dat een pleister zou helpen. Ze wilde eigenlijk ook gaan huilen, maar bleef naar de tunnel staren. John keerde niet terug. Een paar minuten later ging de bel en was de wedstrijd voorbij.

'Georgeanne Howard?'

'Ja?' Ze keek op in het gezicht van een man die naast haar stoel stond.

'Ik ben Howie Jones, een van de trainers. John Kowalsky vroeg me of ik u kon halen.'

'Hoe erg is het?'

'Ik weet het niet. Hij wilde alleen dat ik u kwam halen.'

'Mijn god!' Ze kon zich niet voorstellen waarom hij naar haar had gevraagd, tenzij hij zwaargewond was.

'Ga maar,' zei Ernie.

'En Lexie dan?'

'Die neem ik wel mee naar Johns huis. Dan wachten we daar op jullie.'

'Weet u het zeker?' Het duizelde haar een beetje.

'Natuurlijk. Ga maar.'

'Ik bel nog wel om te laten weten hoe het gaat.' Ze gaf Lexies natte wangen een kus en pakte haar jas.

'O, ik denk niet dat je tijd hebt om ons te bellen.'

Georgeanne liep achter Howie aan naar de passage waardoor ze John daarnet had zien verdwijnen. Ze liepen over dikke rubberen matten en kwamen allerlei beveiligers tegen. Toen gingen ze rechtsaf en betraden een grote ruimte, waar een gedeelte was afgeschermd met een gordijn. Ze kreeg buikpijn van de bezorgdheid. Er was vast iets vreselijks aan de hand met John.

'We zijn er bijna,' zei Howie. Inmiddels waren ze in een gang waar allerlei mannen in pak of gestoken in de Chinooks-kleuren rondhingen. Ze haastten zich langs een deur waar KLEEDKAMER op stond, maar gingen even verderop door een andere deur.

En daar zat John, in gesprek met een televisiejournalist, voor een groot blauw bord met het logo van het team erop. Zijn haar was nat en hij glom nog van het zweet. Hij zag eruit als een man die hard gesport had, maar niet als iemand die levensgevaarlijk gewond was. Hij had zijn shirt uitgedaan en zijn schouderbeschermers en droeg nu een kletsnat blauw T-shirt dat aan zijn bovenlijf geplakt zat. Wel droeg hij zijn korte broek nog, zijn kousen en de grote beenbeschermers, maar zijn schaatsen waren uit. Toch zag hij er, zelfs zonder alle ballast, reusachtig uit.

'Die verdediger van de Coyotes had je goed te pakken in de laatste vijf minuten van de wedstrijd. Hoe voel je je nu?' vroeg de journalist, en hij hield de microfoon voor het gezicht van John.

'Ik voel me redelijk goed. Het wordt een flinke blauwe plek, maar dat hoort bij het spel.'

'Nog plannen om wraak te nemen in de toekomst?'

'Helemaal niet, Jim. Ik schaatste met mijn blik op het ijs gericht en met die gasten moet je dat natuurlijk niet doen.' Hij veegde over zijn gezicht met een handdoekje en toen pas zag hij Georgeanne staan. Hij glimlachte naar haar.

'Het bleef vanavond gelijkspel. Ben je daar tevreden over?'

John wendde zich weer tot de interviewer. 'Natuurlijk zijn we nooit helemaal tevreden als we niet winnen. Kennelijk moeten we beter opletten als we powerplay hebben. En we hebben meer momentum nodig in onze aanvalshoede.'

'Je bent nu vijfendertig, maar je behoort nog steeds tot de top. Hoe doe je dat toch?'

John grinnikte zacht. 'O, dat komt vast doordat ik al jaren zo sober leef.'

Nu lachten de verslaggever en de cameraman ook. 'Hoe ziet de toekomst van John Kowalsky eruit?'

Toen keek John naar Georgeanne en wees. 'Dat hangt af van de vrouw die daar staat.'

Georgeanne bevroor, toen draaide ze zich langzaam om, maar er stonden alleen mannen achter haar.

'Georgeanne, lieverd, ik heb het tegen jou.'

Ze draaide zich weer terug en wees verbaasd op zichzelf.

'Weet je nog dat ik gisteravond zei dat ik alleen zou trouwen als ik waanzinnig verliefd was op iemand?'

Ze knikte.

'Nou, je weet dat ik waanzinnig verliefd ben op jou.' Half ontkleed, bezweet en op zijn kousenvoeten stak hij zijn hand naar haar uit. Als verdoofd liep ze op hem af en legde haar hand in de zijne. 'En ik had je ook gewaarschuwd dat ik vals zou spelen.' Hij pakte haar schouders beet en dwong haar te gaan zitten op de kruk die hij net had verlaten. Hij keek even naar de cameraman. 'Zijn we nog in de uitzending?'

'Ja.'

Georgeanne keek naar hem op. Ze wist niet hoe ze moest kijken. Ze wilde hem omhelzen, maar hij pakte haar hand nog steviger vast.

'Ik transpireer nogal, schatje, raak me maar niet aan.' Toen knielde hij en keek haar diep in de ogen. 'Toen we elkaar zeven jaar geleden ontmoetten, heb ik je pijn gedaan en dat spijt me. Maar ik ben nu een andere man. Een van de redenen waarom ik veranderd ben, ben jij. Jij bent teruggekeerd in mijn leven en hebt het zo verrijkt. Als ik jou zie, lijkt het of je de zon bij je draagt, zo verwarm je me.' Hij zweeg even en kneep in haar hand. Er gleed een druppel zweet langs zijn slaap naar beneden en zijn stem beefde een beetje. 'Ik ben geen dichter of romanticus, en ik weet niet precies hoe ik dit het beste onder woorden kan brengen, maar wat ik voor je voel is het volgende. Jij bent mijn levensadem, jij bent wat mijn hart laat kloppen, wat mijn ziel vult, en zonder jou voel ik me zo ontzettend leeg.' Hij drukte zijn mond tegen haar hand en sloot zijn ogen. Toen hij haar weer aankeek, leek het of zijn ogen nog intenser blauw waren. Hij reikte naar zijn broekzak en haalde er een ring met daarop een grote diamant van minstens vier karaat uit tevoorschijn. 'Wil je met me trouwen, Georgie?'

'O, mijn god!' Ze kon door haar tranen heen amper wat zien en veegde ze snel weg. 'Ik kan maar niet geloven dat dit waar is.'

Ze haalde diep adem en keek van Johns gezicht naar de ring en weer terug. 'Is dit echt?'

'Natuurlijk,' zei hij, zogenaamd beledigd. 'Je denkt toch niet dat ik je met een nepdiamant ten huwelijk zou vragen?'

'Ik heb het niet over de ring,' lachte ze door haar tranen heen. 'Wil je echt met me trouwen?'

'Jazeker. Ik wil samen met jou oud worden en nog wel vijf kinderen krijgen. Ik zal je zo gelukkig maken, Georgeanne. Dat beloof ik je.'

Ze keek verdwaasd weer van zijn handen naar zijn gezicht en haar hart bonsde snel. Hij had niets aan het toeval overgelaten. Hij had live een camera op haar gericht, had een grote diamanten ring bij zich en hield haar hand stevig vast. Vannacht had ze zich afgevraagd of hij echt voor haar zou kiezen, en wat zij zou doen als hij dat inderdaad deed. Nu wist ze het antwoord op beide vragen. 'Ja, ik wil graag met je trouwen,' zei ze huilend en lachend tegelijk.

'Jezus,' zuchtte hij diep. De opluchting stond op zijn gezicht te lezen. 'Ik maakte me toch heel even zorgen.'

Op de tribunes klonk een daverend applaus, gevolgd door een luid gejuich. De muren van de arena schudden van het enthousiasme.

John keek naar de cameraman. 'Zijn we nog in de lucht?'

De man stak zijn duim in de lucht en toen keerde John zich weer om naar Georgeanne. Hij pakte haar linkerhand vast en kuste haar vingers opnieuw. 'Ik hou van je,' zei hij, en hij schoof de ring om haar vinger.

Georgeanne vloog hem om de hals en snikte in zijn oren. 'Ik hou van jou, John.'

Zo stonden ze een tijdje tegen elkaar aan, tot hij naar de televisiecrew keek en tegen hen zei: 'En dat was 'm.' De lampen en de camera gingen uit. Hierna werden ze door iedereen gefeliciteerd. Georgeanne liet hem niet meer los, totdat de laatste mannen de ruimte verlieten.

'Je wordt helemaal vies van mijn zweet,' zei John met een grote grijns.

'Kan me niet schelen. Ik hou van jou, dus hou ik ook van je zweet.' Ze ging op haar tenen staan en omhelsde hem nog steviger.

Hij pakte haar ook vast. 'Mooi zo, want je hebt er zelf ook een beetje voor gezorgd. Ik dacht echt heel eventjes dat je nee zou gaan zeggen.'

'Hoe heb je dit allemaal zo gepland?'

'Ik heb de ring vier dagen geleden in St. Louis gekocht en die vent van de televisie vanochtend gebeld.'

'Wist je zeker dat ik ja zou zeggen?'

Hij haalde zijn schouders op. 'Ik zei toch dat ik vals zou spelen.'

Ze kuste hem. Ze had zo lang op dit moment gewacht en daarom legde ze haar ziel en zaligheid in deze zoen, die hij gretig beantwoordde. Met het puntje van haar tong likte ze zijn tong. Haar hand streek langs zijn schouders en nek naar zijn natte haren.

Het verlangen was weer voelbaar in Johns kruis en hij trok zich voorzichtig los. 'Stop,' kreunde hij, waarna hij met gebogen knieën zijn zaakje in zijn toque weer goed probeerde te leggen. De plastic toque deed pijn aan zijn ballen en hij moest zijn best doen om niet hard te vloeken waar Georgeanne bij was. 'Het begint hierbeneden nogal krap te worden.'

'Trek het dan uit.'

'Ik heb minstens vier lagen aan en ik moet eerst iets anders doen voordat ik helemaal ga strippen.' Toen hij weer rechtop stond las hij de teleurstelling in haar mooie groene ogen.

'Wat kan er nu belangrijker zijn dan strippen?'

'Niets.' Ze wilde hem en daardoor voelde hij zich zo ontzettend trots en blij. Hij hield van haar zoals hij nog nooit van een ander had gehouden. Hij hield van haar als zijn vriendin, als de vrouw die zijn respect verdiende, als de moeder van zijn kind en als zijn minnares, die hij elke minuut van elke dag wel wilde beminnen. Hij begreep alleen niet waarom ze van hem hield. Hij was maar een brute sportman die veel te veel vloekte, maar hij dacht er niet aan nu zijn geluk op de proef te stellen.

Hij wilde niets liever dan haar mee naar huis nemen en voor haar strippen, maar er was iets wat nog afgehandeld moest worden. Hij pakte haar hand vast en trok haar achter zich aan naar de gang. 'Ik moet iemand nog iets duidelijk maken voordat we weg kunnen.'

Ze haperde even. 'Virgil?'

'Ja.' De bezorgdheid stond op haar gezicht te lezen. Hij legde zijn handen op haar schouders. 'Ben je bang voor hem?'

Ze schudde haar hoofd. 'Hij gaat je voor de keuze stellen, of niet? Dat je moet kiezen tussen mij of het team?'

Er kwam een trainer naar binnen. Hij sloeg John op zijn schouder. 'Gefeliciteerd, Wall,' zei hij.

John knikte. 'Dank je.'

Georgeanne begroef haar vingers in zijn T-shirt. 'Ik wou dat je niet hoefde te kiezen.'

Hij keek haar aan en drukte toen een kus op haar voorhoofd. 'Er is nooit sprake geweest van een keuze. Ik zou nooit mijn team verkiezen boven jou.'

'Maar dan ontslaat Virgil je toch?'

Hij schudde grinnikend zijn hoofd. 'Virgil kan me niet ontslaan. Hij kan me alleen maar ruilen met spelers van een ander team, als hij dat wil. Of, nog erger, hij zet me permanent op de bank. Maar dat lukt hem alleen als ik hem niet voor ben.'

'Hè?'

Hij kneep in haar hand. 'Kom op. Hoe eerder we dit afhandelen, hoe sneller we naar huis kunnen.' De vorige week had hij zijn agent het groene licht gegeven om contact op te nemen met de general manager van de Vancouver Canucks. Die stad lag op slechts twee uur rijden van Seattle en ze hadden een spits nodig. John moest zijn toekomst zeker stellen.

Met Georgeanne aan zijn zijde liep hij Virgils kantoor binnen. 'Ik dacht al dat ik jou hier zou aantreffen,' zei hij.

Virgil keek op van zijn computer. 'Jij bent druk bezig geweest. Ik zie dat je contact hebt opgenomen met Vancouver. Heb je hun aanbod gezien?'

'Jazeker.' John deed de deur achter zich dicht en sloeg zijn arm om Georgeannes middel. 'Drie spelers en twee groentjes in ruil voor mij als aanvoerder.'

'Je bent al vijfendertig. Het verbaast me dat hij zo gul is.'

John geloofde er niets van dat hij verbaasd was. Dat was een gebruikelijk aanbod voor een aanvoerder of een van de andere sterspelers. 'Ik ben de beste,' stelde hij vast.

'Ik wou dat je eerst met mij had overlegd.'

'Waarom? De laatste keer dat we elkaar gesproken hebben zei je tegen me dat ik moest kiezen tussen Georgeanne en het team. Maar weet je, daar hoefde ik niet eens over na te denken.'

Virgil keek naar Georgeanne en toen naar John. 'Dat was een mooie show die je daarnet in elkaar had gedraaid, John.'

John trok Georgeanne dicht tegen zich aan. 'Als je zoiets doet, moet je het goed doen.'

'Dat klopt. Maar je hebt een groot risico genomen. Stel je nou voor dat ze je had afgewezen voor de camera.'

'Ik wist dat ze ja zou zeggen.'

Georgeanne keek hem aan met een opgetrokken wenkbrauw. 'Ga je nu een beetje het arrogante pikkie uithangen?'

John boog zich over haar heen en fluisterde in haar oor dat ze het woord 'pikkie' nooit meer in zijn bijzijn moest uitspreken, anders zou hij hem uit zijn broek moeten halen om aan iedereen te laten zien dat hij voor geen kleintje vervaard was. Ze bloosde ervan en hij grinnikte. Maar hij had toch voor die camera even peentjes gezweet en zelfs heel even gevreesd dat hij haar over zijn schouder zou moeten werpen om er met haar vandoor te stormen en haar gevangen te houden totdat ze ja zou zeggen.

'Wat wil je, Wall?'

John keek weer naar Virgil. 'Pardon?'

'Ik vroeg wat je wil.'

Hij hield zijn gezicht in de plooi, maar vanbinnen glimlachte hij. Bingo. De oude baas had zitten bluffen. 'Hoe bedoel je?'

'Dat ik jou onder druk zette en je vertelde dat ik jou zonder pardon zou ruilen, was een slechte, overhaaste beslissing. Wat wil je hebben om hier te blijven?'

John deed er het zwijgen toe, alsof hij er nog eens flink over moest denken. Maar hij had al verwacht dat Virgil zou terugkrabbelen. 'Als ik er nog een enforcer bij krijg, dan zal ik snel vergeten dat je me wilde chanteren. En dan heb ik het niet over een groentje dat je van een derderangs club aftroggelt. Nee, ik wil een ervaren speler. Iemand die niet bang is voor de hoeken en het net. Iemand met een laag zwaartepunt, met de kracht van een tank. Het zal je een vermogen kosten zo'n kerel voor het team te kopen.'

Virgil keek sip. 'Maak maar een lijstje en geef het morgen aan me.'

'Sorry, maar vanavond heb ik het te druk.' Georgeanne gaf hem een por en hij keek haar verbaasd aan. 'Wat nou? Jij ook, hoor.'

'Ook goed,' zei Virgil. 'Dan krijg ik het volgende week van je. Dan moet ik me nu verontschuldigen. Er zijn nog andere dingen die ik moet doen.'

'Er is nog iets.'

'Een enforcer van een miljoen dollar is niet genoeg?'

'Nee.' John schudde zijn hoofd. 'Je moet je verontschuldigingen aanbieden aan mijn verloofde.'

'O, dat is niet nodig,' sputterde Georgeanne tegen. 'Echt, John, meneer Duffy heeft je wensen ingewilligd. Ik denk niet dat...'

'Laat mij dit maar afhandelen,' onderbrak John haar.

Virgil kneep zijn ogen tot spleetjes. 'En waarom zou ik mijn verontschuldigingen aanbieden aan mevrouw Howard?'

'Omdat je haar onrechtvaardig hebt behandeld. Zij heeft gezegd dat het haar speet dat ze vlak voor het huwelijk is weggelopen, maar jij hebt haar excuses niet aanvaard. En Georgie is heel gevoelig.' Hij kneep haar even in haar middel. 'Toch, schatje?'

Virgil ging staan en keek schaapachtig van John naar Georgeanne. Hij schraapte zijn keel en toen werd zijn gezicht rood. 'Uw excuses zijn aanvaard, mevrouw Howard. Wilt u nu alstublieft de mijne aanvaarden?'

John vond dat Virgil dat wel beter kon, en wilde zijn mond al opendoen, maar Georgeanne was hem voor.

'Uiteraard,' zei ze, en daarna legde ze haar hand op Johns rug. Ze keek hem aan en stelde voor: 'Zullen we meneer Duffy maar aan het werk laten?' Haar ogen glommen van liefde, maar ook van de pret.

Hij kuste haar vluchtig op haar lippen en samen verlieten ze het kantoor. Met haar dicht tegen zich aan liep hij terug naar de kleedkamers, denkend aan de droom die hij die nacht had gehad. In plaats van de erotische droom die hij meestal had over Georgeanne, droomde hij nu dat hij wakker werd in een geweldig groot hemelbed, met een gebloemde sprei waarop allemaal giebelende kleine meisjes aan het springen waren. Meisje-meisjes, met truttige hondjes, die allemaal naar hem opkeken alsof hij een superheld was, omdat hij spinnen kon doden en visjes redden.

Die droom wilde hij naleven. Die droom wilde hij met Georgeanne delen. Hij wilde een leven omringd door donkerharige, kleine kletskousen met barbiepoppen en chihuahua's. Hij wilde kanten kussentjes, behang met patronen, gebloemde banken en een vrouw met een sexy, zuidelijk accent.

Glimlachend liet hij zijn hand van Georgeannes middel naar haar schouder gaan. En als het niet zou lukken nog meer kinderen te krijgen, dan was het ook goed zo.

Hij had alles wat zijn hartje begeerde.

Epiloog

Georgeanne stond op het bordes van het mooiste hotel in Hawaï. De tropische zon brandde op haar blote schouders. Het had haar een paar dagen gekost voordat ze haar sarong om kon knopen, maar nu had ze een fuchsiakleurig exemplaar achter in haar nek vastgebonden, over haar kleurige badpak. Ze had een grote orchidee achter haar ene oor gestoken en aan haar voeten droeg ze een paar sandaaltjes met veters om haar enkels. Ze voelde zich intens vrouwelijk en dacht aan Lexie. Die zou het hier heerlijk hebben gevonden, met het warme strand en de blauwe zee. Maar Lexie zou het met een T-shirt moeten doen. Georgeanne en John hadden nu even de tijd nodig voor henzelf. Ze hadden hun dochter achtergelaten in de kundige handen van Ernie en Johns moeder.

Er kwam een Jeep voorrijden. Het portier van de bestuurder zwaaide open en haar hart maakte een sprongetje. Ze vond het een genot om John te zien lopen. Hij bewoog zich zo soepel en met zo'n overweldigend zelfvertrouwen. Alleen een man die zich lekker voelde in zijn vel kon een hawaïhemd dragen in die heldere kleur blauw, met daarop zulke grote bloemen en bladeren. Hij was zo zelfverzekerd dat het haar soms een beetje overweldigde. Als het aan John lag, waren ze de dag nadat hij haar ten huwelijk had gevraagd al getrouwd. Maar ze had het een maandje kunnen tegenhouden, zodat ze in een klein kerkje in Bellevue konden trouwen.

Nu waren ze een week getrouwd en ze hield elke dag meer van hem. Soms waren haar gevoelens voor hem zo veelomvattend dat ze het allemaal amper kon begrijpen. Dan zat ze te dromen en in de verte te staren, of moest ze lachen om niets, zo lastig was het haar blijdschap voor zich te houden. Ze had John haar hele hart en vertrouwen gegeven. In ruil daarvoor voelde ze zich zo intens zeker en geliefd dat het haar bij tijd en wijle de adem benam.

Ze volgde hem met haar ogen terwijl hij om de auto heen liep. Hij deed de andere deur open en draaide zich met een glimlach naar haar om. Georgeanne moest weer denken aan de eerste keer dat ze hem zag, toen hij zo naast zijn Corvette had gestaan. Met zijn brede schouders en knappe uiterlijk was hij vanaf dat moment haar redder in nood geweest, haar superheld.

'Aloha!' riep ze hem toe.

Er verscheen een frons op zijn voorhoofd. 'Draag je niets onder dat ding?'

Ze bleef voor hem staan en haalde plagerig een schouder op. 'Dat hangt ervan af. Ben jij een ijshockeyer?'

'Ja.' Hij glimlachte. 'Hou je van ijshockey?'

'Nee.' Georgeanne schudde haar hoofd, ze keek hem zwoel aan en sprak met het vetste zuidelijke accent dat ze rijk was – ze wist dat ze hem daar gek mee kon maken – 'Maar voor jou wil ik wel een uitzondering maken, schatje.'

Hij pakte haar vast bij haar blote bovenarmen. 'Jij valt alleen op me vanwege mijn lichaam, of niet?'

'Ik kan er niets aan doen,' zuchtte Georgeanne. Weer schudde ze haar hoofd. 'Ik ben zwak en jij bent gewoon onweerstaanbaar.'